Excellent, à retire. Janvier 2007

Un tueur
parmi nous

Du même auteur

- *Mes amours au paradis*, 1998, Éditions JCL.
- *À la croisée des chemins*, 2000, Éditions JCL.
- *Destinées*, 2002, Éditions de Mortagne.

Marie-Christine Vincent

Un tueur
parmi nous

Éditions de Mortagne

Données de catalogage avant publication (Canada)

Vincent, Marie-Christine, 1979-

    Un tueur parmi nous

    ISBN 2-89074-721-2

I. Titre.

PS8593.I449T83 2006   C843'54   C2006-940059-8
PS8593.I449T83 2006

Édition
Les Éditions de Mortagne
Case postale 116
Boucherville (Québec)
J4B 5E6

Distribution
Tél. : (450) 641-2387
Téléc. : (450) 655-6092
Courriel : edm@editionsdemortagne.qc.ca

Dépôt légal
Bibliothèque nationale du Canada
Bibliothèque nationale du Québec
Bibliothèque Nationale de France
2e trimestre 2006

ISBN : 2-89074-721-2

1 2 3 4 5 – 06 – 10 09 08 07 06

Imprimé au Canada

Nous reconnaissons l'aide financière du gouvernement du Canada par l'entremise du Programme d'aide au développement de l'industrie de l'édition (PADIÉ) et celle du gouvernement du Québec par l'entremise de la Société de développement des entreprises culturelles (SODEC) pour nos activités d'édition. Gouvernement du Québec – Programme de crédit d'impôt pour l'édition de livres – Gestion SODEC.

À Denise, ma mère,

*Mille mercis pour ton inconditionnel
soutien, ta patience et ta générosité.
Merci d'être toujours là pour moi.*

À Édouard, mon fiancé,

*Un sincère merci pour ton amour,
ta patience..., ton sens critique !
Merci pour nos beaux projets d'avenir.*

REMERCIEMENTS

J'ai mis plus de trois ans à écrire et réécrire *Un tueur parmi nous*... Pendant la laborieuse rédaction de ce roman, de nombreuses personnes m'ont soutenue en répondant à mes mille et une questions...

Tout d'abord, je tiens à remercier sincèrement André Marquis, professeur titulaire au Département des lettres et communications de l'Université de Sherbrooke. Presque chaque semaine, pendant plus d'un an, j'ai eu la chance de le rencontrer pour discuter avec lui de la forme et du contenu de mon roman. Pendant ce mentorat, j'ai énormément appris. D'ailleurs, il a su m'aider à retrouver ma confiance en moi et mon amour des mots... Merci infiniment !

Pour m'inspirer, j'ai eu la chance d'effectuer de nombreuses heures de stages d'observation avec les pompiers du Service de protection contre les incendies de la Ville de Sherbrooke. En tout premier lieu, je me dois donc de remercier le directeur du service, Michel Richer, pour m'avoir permis de passer toutes ces heures à la caserne. Je tiens d'ailleurs à souligner ici que toute ressemblance avec des personnages ou des événements réels ne serait que pur hasard.

Pendant mes stages, j'ai côtoyé de nombreux pompiers, lieutenants et inspecteurs, qui m'ont transmis leur savoir avec patience et gentillesse. Je tiens à remercier tout particulièrement Guy Fournier, un ami sans qui ces stages n'auraient pas été possibles... Je tiens aussi à saluer tous ceux que j'ai côtoyés très régulièrement : les lieutenants Christian Blais, Simon Brière, Daniel Gingras et Simon Gilbert, les pompiers Daniel Laurendeau, Éric Fontaine, François Saint-Louis, Gérard Morin, Marcel Chartier, Pierre Champagne, Étienne Bédard, Kenneth Maillot et Bruce Porter, de même que l'inspectrice Ginette Bélair.

Je veux également remercier maître Julie Therrien, ma meilleure amie, qui a répondu à mes questions en matière de droit tout au long de mon travail d'écriture.

Finalement, un grand merci au docteur Serge Bergeron, qui m'a éclairé sur les aspects médicaux au cours de la rédaction de cet ouvrage.

Chapitre 1

Raphaël Sansoucy et son coéquipier Thomas Devost montaient l'escalier, tous leurs sens en alerte, à l'affût du moindre danger. Au quatrième étage du vieil immeuble, Raphaël ouvrit la porte de l'appartement 406 à l'aide d'une barre Halligan. L'intensité de la chaleur le déconcerta et il s'arrêta sur le seuil. Son cœur se mit à battre démesurément vite alors que, dans sa poche, la radio grésillait des sons qu'il ne comprenait plus. L'appartement s'était transformé en four.

– On étouffe, ici ! s'exclama Raphaël.

Son partenaire haussa les épaules et passa devant lui sans hésitation.

Raphaël fit quelques enjambées dans la pièce surchauffée ; presque tout de suite, il fut saisi d'une violente quinte de toux. La barre Halligan glissa de sa main et tomba lourdement sur le sol. Il ferma les yeux ; lorsqu'il les rouvrit, la fumée avait rapidement tout recouvert.

Désorienté, Raphaël tendit le bras : il ne voyait même plus sa main. Il alluma sa lampe de poche et s'aperçut que, sur le plancher, une lance gonflée d'eau serpentait en direction de la pièce. En dépit de sa longue expérience, jamais le pompier n'avait ressenti une telle nervosité.

Bien décidé à rejoindre son coéquipier malgré ses appréhensions, Raphaël avança à travers l'opacité de la fumée. Il retrouva finalement Thomas, qui cassait une fenêtre à coups de masse. Les flammes, à quelques mètres d'eux, léchaient le plafond et éclairaient intensément la pièce. Raphaël rentra la tête dans les épaules et ferma les yeux. Sous l'apport d'oxygène, les flammes redoublèrent d'intensité pendant un instant, avant de s'affaiblir. La chaleur s'accroissait encore.

— Tu es fou, pourquoi as-tu cassé la fenêtre ? vociféra Raphaël.

— Pourquoi pas ? Tu as dit toi-même qu'on étouffait !

— Tu aurais pu nous tuer !

Thomas préféra ravaler sa réponse. Les craintes qui le tenaillaient depuis quelques jours se transformaient en énergie violente lorsqu'il plongeait dans le cœur de l'action.

Avec des gestes précis, Thomas termina l'installation d'un énorme ventilateur. Il le mit en marche, et la fumée s'échappa lentement par la fenêtre. Le crépitement des flammes s'intensifia. Toujours immobile, Raphaël tourna son regard fasciné vers les teintes orangées et rougeâtres qui valsaient dans la pièce. Sa nervosité grandissait.

— Est-ce que tu vas enfin te décider à m'aider ? lança Thomas, impatient qu'ils arrosent enfin le brasier.

Raphaël n'avait pas compris les paroles de son coéquipier, mais il s'en approcha et lui toucha le bras.

– J'ai un mauvais pressentiment... On devrait redescendre. Tout de suite !

Raphaël devina l'incrédulité dans le regard de son confrère, alors qu'une nouvelle quinte de toux l'étranglait. Thomas pointait l'incendie du doigt.

– Regarde l'intensité des flammes... Si on abandonne à ce moment-ci, on perd le contrôle. Remue-toi un peu !

– Je ne blague pas, tu sais... En tout cas, moi, je descends.

Thomas secoua la tête. Il se retourna, déterminé à poursuivre sa tâche avec ou sans son partenaire. Raphaël sortit la radio de sa poche et fonça dans la fumée, en direction du corridor. Il faillit trébucher sur la barre Halligan. Il ralentit prudemment et entendit, à peine perceptible à travers son casque et le crépitement des flammes, un bruit étrange. D'instinct, Raphaël courut se mettre à l'abri.

Une violente déflagration le surprit avant qu'il n'ait atteint le couloir. Un tison, de la grosseur d'un ballon de soccer, heurta son bras et perça son manteau. Le toit s'effondrait. Le pompier porta les bras à sa tête pour se protéger, mais une planche frappa son casque. Il tomba à genoux, puis bascula à plat ventre sur le sol. Aussitôt le choc absorbé, Raphaël tourna la tête et vit son coéquipier disparaître sous une pluie de débris.

Dans la pièce brûlante, seul le grésillement du feu perturbait le silence. La température devenait insupportable.

Raphaël se releva avec difficulté, replaça le casque qui avait glissé sur son visage et s'approcha de Thomas. Il ne voyait plus que la tête de son partenaire, coincée entre des briques et des planches. Du sang coulait sur le front de Thomas ; sa respiration était saccadée. Il ouvrit les yeux lorsque Sansoucy répéta son nom pour la seconde fois.

– Ralph... Sors-moi de là, j'étouffe !

Raphaël aperçut enfin le corps de son confrère. De longues poutres d'acier le retenaient prisonnier au sol. Sa tête, dégagée, pendait sur sa droite. Des tisons tournoyaient dans les airs, tout autour d'eux. Raphaël respirait avec difficulté alors que chaque mouvement éveillait d'atroces douleurs dans son dos.

– J'appelle des renforts, dit Raphaël. Reste calme.

Raphaël glissa sa main dans la poche de son manteau pour constater que sa radio ne s'y trouvait plus. Il se rappela subitement qu'il l'avait dans la main au moment de l'effondrement. Il retourna vers la porte et repéra l'appareil lorsqu'il perçut la voix inquiète de son supérieur. Le lieutenant Turmel tempêtait des ordres :

– Code rouge ! Code rouge ! Ordre d'évacuation générale ! Avis à tous les pompiers à l'intérieur du bâtiment : évacuation immédiate, effondrement du toit dans le secteur 3. Rapportez-vous au poste de commandement. Code rouge !

Raphaël récupéra enfin la radio et enleva un gant pour mieux la manipuler.

– La radio ne fonctionne pas ! cria-t-il en se rapprochant de Thomas. J'entends tout ce qu'ils disent, mais je ne peux rien émettre !

– J'étouffe, Ralph...

– Je vais te sortir de là.

Raphaël s'attaqua à la principale poutre qui entravait le corps de son coéquipier. Malgré tous ses efforts, il ne parvint pas à la soulever.

– Thomas, je vais chercher de l'aide. Je reviens tout de suite.

– Non... William sait... Il n'enverra personne à mon secours !

– Mais oui !

– Si tu pars, je vais mourir.

Raphaël s'arrêta pendant un court moment. Thomas disait vrai. S'il allait chercher ses confrères, il lui faudrait trois ou quatre minutes pour descendre les quatre étages dans le noir opaque de la fumée. Puis il leur faudrait organiser les secours et remonter jusqu'à Thomas. Huit à douze minutes. Le feu aurait atteint le corps emprisonné. Les flammes, déjà, le frôlaient.

Il resterait.

Sans relâche, il déplaçait les débris tout en luttant contre l'avalanche de tisons. La tête de Thomas tomba mollement vers l'arrière lorsque Raphaël bougea légèrement une grosse poutre. Le pompier s'acharnait. Raphaël cria lorsque son épaule gauche se disloqua alors qu'il forçait démesurément. Une onde de choc le traversa et l'obligea à s'arrêter un instant. Il recommença à tirer à l'aide de son bras droit, mais il ne possédait plus la même énergie. Une planche de bois se détacha du plafond et le frappa dans le dos. Déstabilisé, Raphaël demeura péniblement sur ses pieds. Il grimaçait. Malgré son masque, la fournaise l'affectait et il toussait de plus en plus.

— Raphaël...

Il baissa la tête vers son confrère.

— Tu avais raison. Il fallait sortir.

— On va sortir, Thomas. Je te le promets.

Raphaël murmura, comme pour lui-même, que ce ne serait pas une tâche facile. Un vent de panique l'envahissait lentement, alors que la mission devenait de plus en plus insupportable.

Thomas grimaça, puis il secoua la tête.

— Esther... Dis-lui que je l'aime vraiment, que je l'aime malgré tout... Je veux qu'elle sache qu'elle est importante pour moi.

— Tu vas la revoir. Tu lui diras toi-même.

— Je vais mourir ici. Tu le sais. Et je le sais.

Raphaël incita Thomas à se taire. Il ne voulait plus l'écouter. Il ne voulait plus penser à rien. Il lui fallait utiliser ses dernières forces pour le sauver.

— Raphaël, écoute-moi. Soyons honnêtes l'un envers l'autre. Pour une fois.

— Qu'est-ce que tu veux dire ?

— Lucie... c'est moi qui... qui... Tout est de ma faute !

— Quoi ? Mais de quoi parles-tu ?

Thomas toussa violemment. Raphaël s'arrêta pendant une seconde, s'imaginant déjà les pires scénarios.

– Lucie... C'est moi qui... C'est moi qui...

La voix du lieutenant Turmel l'interrompit tout à coup :

– Si vous m'entendez, les gars, restez calmes. Des équipes partent tout de suite à votre recherche. Je n'ai pas l'intention de perdre trois de mes meilleurs hommes !

Chapitre 2

Un bruit inattendu, suivi d'une longue vibration, m'inquiète. Je lève les yeux vers le plafond. Tout semble être rentré dans l'ordre. À mes côtés, mon partenaire n'a rien perçu. Dans ce type d'édifice en flammes, le moindre bruit peut revêtir une signification importante. Je n'arrive pas à me calmer.

Tout à coup, le son strident d'une cloche retentit. Mon coéquipier, Samuel D'Arcy, se tourne vers moi. Il doit sortir afin de remplacer sa bouteille d'air.

– Je remonte tout de suite, Emma, me lance-t-il. N'arrête pas d'arroser.

J'hésite. Je n'ose pas parler de ce bruit que, lui, de toute évidence, n'a pas entendu... Mon indécision l'étonne, mais je hoche finalement la tête.

– Sois prudent.

Bien sûr, il ne prend pas la peine de me répondre et je le vois disparaître d'un pas alerte. La bouche sèche, je continue de m'interroger sur la source de la vibration. En haut, se trouvent mes confrères Raphaël Sansoucy et Thomas Devost.

Je suis inquiète pour Thomas. Ces dernières semaines, je n'ai pas été la seule à me rendre compte qu'il agissait de façon étrange. Départs précipités de la caserne, recherche constante de la solitude, insomnie les soirs de garde...

Puis, je m'efforce de me concentrer sur mon travail. J'arrose les flammes qui battent lentement en retraite. Je ressens une grande fatigue physique. La lance que je tiens pèse plusieurs dizaines de kilos sous l'effet de la pression d'eau. J'ai du mal à en garder le contrôle seule. Heureusement, dans quelques minutes, les flammes seront circonscrites.

Soudain, une énorme déflagration ébranle les murs de l'immeuble et me projette au sol. Prise de panique, j'essaie de me protéger la tête avec mes bras. Une douleur aiguë parcourt ma colonne vertébrale et résonne jusque dans mes membres. Tétanisée, je reste étendue plusieurs secondes. Puis le calme se réinstalle. Je me redresse péniblement et j'observe la pièce. Les flammes n'ont pas repris de vigueur, mais continuent de s'agiter à quelques mètres de moi. L'explosion s'est donc produite au-dessus de ma tête.

Dans ma radio, j'entends la voix affolée du lieutenant Turmel :

– Code rouge ! Code rouge ! Ordre d'évacuation générale ! Avis à tous les pompiers à l'intérieur du bâtiment : évacuation immédiate, effondrement du toit dans le secteur 3. Rapportez-vous au poste de commandement. Code rouge !

Je ne me suis pas trompée : Sansoucy et Devost sont probablement en danger ! Mon imagination s'emballe... et mon sang se glace.

La sueur coule de mon front et me pique les yeux. Je me dirige vers l'escalier, puis j'hésite. Devost et mon ex-petit ami, Sansoucy, se trouvent à quelques pas de moi et ils ont sans doute besoin d'aide. Je désobéis aux ordres de plus en plus insistants du lieutenant sans l'aviser, parce que je connais ses réponses à l'avance. Le lieutenant est un gars vachement prudent ! À chaque marche que je monte, la chaleur s'intensifie et la visibilité diminue. Je suffoque presque lorsque j'arrive enfin au quatrième étage.

En arrivant sur les lieux de l'incendie, le lieutenant Turmel a affecté mon équipe au quatrième étage. Samuel a soupiré. Même si nous nous entendons à merveille, il ne rate jamais une occasion de souligner que je n'ai pas la force physique de mes confrères. Thomas, qui se tenait à côté de nous, a donc joué les gentlemen :

– William, je vais monter au dernier étage avec Raphaël, puisqu'il y a beaucoup d'équipement à transporter.

Même si je l'ai fusillé du regard, William Turmel a acquiescé, pressé de terminer son affectation. Devost m'a regardée en haussant les épaules, l'air de dire : « Ne le prends pas mal, c'est pour ton bien. » Comme d'habitude, j'ai rétorqué un « Sale macho ! », puis j'ai tourné les talons.

Thomas a donc souhaité monter à l'étage de l'explosion... Une explosion dont la violence revêt d'ailleurs un caractère plutôt étonnant dans ce vieil édifice !

Arrivée en haut, je repère puis suis prudemment la lance d'incendie. Mes pas deviennent hésitants. La peur s'empare de moi et me fige sur place.

– Code rouge ! Évacuation immédiate !

Le temps passe et Turmel continue de répéter ses appels anxieux. Il devient évident que Thomas et Raphaël ne sont pas descendus. Je décide d'éteindre ma radio. Je ne veux pas me faire repérer trop vite par mes collègues. Je dois tout d'abord comprendre ce qui se passe. Un étrange pressentiment m'envahit, mais je suis incapable de comprendre ce qui m'inquiète le plus.

L'appartement 406 est presque complètement enflammé. Le toit effondré laisse voir le ciel étoilé. La chaleur, intolérable, m'empêche d'avancer pendant quelques secondes. Puis je fonce. Je ne vois plus rien, mais je poursuis ma progression, faisant fi de tous les réflexes de prudence que j'ai acquis en sept années de service. La faible lumière de ma lampe de poche n'améliore guère la visibilité : je dois ramper, escalader, contourner les débris. Je perds mon sens de l'orientation en même temps que ma confiance. Je ne retrouverai jamais la sortie !

Je prends enfin ma radio et monte le volume :

— Si vous m'entendez les gars, restez calmes. Des équipes partent tout de suite à votre recherche. Je n'ai pas l'intention de perdre trois de mes meilleurs hommes !

Sous les décombres, j'aperçois le bout d'une botte jaune. J'ai un haut-le-cœur et les pires appréhensions m'envahissent. Une quinte de toux m'arrête, puis j'avance encore un peu. Je crie lorsque je reconnais Thomas qui, coincé sous d'énormes poutres, vit toujours. Il me fixe. Son visage est révulsé par la souffrance. Une larme roule sur sa joue.

— On va te sortir de là, Thomas ! Un peu de patience et tu retrouveras l'air libre. Est-ce que tu m'entends ?

Il bouge la tête.

— J'appelle les renforts !

J'entends à peine sa réponse :

– Ne fais pas ça ! Sors-moi d'ici avec Ralph !

Même si le temps presse, tant de questions me viennent en tête. William est son meilleur ami ! J'ose espérer qu'il nous enverra de l'aide ! Je bondis sur mes pieds. J'aperçois alors Raphaël, qui déplace des débris avec le peu d'énergie qui semble lui rester. Sur son casque, le matricule 66 est écrit en gros caractères foncés. Il s'arrête, et je lui souris. Son regard effaré me pétrifie : il est drôlement mal en point ! Tout à coup, je sens une énorme chaleur m'envelopper. Je tombe. Raphaël s'écroule aussi. À son tour d'être coincé sous des débris ! Nous avons besoin d'aide. Thomas hurle. Je prends ma radio :

– William, on est dans l'appartement 406, envoie-nous vite du renfort ! On ne peut pas sortir Thomas !

Je termine à peine ma phrase que le lieutenant lance d'une voix hésitante mais claire :

– À toutes les équipes à l'intérieur du bâtiment : interdiction formelle d'entrer dans une pièce embrasée... Les risques sont énormes et les chances de survie, inexistantes...

Je secoue la tête en me répétant les paroles du lieutenant. Nous devrons nous débrouiller seuls ! À genoux, je m'avance vers Thomas. Je comprends enfin qu'une poutre enflammée, en s'effondrant, m'a frôlée avant de choir sur son corps prisonnier. Thomas est en train de brûler vif !

Chapitre 3

Sous le choc, Emmanuella Sanchez libéra péniblement le corps de Raphaël Sansoucy, qui s'évanouit après avoir échangé quelques mots avec elle. La pompière empoigna son coéquipier. Ses paroles, qui semblaient dénuées de toute logique, résonnaient encore dans la tête de la pompière : « Le tueur... c'est lui... Ne dis rien... » Une fois dehors, elle retira sa partie faciale, avide de pouvoir respirer un grand bol d'air. Elle traîna péniblement Raphaël dans l'escalier en mauvais état, à l'arrière de l'édifice abandonné. Une fois les pieds posés sur le sol, elle leva la tête et remercia son ange gardien d'avoir veillé sur eux pendant la périlleuse descente.

Emma contourna l'immeuble pour rejoindre leurs confrères, qui se trouvaient à l'avant. De nombreux pompiers se précipitèrent vers eux. Hors d'haleine et éreintée, Emma trébucha. Raphaël, toujours inconscient, tomba sur elle. La pompière gémit, puis s'évanouit.

Des images épouvantables tournaient dans sa tête. Un bras ensanglanté se tendait vers elle, réclamant un secours qu'elle était incapable d'offrir. Coincé sous un monticule de débris, un corps brûlait. Sa visière avait fondu, rendant le visage méconnaissable. Seul le casque rappelait encore l'identité du moribond : le matricule « 66 » était écrit en gros caractères foncés. Non, pas le 66 ! C'était le 50. Celui de Thomas Devost... Dans un coin de la pièce, elle aperçut une femme enceinte. Son bras ensanglanté se tendait vers elle. Emma s'approcha, puis s'arrêta brusquement. Aux côtés de la jeune mère, un homme veillait sur la scène. Il portait un habit ignifuge. Et la pompière le connaissait bien... Elle hurla.

Emma ouvrit légèrement les yeux, observa d'abord la nuit noire, puis la lumière agressante du brasier. Elle entendait son prénom, mais, même si une douleur aiguë vrillait son corps, elle eut besoin de plusieurs secondes pour revenir à elle. Samuel D'Arcy la débarrassait de son casque et tentait de la rassurer.

– Emma... Comment te sens-tu ?

La pompière toussa et se tourna sur le côté, fuyant le regard bleu de son partenaire.

– Tu m'as donné des sueurs froides, Emma ! Où est Thomas ?

Elle s'emmura dans son silence, sachant trop bien qu'il était dorénavant trop tard pour sauver Thomas. Tout filait trop vite ; elle s'efforçait d'assembler les différentes pièces du casse-tête. La pompière entendait et entendait encore les paroles qu'elle avait échangées avec Raphaël dans l'appartement enflammé. Elle avait la nausée. Dans la radio de Samuel, elle entendait des mots sans suite : « Sanchez... sortie. Et Ralph ? Blessé. Avec elle. Devost ? Sais pas ! »

Le lieutenant Turmel s'approchait d'elle. Il tremblait de colère lorsqu'il se pencha vers sa consœur.

– Pourquoi tu n'as pas respecté l'ordre d'évacuation ? demanda-t-il sèchement.

Incapable de cacher son mécontentement, William se radoucit néanmoins lorsqu'il aperçut la pompière : elle était blessée et, de toute évidence, il avait failli la perdre... Il tremblait.

– Je suis content de vous voir vivants tous les deux, Emma. Surtout toi..., ajouta-t-il à voix basse.

Il la fixait avec intensité et serrait doucement son avant-bras de sa main, mais, prenant conscience de ce qu'il avait dit et sentant le regard de Samuel posé sur lui, le lieutenant se reprit aussitôt :

– Surtout toi, parce que tu n'avais aucune raison de te trouver là ! Il y avait assez de deux pompiers coincés là-haut, tu ne trouves pas ?

– Tu sais pourquoi je t'ai désobéi, William ? Je t'ai désobéi parce que je n'ai pas confiance en toi !

Malgré le supplice que lui infligeait son dos blessé, Emma s'assit sur le sol. Le lieutenant, médusé, évaluait les différents sens que pouvait prendre l'énoncé de la jeune femme. Elle n'avait pas confiance en lui ? Normalement, son discours était tout autre !

– Thomas est mort. Mort... brûlé vif !

Emma ressentait de nouveau le geste qu'avait fait sa main lorsqu'elle avait compris que Thomas mourait... Elle grimaça. William, lui, baissa la tête comme s'il venait de recevoir un coup violent. Ses yeux brillaient de larmes lorsqu'il regarda à nouveau Emma :

– Raconte-moi ce qui s'est passé...

Silence.

– Est-ce que ça va, Emma ? s'inquiéta Samuel en lui touchant la joue pour la forcer à le regarder.

L'Espagnole s'agita tout à coup.

– Je dois comprendre ! Il faut que je parle à Raphaël ! Je veux le voir !

– Il est inconscient.

De justesse, Samuel évita d'ajouter qu'il était gravement amoché.

– Je dois lui parler, Sam ! Il faut que je le voie, va le réveiller ! le supplia-t-elle.

– Calme-toi, chuchota le lieutenant en prenant doucement sa main dans la sienne. Le cauchemar est fini, maintenant.

Emma passa une main dans ses cheveux noirs bouclés. Elle secoua la tête en fermant les yeux. Quand elle les rouvrit, elle fut incapable de comprendre comment William pouvait sembler si calme. Et cela la mit encore plus en colère :

– Thomas est mort, t'en rends-tu compte ?

Emma détourna la tête. Thomas, mort ! Elle le ressentait au plus profond d'elle-même, mais une partie de sa conscience refusait encore d'admettre son échec et la disparition brutale de son ami. Elle avait la nausée.

La voix flageolante de la pompière se remplit de colère lorsqu'elle s'adressa à son supérieur :

– Pourquoi tu n'as pas envoyé d'aide quand je t'ai appelé ? hurla-t-elle. Tu voulais te venger, c'est ça ?

Les réponses fusèrent :

– Personne n'a entendu tes appels à la radio ! rétorqua immédiatement Samuel. Sinon, tu peux être certaine que je serais monté aussitôt !

– Quoi ? sursauta William, interloqué par la transformation subite de la pompière. Et de quoi voudrais-tu que je me venge ?

William en avait une vague idée, mais il ne voulait pas qu'elle parle de leur relation personnelle devant leurs confrères. Plus tard, il irait la voir et...

Sans prêter attention à son partenaire, Emma poursuivit :

– Avoue-le, William ! Tu te disais : « Elle a désobéi, alors je vais la laisser crever avec les deux autres ! » C'est ça, non ? lança douloureusement Emma.

La pompière luttait contre ses larmes alors que tout tournait autour d'elle. Sa vision brouillée lui donnait un vilain mal de tête, et ses oreilles bourdonnaient. Sa nausée persistait.

– Elle tremble, Sam, va donc lui chercher une couverture !

Bien qu'il ait perçu le subterfuge, Samuel se leva. Au même moment, William se pencha vers la pompière et posa sa main sur son épaule. Sa voix prit un accent plus doux, plus calme, plus rassurant :

– Emma, quatre équipes sont parties à votre recherche. C'est la moitié des effectifs présents : je ne pouvais pas faire plus !

– Mais tu as ordonné aux gars de ne pas entrer dans la pièce embrasée !

— Il s'agit du principe numéro un dans le métier. Tu le sais comme moi ! Et je te le répète : je n'ai jamais entendu tes appels !

— Et si tu les avais entendus ?

Pendant une seconde, la colère quitta les traits de la pompière, vite remplacée par une douleur sourde et profonde. William comprit enfin qu'elle cachait sa douleur derrière sa colère.

— Si j'avais eu l'espoir de vous tirer de là vivants, je n'aurais certainement pas agi de la même façon ! Sans la moindre tentative de contact par radio et avec la violence de cette explosion, je vous croyais tous morts !

Au fond d'elle, sans trop savoir pourquoi, elle ne le croyait pas. La main de William, tout à coup, lui glaça la peau. Elle la repoussa brutalement.

— Emma, nous pourrons en discuter plus tard... Quand tu seras plus reposée. Là, j'ai des hommes en haut, en train de chercher Thomas. Il n'est peut-être pas trop tard... Je dois m'occuper d'eux !

— Qu'est-ce que je représente vraiment pour toi ?

— Pas ici, Emma...

Comme Samuel revenait avec la couverture, le lieutenant se contenta de secouer la tête pendant que la pompière le regardait durement.

Soudain, la voix du lieutenant Gamache, à qui William avait confié la responsabilité de deux équipes de recherche, se fit entendre à la radio :

– On a retrouvé Thomas Devost. Mort... On rentre en vitesse. Tout menace de s'écrouler !

William vacilla. D'autres pompiers avaient désobéi à ses ordres ! Que ce soit le lieutenant Gamache l'indisposait encore davantage. Pendant que William cherchait ses mots, Emma lui lança au visage que Gamache, lui, avait du cœur au ventre. Turmel serra le poing.

– Gamache, est-ce que tu passes par l'arrière ? l'interrogea William.

– Non ! L'escalier de secours est branlant.

– O.K. Faites gaffe !

Un ambulancier s'approcha et questionna la pompière, mais elle le chassa. Elle se leva avec difficulté, tituba en direction du lieutenant, qui la dépassait d'une bonne tête. Elle croisa les bras, le toisa avec condescendance.

– Avant de mourir, Thomas a demandé à Raphaël de dire à sa femme qu'il l'aimait. Mais tu feras le message toi-même : comme ça, la prochaine fois que tu commanderas la sacro-sainte prudence à tes pompiers, tu repenseras à son chagrin !

Emma voulut s'éloigner, mais William la retint par un bras. Et il serra fort, perdant presque la maîtrise de lui-même. Ils se scrutaient. Une grande colère les habitait tous deux.

– Actuellement, tu n'agis absolument pas comme un pompier !

La première fois qu'un coéquipier lui avait dit qu'elle ne se comportait pas comme *un pompier*, elle s'était efforcée, pendant des mois, de lui prouver le contraire. Depuis, ses cent vingt confrères masculins la respectaient. Elle avait souffert pour obtenir ce respect. Cette insulte la touchait donc profondément, comme un coup de poignard en plein cœur.

Le mépris qu'elle percevait dans le regard de William la mettait hors d'elle.

— Tu sais que c'est faux !

— Oh non, Emma ! Tu as oublié les principes de prudence les plus élémentaires pour voler au secours de celui que tu n'oublies pas... deux ans après t'avoir quittée pour une plus jeune que toi, presque une adolescente !

— Salaud !

Elle fit un pas en avant et se retint de cracher sur lui. Samuel D'Arcy s'interposa entre eux.

— Arrête, William, tu dépasses les bornes !

Emma laissa échapper quelques larmes avant d'éclater en sanglots. Elle cacha sa figure dans ses mains ouvertes, mais une sirène lui fit lever la tête : une ambulance quittait les lieux du sinistre, Raphaël à son bord. Elle aurait tant voulu lui demander des explications !

Samuel s'approcha, cherchant à la consoler. Il aperçut la main sérieusement brûlée de sa consœur au moment où elle vacilla, puis s'évanouit. Il la retint de justesse.

Dans son monde cauchemardesque, Emma revoyait le visage qui n'avait plus rien d'humain, la main qui tirait sur le respirateur, puis la femme enceinte, maintenant étendue sur un lit de débris... Et l'homme, encore, qui rigolait ! Cette fois, il portait un habit jaune ensanglanté. Il venait de commettre un meurtre...

Chapitre 4

Sept ans plus tôt

Après quarante-cinq minutes d'entraînement physique, William Turmel quitta la salle de musculation. Il passa devant le bureau du lieutenant Gamache, qui discutait énergiquement au téléphone avec le directeur du service. William cala un verre d'eau à la cuisine, puis s'assit dans la salle de repos, où étaient déjà installés Samuel D'Arcy, Raphaël Sansoucy et Emmanuella Sanchez.

Jean Gamache vint bientôt les rejoindre, de très mauvaise humeur.

— En vingt ans de service, je n'ai jamais vu ça : un pompier qui ne rentre pas au travail et qui ne daigne pas avertir ! Il n'a pas eu assez de ses trois jours de congé !

William le dévisagea.

— En plus de n'avoir que quatre pompiers, je dois travailler avec deux recrues, dont une fille ! fulmina Gamache.

William observa sa consœur, qui restait toujours de glace face aux propos blessants dont elle était l'objet. Le pompier, à l'inverse de plusieurs de ses confrères, avait vu d'un bon œil l'embauche de la première femme du service, quatre mois plus tôt. Travaillant à ses côtés depuis son arrivée, il connaissait son efficacité. Emma n'avait aucune marge d'erreur : l'obtention de son poste permanent dépendait d'un dossier sans taches. Les pompiers doutaient de sa force physique, de sa résistance nerveuse ; les épouses la craignaient, détestant d'emblée celle qui partageait les mêmes vestiaires et dortoirs que leurs maris. Emma souffrait beaucoup des doutes persistants de ses collègues et de ses supérieurs. Mais elle tenait bon avec une farouche détermination que William, d'ailleurs, admirait beaucoup.

– Devost va me le payer ! aboyait encore le lieutenant.

Dans quelques mois, un poste de lieutenant serait ouvert, et William avait bien l'intention d'y poser sa candidature. Et de gagner ce poste. Il s'y préparait depuis longtemps, soutenu par son ami Devost et aussi par le directeur du service, Brian Hannon.

Raphaël réclama le silence. Le téléjournal de dix-huit heures était déjà commencé et il ne voulait plus être dérangé par la colère de son supérieur.

« À Saint-Jérôme, en début d'avant-midi, un cycliste a découvert le corps inanimé d'une femme enceinte, gisant dans un fossé en bordure d'une route de campagne. Aussitôt alertés, les policiers ont fait le lien entre cette découverte et la disparition de Lucie Gallant, survenue deux jours plus tôt à Sherbrooke.

« Les ambulanciers ont transporté la jeune femme vers le centre hospitalier de Saint-Jérôme. Lucie Gallant est morte quelques heures plus tard, souffrant d'une hémorragie et de plusieurs blessures dont on ne connaît pas encore la nature. La petite fille qu'elle portait est aussi décédée, malgré la césarienne pratiquée d'urgence par les médecins.

« Interrogé sur les causes de la mort de Lucie Gallant, le porte-parole de la Sûreté du Québec se montre plutôt évasif :

"Comme je vous le disais, il faudra attendre les résultats de l'enquête et de l'autopsie pour avoir plus d'information, mais, étant donné la nature de ses blessures, il est clair que madame Gallant n'est pas morte de façon naturelle.

– Est-ce que Lucie Gallant était consciente au moment où elle a été retrouvée ?

– Non, elle était déjà plongée dans le coma."

« Rappelons que le mari de la victime, inquiet de ne pas voir rentrer sa femme à la fin de sa journée de travail, a téléphoné aux policiers vers vingt-trois heures, lundi soir. Depuis, on était sans nouvelles de la femme dont l'accouchement était prévu dans six semaines.

« Les enquêteurs de la police de Sherbrooke et de la Sûreté du Québec sont toujours à la recherche de renseignements sur les déplacements de la femme après sa sortie du centre hospitalier où elle travaillait. Actuellement, un commis d'épicerie semble être la dernière personne à avoir vu Lucie Gallant vivante, lundi, vers seize heures. La femme était alors seule.

"Bien sûr, tous les renseignements que pourrait nous fournir le public sur les déplacements de madame Gallant seraient précieux. Nos enquêteurs tentent de retracer l'itinéraire de cette jeune mère de famille sans histoire. Quiconque croit l'avoir aperçue est prié de contacter les enquêteurs au numéro qui apparaîtra à l'écran.

– Peut-on espérer rapidement une arrestation ?

– Écoutez, je ne peux rien vous dire pour le moment, c'est encore trop tôt. Toutefois, soyez certain que nos enquêteurs travaillent avec acharnement pour découvrir l'identité du ou des suspects."

« Il y a cinq semaines, une autre femme enceinte, Jacinthe Brunet, était retrouvée étranglée à quelques dizaines de kilomètres d'ici. Après l'annonce de la découverte du corps de Lucie Gallant, la peur s'est rapidement répandue, partout au Québec.

[Extrait d'une entrevue avec un père de famille de Saint-Jérôme, Philippe Lambert.]

"Comme la dame de ce matin, ma femme est enceinte de plusieurs mois. Je suis inquiet. C'est fou de tuer une femme qui va bientôt donner la vie. Il va falloir que la police arrête le tueur au plus vite !"

[Extrait d'une entrevue avec une femme de Montréal, Denise Gagnon.]

"Une Sherbrookoise et une Montréalaise assassinées dans les Laurentides... Décidément, personne n'est à l'abri. C'est très préoccupant !"

« Pendant que la peur gagne la population et que les enquêteurs essaient de reconstituer le casse-tête que représente ce drame, ce sont deux innocentes victimes qui ont perdu la vie, une jeune mère de vingt-cinq ans et sa petite fille à naître dans quelques jours à peine...

« Rémy Gaucher, pour la Chaîne nationale d'information, à Saint-Jérôme. »

– Quelle atrocité ! s'exclama Emma, aussitôt approuvée par son copain et par Samuel.

– Bah ! C'est un fait divers comme il y en a des dizaines tous les soirs ! trancha le lieutenant Gamache.

Emmanuella tourna la tête vers William, dans l'espoir d'obtenir son appui. Le pompier fixait confusément le poste de télévision, la bouche entrouverte, le teint blême. Sa consœur se pencha vers lui.

– William ? s'inquiéta-t-elle.

Il secouait la tête sans cesse. Après un moment de silence, il murmura :

– Vous n'avez pas compris ? Lucie Gallant... c'est la femme de Thomas !

Chapitre 5

Depuis l'incendie, il y a trois jours, je n'ai ni dormi ni cessé de réfléchir. Même si le médecin a rapidement signé ma sortie de l'hôpital, j'ai tout de même une grave brûlure à la main, quelques déchirures musculaires et des côtes fêlées. De surcroît, je m'entête à agir comme si je n'étais pas blessée, surtout si un pompier se trouve avec moi. Comme Samuel a passé quarante-huit heures à mon appartement, j'ai souvent dû serrer les dents. Ce dernier s'est montré très prévenant à mon égard, cherchant par tous les moyens à m'aider et à me faire sourire. Il faut dire que nous nous connaissons bien... Pendant les six années où je suis sortie avec Raphaël, nos deux couples étaient inséparables. Nous avons voyagé et partagé de multiples activités. Étrangement, il y a deux ans, le destin nous a joué un sale tour presque au même moment. Anne-Marie, sa conjointe des dix dernières années, l'a alors quitté pour un autre. Deux semaines plus tard, suivant cet exemple, Raphaël a décidé de rompre notre relation, follement amoureux de la sœur de notre collègue, Simon Hélie. Je me doutais déjà de quelque chose... Certaines attitudes ne mentent pas !

Hier, j'ai fini par renvoyer Samuel chez lui parce qu'il me posait des questions auxquelles je n'avais pas envie de répondre. Depuis son départ, je me sens seule.

Il y a quelques minutes à peine, William Turmel a frappé à ma porte. J'ai préparé du café pendant qu'il s'installait au salon. Nous n'avons pas échangé un mot. Ni un regard. Nous sommes tous les deux confus. J'ai mille choses à lui dire, mais je ne sais pas par où commencer. Et je me sens si fatiguée...

Après un certain temps dans cette inconfortable situation, il prend ma main entre les siennes et nous nous regardons enfin, complètement embrouillés.

– Je ne sais plus comment agir face à toi, Emma. En fait, je nage en plein mystère depuis plus d'un an, mais là...

Je le regarde encore, suffisamment longtemps pour me troubler. Ses yeux bleus, où dansent des reflets verts, me fixent avec une vive sensibilité.

J'ai connu William il y a sept ans de cela. Il avait alors vingt-huit ans – mon âge actuel –, et venait tout juste de convoler en justes noces. William a bien vieilli et, plus il avance dans la trentaine, plus je le trouve séduisant. Grand sportif et bricoleur à ses heures, il porte aussi bien le veston-cravate que l'habit de chasse. Ses tempes grisonnent tranquillement, ce qui ajoute à son charme, à son assurance tranquille. Aujourd'hui, il porte une montre luxueuse et une chemise de qualité, mais il le fait sans prétention, par goût tout simplement... et aussi parce qu'il en a les moyens ! Sa femme, avocate, réussit très bien.

Aux yeux de nos collègues, le couple Arnold-Turmel est un parfait exemple de réussite et de bonheur. L'épouse jouit d'une solide réputation provinciale à titre de criminaliste. Quant à William, plusieurs le voient déjà gravir les échelons jusqu'au sommet de la hiérarchie du service des incendies. En effet, à vingt-neuf ans, Turmel était devenu le plus jeune lieutenant de l'histoire du service. Grâce à ses études universitaires en administration et à sa solide expérience sur le terrain, ne serait-il pas le candidat idéal pour succéder au directeur Hannon lors de sa retraite ?

William et moi avons toujours exercé l'un sur l'autre une sorte de fascination. Personnellement, j'admire son calme, son tact, sa logique et sa confiance en lui parce que ce sont des qualités dont je suis dépourvue. De son côté, il apprécie ma farouche détermination et ma volonté de combattre les obstacles. Je ne recule devant rien ni personne pour atteindre les buts que je me suis fixés.

Pendant des années, nos conversations ont été amicales, sans plus. Après ma séparation, nous nous sommes rapprochés sans que je m'en rende trop compte. Nous avons commencé à discuter davantage, à passer plus de temps dans son bureau pour parler de tout et de rien... Par un bel après-midi de printemps, il m'a invitée à souper au restaurant après le travail. J'ai renchéri en l'invitant à mon appartement parce que j'avais déjà prévu de me préparer un bon repas aux fruits de mer. Finalement, il a passé la nuit chez moi, puis le jour suivant... et la nuit d'ensuite ! Quand il a décidé de retourner chez lui, tout juste avant que sa femme revienne d'une formation à Québec – ou peut-être à Montréal, je ne sais plus –, il m'a regardée dans les yeux, a pris mes mains entre les siennes et m'a fait une proposition surprenante :

– Ma belle Emma... si tu veux, je reste ici.

Prise de panique, j'ai bafouillé des « Nous ne sommes pas prêts à ça ! » et des « De quoi aurions-nous l'air à la caserne ? Tu es mon supérieur ! » William est rentré chez lui ce jour-là... Et depuis un an et demi, il vient me voir dès qu'il en a l'occasion. Dans des moments particulièrement bien choisis, il m'a encore offert, à quelques reprises, de quitter sa femme. En vain.

Je retrouve la réalité. Je me sens si bien, tout près de lui, mais ça ne peut plus continuer ainsi.

— On devra se voir moins souvent, maintenant, William, dis-je d'une voix trop douce.

— Mais pourquoi?

À travers sa tristesse, je sens un nouveau désarroi s'installer en lui.

— Je t'en veux terriblement.

Tout mon corps tremble et William retire ses mains avant que je ne le fasse. Il hoche la tête de droite à gauche, complètement interdit.

— J'ai toujours admiré ton sang-froid parce qu'il est aux antipodes de mes propres réactions, murmurai-je d'une voix à peine audible. Mais au feu... je t'ai détesté ! Je savais d'avance que tu commanderais la prudence, je savais dès le départ que tu n'enverrais aucun secours à Ralph et à Thomas...

William se penche tout près de moi, comme s'il voulait mieux me comprendre. Il reprend ma main et la serre pour l'empêcher de trembler.

— Quand tu es sortie, tu as affirmé que je voulais me venger. De quoi parlais-tu ?

— De mon refus de vivre avec toi.

— Emma, franchement ! s'écrie-t-il avec vigueur. Je t'aime, mais crois-tu vraiment que je sois désespéré à ce point ? Chérie, tu es sous le choc...

Il garde le silence jusqu'au moment où je hoche la tête pour appuyer ses dires.

– Dans quelque temps, nous verrons les événements autrement... Nous sommes en deuil, aujourd'hui. Nous ne devons pas nous demander de tout comprendre tout de suite !

Je le dévisage. Bien qu'il souffre aussi, William parvient davantage que moi à demeurer lucide. Il se penche tout à coup et m'embrasse. Je me laisse faire, sans bouger les lèvres, mais je l'arrête dès qu'il encercle ma taille de ses mains. Je n'ai pas envie d'aller plus loin, pas dans ces circonstances !

– Comment a réagi ta femme quand elle a appris la mort de Thomas ?

Il déteste quand je ramène sa femme dans la conversation...

– Elle s'inquiétait bien davantage pour Esther que pour moi, répond-il d'une voix tendue.

Depuis quelques années, Thomas vivait avec Esther, une autre avocate du cabinet de Claudia Arnold.

– Je t'aime, Emma. Je t'aime vraiment, même si tu ne sembles pas me croire ! J'ai eu extrêmement peur de te perdre... Si je tiens encore debout aujourd'hui, et si je réussirai demain à affronter les funérailles civiques de mon meilleur ami, c'est uniquement parce que tu es encore là !

– Moi aussi, William...

Mon cœur bat la chamade tandis qu'il pose sa tête au creux de mon épaule. Je n'ose pas prononcer les mots qu'il attend, qu'il espère. Au fond, m'aime-t-il vraiment ? Si je disais « Oui, viens vivre avec moi ! », est-ce que William le ferait vraiment ? Dans mon esprit, depuis l'explosion, tout n'est que brouillard et doute.

Le téléphone sonne. Heureuse de la diversion, je me précipite vers l'appareil qui, depuis l'incendie, ne dérougit pas.

– Salut, Emma.

Il me faut quelques secondes pour reconnaître cette voix rauque.

– Raphaël !

Je ne peux pas cacher ma joie de l'entendre de vive voix. Malgré tous les aspects négatifs qui entourent cet incendie, je dois tenter de me rappeler que Raphaël a eu la vie sauve... en partie grâce à moi !

– Enfin sorti du coma ! Comment vas-tu ?

– Je me sens plutôt vaseux pour le moment.

Encore surprise, je me retourne vers William, qui évite mon regard. Il n'arrive pas à camoufler sa jalousie aussitôt qu'il est question de la place qu'occupe Raphaël dans ma vie.

– Emma... Merci d'avoir bravé les ordres pour venir à notre rescousse. Sans toi, je ne m'en serais pas sorti vivant. Je suis vraiment reconnaissant de ce que tu as fait pour Thomas et moi. Caroline aussi t'est reconnaissante.

Voyons ! Il rêve. Elle est sans doute furieuse que ce soit moi qui l'aie tiré de ce fort mauvais pas.

– Samuel m'a dit que tu t'es pas mal amochée en me sortant de l'immeuble...

Les yeux fermés, je me revois me précipitant comme une désaxée dans la pièce embrasée. Un long frisson parcourt mon corps. En même temps, j'imagine Caroline à ses côtés et je revois Raphaël qui, un soir avant le souper, m'annonçait qu'il me quittait sur-le-champ... À cause de ce souvenir douloureux, je ne peux m'empêcher d'être cynique :

– Oui, mais je suppose que ça en valait la peine !

– J'aurais fait la même chose pour toi, rétorque-t-il prudemment. Thomas aussi.

Notre conversation me semble dénuée de sens. Nous sommes de grands amis séparés qui venons de partager un moment très intense, et nous essayons d'en discuter devant nos amants respectifs. Quelle folie !

Mal à l'aise, nous raccrochons rapidement.

J'ai l'intention d'aller le voir. Ce sera la première fois que je quitterai mon appartement depuis ma sortie de l'hôpital. Une de mes amies m'a dit qu'au lendemain de l'incendie, notre histoire a fait la manchette partout. J'ai refusé d'en savoir plus. L'interprétation des gens m'inquiète. Comment a-t-on perçu une pompière qui a enfreint les règles pour voler au secours de ses confrères ? Tous les gens que j'ai vus jusqu'ici me reprochent d'avoir désobéi à mon supérieur. Pourtant, quelques instants après avoir ordonné un retrait total du bâtiment, William renvoyait plusieurs équipes à l'intérieur. Trois hommes ont même pénétré dans la pièce en flammes pour découvrir le cadavre de Thomas. En quoi est-ce pire pour moi que pour eux ? Je suis pourtant persuadée qu'on me croit imprudente et irréfléchie.

William brise enfin le silence et propose de m'accompagner à l'hôpital. Sa voix est aussi amère que mon café. J'accepte. Je ne désire pas reprendre la conversation là où elle était rendue, et lui non plus. Lorsqu'il me prend dans ses bras, je me serre contre lui pour tenter de puiser son énergie. Il me susurre un nouveau « Je t'aime » à l'oreille.

– Moi aussi, je t'aime beaucoup…, répondis-je spontanément.

Cette fois, il m'offre son plus beau sourire.

Il me dépose à la porte de l'hôpital et je monte sans l'attendre à la chambre de Raphaël. Je suis accueillie par un premier violon de l'Orchestre symphonique de Montréal qui, devant la chambre de son copain, tient une grande bouteille d'eau. Caroline Hélie n'a que vingt-deux ans et elle est détestablement belle. Simon, son frère et mon collègue, se trouve à ses côtés. Présent lors de l'incendie, il est l'un de ceux qui se sont précipités vers moi lorsque je suis arrivée devant l'immeuble en tirant Raphaël.

Caroline m'embrasse sur les joues, s'efforce de me sourire. Le stress des derniers jours a visiblement eu peu d'effet sur son humeur. Tout le contraire de moi, quoi !

– Tu es une héroïne, Emmanuella ! s'exclame Caroline avec émotion. Simon m'a dit que, sans ta bravoure, Raphaël serait mort !

Héroïne ? Je ressens une telle surprise que je m'étouffe.

– « Tout le monde », ça exclut les enquêteurs et mes collègues de travail ! rétorquai-je sans enthousiasme.

– As-tu regardé les journaux des derniers jours ? me demande la violoniste.

– Non.

Elle s'avance pour me prendre dans ses bras. Je demeure figée et lorsqu'elle reprend – enfin ! – ses distances, son regard brille de larmes. Je la dévisage froidement et ne fais aucun effort pour la mettre à l'aise.

– J'ai déposé tous les journaux sur la table de nuit de Raphaël. Lis-les. Je tiens vraiment à te remercier du fond du cœur d'avoir sauvé l'homme que j'aime. Je t'en serai toujours reconnaissante ! Merci beaucoup...

Elle est tout à fait sincère, mais ses remerciements ne me touchent pas du tout. Caroline aimerait visiblement poursuivre la conversation, mais Simon me tire de ce mauvais pas en m'amenant dans la chambre de Raphaël, qui somnole. À voix basse, Caroline dresse le bilan de ses blessures : grave commotion cérébrale, intoxication respiratoire, épaule disloquée, côtes et doigts cassés. Je hoche la tête, soulagée que, malgré tout, il s'en sorte sans séquelles trop importantes.

Caroline va me chercher un journal à potins que je ne lis jamais. Sur la photo qui fait la une, je suis étendue par terre pendant que Samuel enlève mon casque. « Héroïne », clame le grand titre en caractères rouges. J'ouvre le journal et je lis l'article. Les événements sont relatés dans l'ordre exact où ils se sont déroulés, à une exception près.

« La pompière, dont la radio ne fonctionnait pas, a décidé de monter malgré tout. Elle ne pouvait se résoudre à abandonner ses confrères. » Minute ! À l'étage inférieur, ma radio fonctionnait ! Qui a raconté le contraire au reporter ?

Le cœur serré, je poursuis ma lecture : « Après avoir tenté pendant d'interminables minutes de dégager le corps de Devost, la pompière a dû se résoudre à prendre une décision difficile : abandonner le pompier Devost pour sauver son collègue Sansoucy. Inconscient, ce dernier avait épuisé sa réserve d'oxygène. »

– Je ne sais pas comment tu as fait... Il te fallait vraiment beaucoup de courage pour rester dans cette pièce malgré les conditions !

Je n'écoute plus Caroline. Mes larmes tombent sur la dernière phrase de l'article principal :

> « L'héroïne n'a écouté que son courage et sa détermination et a affronté la mort pour porter secours à ses collègues. Chapeau, pompière Sanchez ! »

Je sors de la chambre. Je veux quitter l'hôpital. Tout de suite. Simon me suit, mais je lui fais signe de laisser tomber. Je fuis dans le dédale des corridors. Surtout ne pas croiser William ! Je descends trois étages par l'escalier et, à bout de souffle, je sors et hèle un taxi.

Où aller ? Le chauffeur s'inquiète pour cette femme presque hystérique qui lui demande de rouler un peu, le temps qu'elle trouve une réponse. Il me dépose finalement devant une petite église. En Espagne, je pratiquais assidûment ma religion.

Je m'agenouille devant l'autel et je prie.

Les jambes de Thomas brûlaient. Je me suis penchée tout près de lui. Il a cessé de hurler et s'est mis à prier. J'ai pris sa main dans la mienne, il l'a serrée. Je l'ai vu murmurer : « Lucie »... Et j'ai tiré sur le tuyau qui reliait Thomas à son respirateur ! L'air brûlant et enfumé l'a tué très vite. Mon cœur a aussi cessé de battre pendant quelques secondes. Je suffoquais, je n'arrivais plus à respirer. Il était mort lorsque j'ai posé ma tête contre la sienne. Dans un élan de désespoir, j'ai demandé à Dieu de l'accueillir et je continuais de serrer très fort sa main... Raphaël m'appelait. Des débris volaient dans tous les sens, partout autour de moi. Une énorme boule de feu a frappé ma visière. Comment ai-je fait ? J'ai abandonné Thomas, je me suis éloignée... J'ai dégagé Raphaël avec peine, puis nous sommes sortis en laissant Thomas derrière nous.

Maintenant, je demande à Dieu de me pardonner. Quant à moi, je sais que je ne me pardonnerai jamais le sang-froid qui m'a commandé ce geste à la fois salvateur et mortel...

Chapitre 6

Le lendemain après-midi, une infirmière m'assure que Raphaël se trouve seul et qu'il vient tout juste de terminer son dîner. Je suis à la fois heureuse à l'idée de le revoir et déçue de ne pouvoir échapper à notre rencontre. J'ai dû passer une nuit blanche pour retrouver mon calme et le contrôle de mes émotions. La conversation que nous allons tenir m'effraie.

J'entre dans sa chambre. Raphaël somnole, mais il bouge dans tous les sens et murmure des mots incompréhensibles. Craintive, je m'approche. Son visage, baigné de sueur, paraît fiévreux et souffrant. Ses cheveux, aussi noirs que les miens, ont été maladroitement rasés à son arrivée à l'hôpital. Couché sur ce lit étroit, ce colosse tout en muscles me paraît tout à coup petit, fragile. Doucement, je lui touche l'épaule pour le réveiller. Il ouvre ses grands yeux bruns, me dévisage un moment, puis me sourit. Je ne l'ai pas vu aussi heureux de me voir depuis... longtemps avant notre séparation !

— Emma... Pourquoi tu n'es pas venue plus tôt ? J'avais tellement hâte de te voir !

— Je suis venue hier, mais je n'ai pas pu rester...

Nous hochons simplement la tête. Sa voix est toujours rauque et sa respiration demeure sifflante. Il m'inquiète. Je lui demande comment il se porte.

– Je ne me rétablis pas assez vite à mon goût. J'ai hâte de rentrer chez moi, de tirer les rideaux et de couper la sonnerie du téléphone... Ici, je n'ai aucun contrôle sur ce qui se passe. J'ai besoin de paix, de solitude !

Il s'arrête un moment. Je reconnais bien Raphaël, un solitaire dans l'âme qui a toujours eu besoin de se retirer dans les périodes stressantes de sa vie.

– J'aimerais qu'on discute de ces moments terribles, me dit-il après un long silence.

Je recule de quelques pas. Raphaël me subjugue et, alors qu'il me fixe intensément, je sens fondre ma volonté. Raphaël est malheureusement conscient de son pouvoir sur moi. Il hésite et bafouille :

– Thomas a peut-être tué sa femme...

Je dois me contrôler pour ne pas hurler :

– Ce que tu dis est affreux ! J'espérais que tu aurais retrouvé tes esprits, aujourd'hui.

– Emma, laisse-moi t'expliquer...

– Peu importe, Ralph, je ne te croirai pas ! m'exclamai-je avec vigueur.

Nous nous taisons pour nous assurer que personne ne m'a entendue. Contrairement à nos vieilles habitudes qui m'obligeaient à lui arracher les mots de la bouche, c'est lui qui reprend la parole :

– Tu as tout caché aux enquêteurs... Je te remercie d'avoir suivi mon conseil.

– Tout s'est fait trop vite, je n'ai pas eu le temps de réfléchir.

– Pourtant, le mensonge est plus difficile à défendre que la vérité !

– Absolument ! Mais je ne pouvais pas me résoudre à dire : « Thomas a tué sa femme. Et son bébé... » Ça me paraissait – et ça me paraît toujours – incroyable ! Alors, j'ai simplement gardé le silence sur nos dernières minutes de conversation.

Depuis l'incendie, j'ai dû à maintes reprises raconter les événements dans leurs moindres détails au directeur du service, à certains de mes collègues et aux enquêteurs. Heureusement, j'ai réussi à répéter la même version à tout le monde. Toutefois, à une ou deux reprises, je me suis énervée et j'ai refusé de répondre à certaines questions ou à certaines personnes.

– Cette pluie de mensonges m'épuise.

Raphaël me prie de l'écouter jusqu'au bout. J'acquiesce enfin. Il commence son récit au moment où, sur le seuil de l'appartement, il a eu un mauvais pressentiment. Plus il avance dans son récit, plus je tremble. Raphaël remonte la couverture sur ses épaules. Péniblement, il relate les paroles échangées avec Thomas. Raphaël a de plus en plus de difficulté à respirer. Je lui propose d'appeler une infirmière, mais il refuse net. J'ai peur qu'il ait des complications, mais je ne bouge pas. J'ai besoin de connaître la suite !

– Turmel a annoncé qu'il manquait « trois hommes ». J'espérais voir arriver de l'aide lorsque Thomas a ajouté quelque chose...

Il tousse et hésite. Ses yeux s'emplissent de larmes.

– Il a dit : « Lucie... c'est moi qui... qui... Tout est de ma faute ! »

Ma surprise est si grande devant ces mots troublants que j'ai besoin de plusieurs secondes avant de réagir.

– Ce n'est pas vrai ! Comme ça, alors qu'il savait sa mort imminente, Thomas se serait accusé du meurtre de sa femme ? Allons donc !

Raphaël ressent les événements comme s'il s'y trouvait encore. Son choc est tel qu'il n'arrive presque plus à respirer.

– Pourquoi aurait-il fait ça ?

– Je ne sais pas, moi ! s'exclame Raphaël en se grattant la tête, aussi incapable que moi de concevoir cela. Si c'est vrai, de toute façon, il ne méritait plus de vivre ! Et concède-le : mourir en devoir n'est pas une si mauvaise fin pour un pompier !

Maintenant, je respire presque aussi mal que mon ex-amant. Je poursuis :

– Quel est le lien avec William dans l'affaire ?

– Je ne suis pas encore certain : comment trouver des réponses alors que je suis cloué sur ce lit ?

Raphaël me regarde ; ses yeux brillent de larmes qu'il retient difficilement.

– Emma... Ne dis rien, me demande-t-il d'une voix presque suppliante. Je suis persuadé que William ne dira rien non plus. Thomas a trouvé la mort dans la souffrance... La justice est rendue !

Interdite, secouée, je m'accorde une dernière offensive :

– Tu délires complètement !

– Non, Emma. Sa femme... Son propre bébé... C'est grave !

– Et impossible!

– Lorsque je sortirai d'ici, je pourrai peut-être trouver une preuve de ce que j'avance...

L'état de Raphaël s'aggrave et je sonne l'infirmière. Lorsqu'elle entre dans la chambre, j'en profite pour filer. Je ne peux y croire.

Chapitre 7

Je me réveille en sursaut et j'ouvre les yeux. Je me rappelle tout à coup que je ne suis pas seule dans mon lit. Il dort toujours, blotti sous les couvertures, dos à moi. Je n'aperçois que sa main gauche et ses cheveux de plus en plus grisonnants. Son alliance brille sous les rayons du soleil qui percent les rideaux de ma fenêtre. Je frissonne en repensant à tout ce qui s'est passé au cours des derniers jours et je me lève précipitamment.

Dans la salle de bain, je fais couler l'eau froide et je m'en asperge le visage pendant de longues secondes. Il me faut un moment avant de parvenir à affronter le miroir. Mon reflet n'est pas flatteur. On dirait une femme de quarante ans – presque quinze ans de plus que mon âge réel – dont le visage paraît démesurément ridé, fatigué, vieilli. Mes cheveux bouclés et foncés sont retenus par une queue de cheval défraîchie. Le regard hébété de cette femme m'effraie. Je me répète que je dois être tolérante envers moi-même. Je n'ai pas la vie facile ces jours-ci !

Je crie lorsque des bras chauds m'enserrent. Décidément, depuis l'incendie, je ne fais que ça : sursauter, me défendre, me cacher, mentir. Je ferme les yeux pendant que mon amant m'embrasse dans le cou.

– Comment ça va, chérie ? susurre-t-il à mon oreille. Tu as tourné dans tous les sens, cette nuit.

– Je rêve, c'est normal... Ça passera.

Je déteste quand il me traite comme si j'étais une fillette ! J'aime l'homme qui me considère comme une *vraie* femme, qui me fait chavirer par ses caresses et qui prend soin de moi.

– Et toi, as-tu eu beaucoup d'interventions cette nuit ? demandai-je avec une pointe d'ironie.

Avec des horaires comme les nôtres, il est facile de passer la nuit ailleurs que dans le lit conjugal. William, qui a baissé la tête, me répond avec réticence :

– Je suis censé être à la pêche pour trente-six heures, à notre petit chalet de Mont-Laurier. Tu sais que ça fait du bien de prendre du recul... Tout seul...

Je souris, déconcertée par la crédulité et la naïveté de sa femme. Mais je ne devrais pas dire ça. Quelques mois plus tôt, et même si je pensais avoir compris tous les stratagèmes de mes confrères infidèles, j'ai été presque aussi aveugle que sa douce épouse ! Raphaël ne m'a pas trompée – du moins me l'a-t-il juré – mais il est quand même parvenu à tomber amoureux d'une autre sans que je m'en aperçoive.

Très vite, il s'efforce de changer de sujet :

– Dis-moi une chose, chérie. Une seule chose et je ne te pose plus de questions à propos de l'incendie.

J'hésite avant d'acquiescer. Il me pose toujours les mêmes questions, auxquelles j'évite soigneusement de répondre.

– Si d'autres pompiers que Raphaël et Thomas s'étaient trouvés à l'étage de l'explosion…, serais-tu montée quand même ?

Voilà la question que j'attends depuis longtemps. Je regarde mon amant droit dans les yeux. Il a envie que je lui réponde : « Bien sûr, sans le moindre doute ! » Cette fois, au moins, je peux me permettre d'être honnête. Même si je le blesserai.

– Oui, bien sûr que je serais montée ! Mais je ne sais pas si je serais entrée dans l'appartement 406 pour quelqu'un d'autre que Raphaël.

Je m'arrête et m'interroge. Est-ce la vérité ? Bien sûr que non ! Si William avait été coincé en haut, je me serais précipitée vers lui avec le même empressement… ou presque. En ce moment, j'ai simplement envie de blesser William parce que j'ai l'impression – fort douloureuse – qu'il m'a abandonnée à mon sort, moi qu'il prétend aimer.

William a les yeux voilés, mais il me regarde encore fixement. Reparlerons-nous déjà de nos sentiments ? Il y a quelques jours, je lui ai demandé d'espacer ses visites, mais il n'a pas tenu plus de soixante-douze heures… J'ai besoin de temps pour voir clair à nouveau.

Il me prend dans ses bras. Parfois, je me sens si bien avec lui ! Même si notre liaison est secrète, voilà plus d'un an que je peux compter sur son soutien. Je l'embrasse. Au fil du temps, il est devenu bien plus qu'un homme qui me rassure et me console : je me rends compte, peu à peu, à quel point je l'aime !

Nous nous embrassons de plus en plus ardemment, mais je ne cesse de réfléchir. Raphaël, qui tient au silence comme à sa vie, refuse que nous discutions avec William de l'éventuelle culpabilité de Thomas. Il pourrait pourtant nous aider à résoudre l'énigme... Je deviens tout à coup mal à l'aise et repousse William : je me rends compte que j'ai le pouvoir de lui poser une multitude de questions sans qu'il s'aperçoive de mes manœuvres. Dans mes bras, il se confie facilement, puisqu'il ne « peut pas le faire à la maison ». C'est du moins son point de vue... je serais curieuse de connaître celui de sa femme ! Qui sait, nous pourrons peut-être en discuter bien-tôt... Lors des funérailles, Claudia, charmante à souhait, m'a invitée à aller manger avec eux, un de ces soirs. D'ailleurs, je me demande encore ce que William pense de cette idée !

Il s'est installé au salon. Je l'observe. Il est très nerveux. Je me sens triste de lui imposer des émotions dont il n'a pas besoin en cette période de deuil. Pourtant, ses paroles tour-nent et retournent dans ma tête comme un vieux disque usé.

— Je pars, Emma. Tu m'en veux et tu n'as pas envie de me voir. J'aurais dû m'en rendre compte dès mon arrivée, hier soir, mais j'ai tendance à être aveugle quand il s'agit de toi...

Il se dirige vers le vestibule sans me regarder.

— J'ai besoin d'air, ajoute-t-il en laçant ses souliers. J'irai au chalet, finalement.

— Tant de route pour une seule journée ?

Mais comment puis-je le retenir ?

— J'y resterai jusqu'à demain soir. Claudia n'y verra pas d'inconvénients, elle pourra tout simplement travailler un peu plus ! Et toi, qu'est-ce que tu feras aujourd'hui ?

Dans sa question, je devine un brin d'inquiétude et une certaine jalousie aussi.

– Je ne sais pas trop. J'aimerais aller voir Raphaël... mais seulement si Caroline n'est pas là !

– Elle m'a dit hier qu'elle avait pris quelques semaines de congé pour s'occuper de son fiancé. Au diable l'Orchestre symphonique et ses cours à l'université !

– Son fiancé ?

Le regard de William me pénètre. Il me voit blêmir de déception, puis rougir de honte. À coup sûr, je suis la seule à ne rien savoir de ces fiançailles ! Mon amant ne manque pas de s'apercevoir que je retiens mes larmes et qu'un immense chagrin déchire mon cœur.

– Ils se sont fiancés dans le temps des fêtes, Emma. Raphaël nous a demandé de garder ça sous silence... pour ne pas te blesser. Il a l'intention d'épouser Caroline d'ici la fin de ses études, dans deux ans.

Et moi, combien de fois lui ai-je parlé de maison, de mariage, d'enfants ?

– J'ai pensé que tu devais enfin le savoir...

William se réjouit que je sache enfin que Raphaël me cache des parties importantes de sa vie.

– Je suis très contente pour eux, dis-je d'une voix qui traduit pourtant le contraire.

William est prêt à partir, parfaitement conscient de m'avoir troublée. Il me serre dans ses bras. Je n'ai pas du tout envie qu'il parte, mais je suis trop orgueilleuse pour le retenir. Quel paradoxe ! L'aimer tant et lui en vouloir à ce point ! J'hésite trop longtemps.

– La vérité, c'est que je voudrais vraiment être celui dont tu es amoureuse, Emma.

Il ouvre la porte et se retourne pour me regarder. La dernière image qu'il aura de moi est celle d'une femme perturbée et déchirée. Par compassion, j'ai commis un meurtre. Raphaël et moi soupçonnons un ami et collègue de crimes atroces. Je suis coincée entre une inconsolable peine d'amour et une liaison qui implique la trahison de mes valeurs profondes. Rien ne va plus dans ma vie.

Chapitre 8

J'ai tenu à être là pour le retour au travail de mon groupe. De William et de Samuel, en fait. Je porte l'uniforme, même si je ne répondrai pas aux appels. Le médecin que j'ai vu hier m'a recommandé d'être patiente parce que ma main brûlée menace de prendre son temps pour guérir. La patience... une vertu qui n'est certainement pas mon point fort !

Dans la cuisine, j'ouvre le frigo. Vide.

Assis sur une chaise, les pieds posés sur la table, mon collègue Antoine Patenaude est plongé dans la lecture d'un roman policier. Je m'approche de lui et toussote. Aucun mouvement. Je ressens une profonde envie de le frapper, mais je me contiens et quitte la pièce.

En pénétrant dans la salle de repos, je m'appuie contre le mur et croise les bras. Mes confrères Samuel D'Arcy et Richard Champagne, concentrés sur un vieux film, sont avachis dans les inconfortables fauteuils qui meublent cette pièce. Même les pauses publicitaires méritent toute leur attention, si bien qu'aucun des deux n'a daigné me saluer. D'un geste brusque, j'éteins la lumière avant de tourner les talons. Tant qu'à perdre leur temps, qu'ils dorment ! Je fulmine.

J'arpente le long couloir qui mène vers l'arrière de la caserne, où je retrouve mon supérieur immédiat. Rivé à son écran d'ordinateur, le lieutenant Turmel lit ses rapports d'intervention des derniers mois. Il me sourit, mais d'un air vaguement agacé. Je claque la porte. Je retourne à la salle de repos et je m'assois pour réfléchir un moment. Devant moi, Richard dort, et Samuel écoute distraitement un vieil épisode anglais des *Simpsons*.

Il est dix-neuf heures et, depuis plus d'une heure, le silence complet règne dans la caserne. Les plus jeunes du groupe n'ont proposé aucune partie de basket-ball. Aucun gars n'est descendu à la salle d'entraînement. Même Samuel n'a pas parlé de préparer le souper. Et personne n'a discuté de la mort de Thomas ni de mon étrange présence...

Hier, j'ai assisté à un débriefing en compagnie de quelques-uns des pompiers présents au feu. Je n'en ai pas retiré grand-chose et, à l'évidence, les autres non plus. J'observe mon partenaire. À vingt-huit ans, Samuel semble avoir énormément vieilli. Comme moi. Contrairement à tout le monde, il porte un épais chandail de coton ouaté. Mais ce qui me trouble davantage, c'est qu'il ne sourit plus. Avant, même pendant une dispute, ses yeux pétillaient toujours et il retrouvait généralement sa bonne humeur en un temps record. Ce gars débordait de bonne humeur, d'enthousiasme et de générosité. Plus maintenant.

Je me relève. William, qui est occupé à pianoter sur son clavier, me laisse entrer et je ferme la porte derrière moi. Même si je plisse les yeux, je ne peux rien lire sur son écran. Sans un mot, il va chercher une pointe de tarte aux pommes dans le petit frigo de son bureau et m'en offre un morceau. Je ne mangerai certainement pas les desserts de sa femme !

Patiemment, il attend que j'ouvre la bouche. Je suis indécise. J'ai envie de lui parler de son équipe, mais j'ai aussi envie de lui parler de moi... de nous. Depuis la nuit qu'il a passée chez moi, dix jours plus tôt, il n'est venu me voir qu'une seule fois. Une visite courte, pressée, stressée, le type de rencontre que je déteste le plus.

— Samuel a l'air très déprimé.

Je romps ainsi la glace, en terrain neutre.

— Il n'est pas le seul !

— Tu devrais veiller un peu plus sur lui. Je ne l'ai jamais vu comme ça.

— Emma, je ne travaille pas dans une garderie !

J'acquiesce. La colère a gonflé en lui et il prend de grandes respirations pour retrouver son calme. Il évite mon regard, comme si j'attisais sa rage. Je crois qu'il accepte mal que je prenne mes distances dans une période où il aurait besoin de moi.

— Après tes trois nuits de garde, viens dormir chez moi, dis-je tout à coup. Je m'ennuie. Vraiment !

Je m'approche de lui et, pour une rare fois, je l'embrasse à la caserne. Il se laisse faire, puis me repousse assez brusquement. Je comprends son évidente confusion... puisque j'éprouve moi-même quelque difficulté à suivre le cours de mes pensées !

— Quitte ta femme. Viens vivre avec moi !

Il me regarde comme si j'avais perdu la tête. C'est peut-être ce qui m'est arrivé. Pourtant, dans tous les sens, j'ai besoin de lui. Il me manque.

– Tu es fatiguée, Emma. Rentre chez toi, j'irai te voir dans quelques jours...

– Réfléchis à ma proposition.

– Tu ne penses pas vraiment ce que tu viens de dire, je le sais trop bien ! Depuis tout ce temps où j'essaie de t'en convaincre...

– Oui, mais je crois qu'on doit parfois vaincre nos peurs et prendre des risques...

Je l'ai troublé. Il s'adoucit, tend la main vers moi, mais la voix de la répartitrice nous interrompt. Dans les haut-parleurs de la caserne, elle envoie le camion 202 vers un appel de premiers répondants médicaux. Derrière William, je me précipite vers le garage. Plutôt calmes, les gars disparaissent sans un mot dans le véhicule d'incendie. Samuel, le conducteur du second camion de la caserne, demeure à côté de moi.

Nous rentrons. Samuel retourne devant la télévision pendant que je me prépare un café. Le carillon résonne presque tout de suite. Mon partenaire maugrée en se dirigeant vers la porte. Yves Dubois et lui entrent vite dans la cuisine. L'enquêteur du service de police me tend la main.

– Madame Sanchez ! Je suis surpris de vous voir ici. Tant mieux, j'allais justement vous rendre visite tout à l'heure.

Cet homme d'une cinquantaine d'années ne me plaît guère, mais je m'efforce de le cacher. Il est petit, trapu et, derrière ses épaisses lunettes, je sens son regard perçant, peut-être même sournois. Encore plus que les autres, c'est lui que je dois convaincre de ma version des faits. Inutile de me le mettre à dos à cause de mon mauvais caractère !

– Nous connaissons enfin les résultats de l'enquête. L'incendie de la rue Wellington est d'origine criminelle.

Je ferme les yeux. L'enquêteur poursuit :

– Il y avait deux bombes à l'intérieur de l'édifice. La première a déclenché l'incendie, la seconde a tué Thomas Devost...

Chapitre 9

Fatigué, le lieutenant Turmel ressentait une profonde angoisse depuis l'incendie. De plus, dans les jours qui suivirent, il avait enfin compris qu'il n'aurait jamais la première place dans le cœur de sa maîtresse. Il déployait donc de grands efforts pour se rapprocher de sa femme qui, d'ailleurs, s'efforçait aussi de prendre soin de lui. Mais en vain. Il s'ennuyait toujours autant d'Emma.

Le pompier avait patienté pendant plus d'une heure avant qu'Yves Dubois ne vienne le rejoindre dans son minuscule bureau, au cœur du poste de police.

L'enquêteur alla droit au but :

– Nous avons un suspect concernant l'incendie criminel de la rue Wellington. Son identité ne vous plaira pas.

William fronça les sourcils.

– Il est pompier.

L'enquêteur marqua une pause, comme pour accroître l'anxiété de Turmel, puis lança :

– Thomas Devost.

La stupéfaction se peignit sur le visage de Turmel, qui se remémora l'incendie. Les détails lui revenaient en mémoire avec une acuité oppressante. Assis devant lui, Yves Dubois paraissait tout à fait calme, maître de la situation.

– Mais... qu'est-ce qui vous amène à penser que Devost pourrait avoir posé les deux bombes dans cet immeuble ? C'était courir au suicide !

Le regard ironique de l'enquêteur agressa le lieutenant. Dubois évoqua d'abord la radio que Thomas avait « échappée » dans l'escalier et que Samuel avait récupérée peu avant l'explosion, tandis qu'il retournait changer sa bouteille d'air. William avait aussi été surpris par cet incident, lui qui connaissait la minutie de Devost. Normalement, chaque équipe n'avait qu'une radio : si William n'avait pas remis à Raphaël la seule radio restante à la fin de l'affectation, leur équipe aurait été privée de tout contact avec l'extérieur pendant l'intervention.

– Une erreur de débutant. Une bourde qu'un pompier expérimenté comme Devost n'avait aucune raison de commettre !

La suffisance de l'enquêteur choqua Turmel :

– Voulez-vous que je vous raconte une belle histoire ? Voilà celle de l'incendie qui m'a le plus marqué, du moins avant celui du mois dernier... Ça s'est passé il y a une dizaine d'années, le soir du réveillon de Noël. En cette nuit féerique, la plupart des pompiers regrettaient d'être loin des leurs. Vers vingt-trois heures cinquante-trois, un appel nous a envoyés au centre-ville. Le camion s'est arrêté devant une vieille résidence. « Joyeux Noël ! » s'était gaiement exclamé Thomas à mon intention. Le premier étage était presque totalement enflammé et deux camions d'une autre caserne se trouvaient déjà sur place. J'ai alors assisté à un échange verbal assez animé entre le chef des opérations et le lieutenant Gamache.

« – On va envoyer au moins deux équipes à l'intérieur, disait le chef des opérations. Il faut s'assurer que la maison est vide !

– Es-tu tombé sur la tête ? avait répondu Gamache. Cette cabane est déserte, c'est clair, il n'y a aucun signe de vie !

– À minuit, les habitants dorment peut-être. J'envoie deux équipes !

– S'il arrive quelque chose, je t'aurai averti ! »

« Devost et moi sommes entrés dans la maison. Poussé par l'instinct, j'ai insisté pour monter au second étage. Il n'y avait encore aucune flamme, mais les planchers commençaient à se réchauffer, signe qu'elles ne tarderaient pas. La fumée, par contre, était opaque. Dans la dernière pièce, au fond d'un couloir qui m'avait semblé interminable, j'ai aperçu des cheveux blonds. Une jeune femme gisait, inconsciente, dans son lit ! J'ai lancé mon gant, touché le cou de la femme. Vivante ! J'ai pris une grande inspiration, puis déposé mon masque à oxygène sur son visage. Pendant ce temps, Thomas avait cassé la fenêtre. »

– Et quel est le lien avec l'histoire qui nous occupe ? s'impatienta l'enquêteur Dubois.

– Thomas m'a demandé la radio, car on aurait dû sortir de là avec une échelle : ç'aurait été plus rapide et moins dangereux que de retourner au premier étage. Et la victime aurait pu respirer de l'air pur beaucoup plus vite. Mais je n'avais plus ma radio !

– Une erreur de débutant, jugea le policier avec arrogance.

– De débutant ? rugit le lieutenant. Avez-vous déjà monté quatre à quatre les marches d'un escalier gorgé de fumée, les bras débordant d'équipement, tirant un boyau d'incendie presque aussi lourd que vous, vous dirigeant tête baissée vers les flammes, alors que tout en vous hurle de faire demi-tour et de retourner dehors ? Si vous l'aviez fait, ne serait-ce qu'une fois, vous auriez appris qu'il est difficile de tout contrô-ler dans une situation pareille ! Au moment de cette inter-vention, j'avais déjà beaucoup d'expérience, j'étais loin d'être un débutant. Et dites-moi donc, monsieur l'enquêteur, com-bien de fois il vous est arrivé d'être imprudent, de risquer votre vie et celle de citoyens innocents en roulant à toute allure pour répondre à un appel qui n'en valait pas la peine ? Pensez-y et, ensuite, on reparlera de cette erreur que vous associez aux « débutants » !

Assommé par cette avalanche de reproches, le policier se tut. William comprit qu'il l'avait déstabilisé. Après un long silence, le pompier reprit le cours de son récit d'un ton beau-coup plus doux :

– Thomas et moi avons dû retourner dans le brasier, la femme sur mon épaule. On partageait ma réserve d'air. J'ai retrouvé ma radio : je l'avais échappée dans l'escalier, sans doute au moment où je m'étais penché pour vérifier la tem-pérature du sol. Thomas m'a fait un signe qui voulait dire : « O.K., on n'en parle pas ! » J'ai menti à Gamache pour lui expliquer pourquoi nous n'avions pas appelé du deuxième étage. Il a évidemment été assez imbécile pour me croire.

William dut prendre une pause. Ces souvenirs le trou-blaient autant que ceux de l'incendie de la rue Wellington.

– J'ai passé cinq jours à l'hôpital et, elle, un ou deux mois : intoxication respiratoire. On s'est parlé à quelques reprises, puis j'ai quitté l'hôpital et suis passé à autre chose. Un an plus tard, je l'ai revue dans un bar, par hasard. Nous sommes mariés, aujourd'hui.

L'enquêteur rit, sarcastique :

— Épilogue : ils se marièrent, vécurent heureux et eurent beaucoup d'enfants !

— Au-delà de votre ironie, vous voyez bien qu'il est possible de commettre des erreurs sans que ça tourne nécessairement à la catastrophe !

— Je vous le concède. Mais votre récit ne montre que l'envers de la médaille, monsieur Turmel.

— De quoi voulez-vous parler ?

— De votre liaison avec Emmanuella Sanchez.

William s'écrasa dans son fauteuil comme si le poids du monde venait de tomber sur ses épaules.

— Cette femme possède une force de caractère admirable, mais j'ai fini par comprendre les raisons de sa colère contre vous.

— Précisez, je vous en prie.

— Le directeur Hannon, les inspecteurs du Service des incendies et moi avons écouté cent fois les conversations radio. Nous avons calculé le temps de vos réactions. Le directeur a dit : « Chapeau, lieutenant ! » Les inspecteurs partageaient son avis.

— Alors que tout le monde me reproche d'avoir manqué de fermeté ?

L'enquêteur Dubois constata que William ressentait un certain soulagement.

– Selon Hannon, vous avez fait preuve d'une rationalité et d'un courage exceptionnels.

La surprise terrassa William.

– Le directeur a dit qu'à votre place, il aurait risqué beaucoup plus de vies.

– Qu'est-ce qu'il aurait fait ?

– Il aurait abandonné la lutte contre l'incendie et aurait envoyé tous les hommes disponibles à l'intérieur du bâtiment.

– Mais c'est ce que j'ai fait ! rétorqua vivement William.

– Non. D'abord, vous avez laissé six pompiers dehors pour combattre les flammes. Ensuite, vous êtes demeuré à l'extérieur pour prendre la situation en charge, alors que vous auriez pu décider de vous lancer tête la première dans l'action. Finalement, vous avez eu le courage d'ordonner aux pompiers de ne pas entrer dans une pièce embrasée.

– Du courage ? Vous faites erreur : j'ai manqué de courage, et Emma me le reproche d'ailleurs vigoureusement !

– Vous ne devriez pas toujours écouter la pompière Sanchez. Pour condamner votre maîtresse et votre ami à la mort, vous aviez bien besoin de courage, vous ne croyez pas ? Et ça explique pourquoi elle vous en veut autant.

William ne savait plus quoi penser, enchevêtré dans un tourbillon d'idées paradoxales. D'ailleurs, à la pensée qu'il aurait pu perdre Emma, il se sentait désemparé. Si elle était morte dans les bras de Raphaël – à cause de ses ordres ! –, sa tristesse aurait été immense. Tout à coup, Emma lui manquait énormément, avec plus d'acuité qu'à l'habitude ; il irait la voir dès qu'il sortirait de ce minuscule bureau enfumé. Il leva les yeux vers Dubois. Le regard pénétrant de l'enquêteur l'indisposa. William tourna la tête.

– Je ne crois pas que Sanchez mente lorsqu'elle raconte les événements, mais j'accorde peu de crédibilité aux conclusions qu'elle tire de cet incendie. Ses sentiments pour vous et pour son ex-copain lui enlèvent toute objectivité.

Le soulagement envahissait William au rythme où il assimilait les renseignements. Que ressentait vraiment Emma à propos de cet incendie ? Elle ne montrait jamais sa peine, n'exprimant que sa colère. Elle se tenait sur la défensive, refusait l'évidence de l'accident en cherchant des responsables, des coupables.

L'enquêteur lui expliqua ensuite que, la veille de l'incendie, vers trois heures du matin, Raphaël avait rejoint Thomas qui, à la cuisine, noircissait des pages et des pages de texte. Il écrivait son testament, convaincu que son heure viendrait bientôt.

William bondit de sa chaise et commença à marcher en frottant son visage de ses deux mains. Il se sentait troublé par les paroles de l'enquêteur, qui poursuivit après une pause :

– Devost a déclaré à Sansoucy qu'il comptait les jours avant sa mort.

– Pour s'enlever la vie, Thomas aurait planifié de faire exploser un immeuble, au risque de tuer son partenaire et de blesser d'autres coéquipiers ? Allons donc !

Thomas, suicidaire ? Non ! Dépressif ? Peut-être. Mais qu'il tente de tuer Raphaël demeurait une hypothèse invraisemblable ! Thomas avait trop souffert du meurtre de sa femme pour devenir à son tour un assassin !

– Devost a dit à Sansoucy qu'il n'en pouvait plus de souffrir, d'attendre des réponses qui ne venaient jamais et de mentir à sa nouvelle conjointe. Il voulait mourir.

– Raphaël aurait dû faire quelque chose !

– Qu'auriez-vous fait à sa place ?

William n'avait aucune réponse.

– Qu'est-ce qui vous prouve vraiment que l'explosion est de nature criminelle ?

L'enquêteur se leva, fouilla dans son classeur et en sortit deux sacs de plastique portant des numéros d'identité. Il déposa devant William le contenu du premier sac. Le pompier s'étonna d'apercevoir une photo de Thomas et de Lucie, sa première femme, enceinte et resplendissante. L'enquêteur déplia la feuille qui l'accompagnait : « Je t'aime, ma chérie. À très bientôt ! » Les documents avaient aussi bien résisté à l'incendie parce que Thomas les avait camouflés à l'intérieur de son casque.

William ferma les yeux. L'enquêteur patienta. Quand William eut reprit contenance, le policier déposa le second sac devant lui, laissant toutefois l'objet à l'intérieur. William ne vit qu'un morceau de plastique fondu, tordu, grand comme une boîte d'allumettes.

– Voici une manette, du même type que celles employées pour les démarreurs à distance des automobiles.

– La... la deuxième bombe...

– Exactement. Cette manette a été utilisée pour pulvériser le toit de l'édifice.

– Où l'avez-vous découverte ?

– Dans la poche où aurait normalement dû se trouver la radio de Devost...

William tomba sur sa chaise avec l'impression de manquer d'air. L'enquêteur conclut :

– Thomas Devost s'est suicidé.

Quinze ans d'amitié. Neuf ans de travail dans la même équipe. Cinq ans sous ses ordres. William savait que Thomas n'était ni un monstre, ni un désespéré. Quelque chose clochait dans l'interprétation de l'enquêteur...

Chapitre 10

Un indéfinissable sentiment m'habite.

J'ignore à quoi m'attendre alors que j'approche de la maison de William, qui est d'ailleurs furieux de devoir partager ce repas entre sa femme et sa maîtresse. Claudia voulait à tout prix « l'héroïne » à sa table. L'héroïne ! Je dresse un portait tellement sombre de mon attitude depuis l'incendie que je ne peux me reconnaître dans ce qualificatif. J'arrive à peine à me rendre compte que j'ai bel et bien sauvé la vie d'un homme.

J'arrive chez lui et je stationne ma voiture dans son allée. Je marche un peu. La pluie s'annonce violente et froide, comme le vent qui souffle sur mon visage. J'aime bien cette température, qui ressemble drôlement à mon humeur.

Devant la porte, je frappe après un moment de réflexion : je doute que ce repas puisse être agréable. William m'ouvre. Il me sourit et jette un coup d'œil derrière son épaule. Il m'embrasse.

– Tu es belle, Emma.

Quelle audace ! Et une chance pour lui que je ne porte pas de rouge à lèvres !

J'entre dans la maison et suis impressionnée par le luxe qui s'en dégage. William prend ses distances. Claudia apparaît et m'embrasse chaleureusement sur les joues. Elle porte un superbe tailleur. Moi, vêtue de mon pantalon noir et de ma blouse beige, je me sens aussitôt intimidée. Elle s'efforce pourtant de me mettre à l'aise et multiplie les gentillesses.

— J'ai aussi invité Esther. Comme elle est souvent seule, j'ai pensé que ça lui ferait du bien de sortir un peu, de penser à autre chose qu'au travail. J'espère que tu n'y vois aucun inconvénient...

Je ne suis pas offusquée, mais fort surprise. Une cruelle vérité me saute au visage : je serai à table avec la femme de mon amant et la femme de l'homme que j'ai... tué !

— On aurait dû t'avertir, s'excuse froidement William. J'avais avisé Claudia que ce n'était pas une bonne idée !

Le regard qu'il lance à sa femme me paraît aussi tranchant qu'une lame.

— Ça va pour moi, dis-je avec une certaine douceur.

— Ce sera agréable ! poursuit Claudia avec une gaieté un peu forcée. Comme il ne faut pas compter sur les hommes pour faire la conversation, on peut bien dire qu'on jasera entre filles !

Je me demande si je dois rire ou pleurer devant une remarque aussi maladroite. Un souper « entre filles » ! Ça frôle la familiarité, moi qui me sens si différente de cette femme. Et puis, Thomas étant mort depuis quelques semaines à peine, je doute que sa veuve ait à ce point envie de jaser « entre filles »... Bon, je devrai m'efforcer de me montrer tolérante envers Claudia puisqu'elle a raison d'être mal à l'aise. Ma retenue et l'impassibilité de William ne l'aident en rien.

– Tu n'es jamais venue à la maison, dit-elle. Je te fais visiter !

J'acquiesce et elle passe devant moi. Je regarde William. Pourrai-je mieux le connaître en visitant la maison de celui qui vient me voir clandestinement depuis si longtemps ?

La visite commence par le bureau de Claudia. Les murs sont bardés de diplômes et de photos. Gênée, elle m'explique qu'elle adore s'entourer de « bons souvenirs ». Je jette un coup d'œil rapide mais attentif aux photographies. Conclusion générale : la plupart de ses « bons souvenirs » ont été partagés avec son mari. Vacances dans le Sud, promenades en bateau, fêtes, anniversaires, chalet... Je ressens un profond trouble en apercevant William dans une intimité qui, jusqu'ici, m'était totalement étrangère.

Le bureau de William, plus petit, est meublé simplement et équipé d'un ordinateur qui commence à prendre de l'âge. Je suis frappée par le contraste entre les deux pièces. Claudia me confie que son mari utilise si peu son bureau qu'il n'a pas besoin de plus de confort. Je souris. William l'utilise peut-être davantage qu'elle ne le croit : très tard le soir, je reçois régulièrement des courriels dont le contenu n'a rien de professionnel !

Nous poursuivons la visite, Claudia devant, William derrière et moi, étrangement à l'étroit entre les deux. La chambre d'invités est fonctionnelle, peu décorée et me semble bien vide. J'entends à peine les paroles de mon hôtesse. Dans un coin de la pièce, un énorme chien en peluche repose sur ses pattes. Je n'ai besoin que d'un petit effort d'imagination pour voir cette pièce transformée en une magnifique chambre de bébé.

– Pourquoi n'avez-vous pas eu d'enfants ?

J'ai posé la question spontanément, sans réfléchir, sans penser que Claudia serait aussi embarrassée. William me répond, l'air un peu narquois :

– Nous n'en avons jamais vraiment parlé. Je présume que, pour certaines personnes, la carrière passe avant le reste.

Parle-t-il d'elle ou de lui ? En tout cas, Claudia évite soigneusement de regarder dans sa direction.

Je demeure sur le seuil de la porte de la chambre des maîtres, qui est spacieuse et chaleureuse. La vue du lit conjugal m'indispose.

Je suis sauvée par le carillon. William m'amène au salon pendant que Claudia va ouvrir. Mon amant et moi nous regardons, troublés. Soudain, je peux définir ce sentiment qui nuit à ma respiration et accélère mon rythme cardiaque : je suis jalouse. Si j'ai toujours été consciente de la présence de sa femme dans sa vie – et dans son lit –, la réalité s'avère plus poignante lorsque je m'y retrouve directement confrontée.

La conjointe de Thomas se joint à nous. Dans l'ensemble, elle paraît assez en forme, bien que ses traits soient tirés et ses yeux, cernés.

Rapidement, Esther pose à Claudia une question à propos d'un client qu'elle défend. Ça ne peut pas attendre ? Les deux criminalistes s'enfièvrent. Le client en question est accusé de viol ! Je m'efforce de ne pas les écouter. William m'invite à la cuisine, où il me sert une coupe de porto. Il redevient beaucoup plus charmant.

– Esther a toujours été... carriériste, murmure-t-il.

– Thomas m'en a déjà parlé. Il aurait aimé avoir des enfants. Pas elle.

Je me retiens de lui dire que Thomas, lui, a au moins eu le courage d'affronter cette discussion.

– Exactement. Depuis... qu'elle est seule, Esther travaille deux fois plus fort. Ses associés s'inquiètent pour elle, et moi aussi.

Ne sachant que répondre, je me tais. William est perdu dans ses pensées, le regard vague. Je le sens loin de tout, comme s'il cherchait à se détacher de l'instant présent.

– William, tu as été l'ami de Thomas pendant combien d'années ?

– Quinze ans.

Ma question l'a aussitôt mis sur la défensive.

– Pourquoi Thomas partageait la vie d'une femme qui défend des êtres aussi ignobles que celui qui a tué sa première femme ?

– ... Je me suis posé la question sans trouver la réponse.

– Dis-moi, William, est-ce que Thomas a déjà été heureux ?

Mon amant me regarde. Je vois, dans ses yeux humides, une grande tristesse. Il me répond à mi-voix :

– Oui. Mais seulement avant la mort de Lucie.

– ... Même ces dernières années ? Même à la caserne... et avec Esther... Es-tu certain de ce que tu avances ?

– Il était malheureux. Et sans doute plus que je le pensais !

Je m'efforce de retenir mes larmes. William serre les poings.

– On était juste à côté de lui et on ne voyait pas sa détresse..., soufflai-je avec tristesse.

– Un accident de la sorte doit énormément marquer, mais Thomas a été... complètement transformé. Il est devenu... une ombre, une pâle copie de la personne qu'il avait été.

Je ressens, pendant quelques secondes, l'horrible souffrance qu'a dû endurer Lucie à la fin de sa vie. Je me raidis et j'élève la voix malgré moi :

– Un accident ? Une femme violée et battue à mort, un bébé assassiné, tu appelles ça « un accident » ?

Il me fait signe de baisser le ton, ce qui, je l'admets, est une excellente idée.

– Ce sont les mots de Thomas. Sans doute une façon d'adoucir une réalité inacceptable !

– Est-ce qu'il t'en parlait souvent ?

– De sa femme ? Non. Quand l'avant-dernière victime a été tuée, il n'a rien dit. Mais je sentais son mépris, sa rage..., sa haine. Il y a quelque chose de fort troublant dans cette histoire...

– Qu'est-ce que c'est ?

– La journée où cette femme est disparue, Thomas et Esther étaient en train de pêcher. À mon chalet dans les Laurentides !

Un long frisson parcourt mon corps.

– Au retour, ils ont dû rouler à une vingtaine de kilomètres de l'endroit où gisait la victime. Thomas a peut-être même croisé l'assassin de Lucie !

Il secoue la tête et croise les bras sur sa poitrine. Comme moi, il a soudainement très froid.

– Thomas n'avait jamais voulu m'accompagner au chalet. Trop près de l'hôpital de Saint-Jérôme...

– Là où il a tenu sa petite fille dans ses bras...

*   *
*

À la caserne, par une belle nuit de tempête de neige, Thomas s'était un jour laissé aller à quelques confidences et m'avait raconté son passage dans ce centre hospitalier.

Pendant le long trajet jusqu'à Saint-Jérôme, Thomas s'était sans cesse répété les mots de l'enquêteur de la Sûreté du Québec, qui était venu frapper à sa porte : « Votre femme est mourante... votre femme est mourante... » Pourtant, il s'accrochait à un mince espoir. Puis un médecin était venu lui annoncer la mort de sa femme sur la table d'opération. Son monde s'écroulait. Le médecin avait ajouté que sa fille vivait sous respirateur artificiel. Je me rappelle ses mots exacts, je me rappelle même l'intonation de sa voix : « Le pédiatre a laissé vivre ma fille... pour moi, pour que je puisse la voir vivante ! Elle était toute petite... si petite ! Je la regardais et un prénom s'est tout de suite imposé : Aimée. Je l'ai prise dans mes bras. Elle était intubée, branchée... Une infirmière m'a aidé à l'habiller. J'avais avec moi le sac que Lucie devait apporter à l'hôpital, lors de son accouchement. C'est fou, non ? J'espérais tellement qu'elle puisse vivre ! Tant bien que mal, malgré les solutés, nous lui avons enfilé une belle petite robe rose avec des fleurs rouges... L'infirmière pleurait, et moi aussi. Je me suis assis, j'ai bercé ma fille. Elle était tellement belle ! Mais je n'ai jamais vu la couleur de ses petits yeux clos... Je l'ai tenue dans mes bras comme ça, pendant des heures... Des heures... Un psychologue est venu me dire que... je devais accepter de la débrancher, que ma petite Aimée survivait seulement grâce au respirateur artificiel ! »

Thomas s'était alors réfugié dans un silence douloureux. Je me sentais si tendue que je ne bougeais pas. Je n'essuyais même pas les larmes qui roulaient jusque sur le col de ma chemise d'uniforme. Thomas poursuivait, la gorge nouée : « Je ne pouvais pas prendre cette décision-là ! Trop difficile de me décider à "sacrifier" la vie de mon petit bout de chou... Aimée a donc décidé de m'aider : elle a fait une chute de pression, suivie d'un arrêt cardiaque. Elle est morte dans mes bras. Serrée contre moi. » Il a encore arrêté de parler, l'émotion étant trop vive. « Quand on me l'a prise, ç'a été le vide. Je n'ai plus jamais revu ma petite fille. Je suis allé marcher dans les couloirs. Je n'avais personne à qui téléphoner... »

J'avais envie de lui prendre la main ou de le serrer contre moi, mais je me suis retenue. Il a poursuivi après m'avoir intensément regardée dans les yeux :

« La solitude, c'est ça, Emma. Tu te retrouves soudainement seul dans un hôpital, à trois cents kilomètres de chez toi, tu viens de perdre ta seule famille et tu ne sais pas quoi faire. »

Je revois encore l'abîme dans le regard de Thomas. Deux semaines après les funérailles, il était déjà de retour au poste de garde 2. Je n'ai jamais retrouvé l'homme que j'avais connu. Il était en état de survie. Dans le fond de mon cœur, je l'admire.

Et moi, je l'ai vu mourir, terrorisé, traumatisé... Ces souvenirs me troublent puissamment.

*   *

*

Claudia et Esther nous rejoignent. Je m'efforce de cacher mes émotions.

— Est-ce que ta main te fait toujours souffrir ? me demande Claudia.

Nous venons tout juste de nous mettre à table. Claudia est assise en face de moi, Esther se trouve à ma gauche et William, à ma droite. Claudia nous a servi une salade César, puis un potage.

— La douleur est disparue, mais la flexibilité demeure problématique. Je vois un physiothérapeute trois fois par semaine.

Ma main se cicatrise enfin. Je ressens sans cesse des élancements, des picotements, mais je ne m'en plains pas.

— Les côtes fêlées ? Les déchirures musculaires ?

— J'ai déjà enduré bien pire... En général, je vais bien.

On ne va quand même pas parler de moi toute la soirée !

— J'ai regretté de ne pas avoir invité ton ami à t'accompagner, ce soir, poursuit-elle, mine de rien.

Claudia ignore si j'ai un amoureux et, visiblement, elle n'ose pas me poser la question directement. Elle choisit une voie détournée pour aller à la pêche aux informations. Le terrain devient glissant...

– C'est mieux comme ça..., répondis-je après une hésitation.

Je me retiens d'éclater de rire. Je brûle d'envie de lui dire : « Tu l'as fait. Et j'ai bien l'intention qu'il parte avec moi ! » Ce soir, je suis à la fois fatiguée et jalouse, un dangereux mélange.

– De toute façon, maintenant, je préfère ne plus mêler vie privée et travail.

Oh ! Je sens que je contribue à entretenir la mauvaise humeur de mon hôte. Pourquoi m'en préoccuperais-je ? Tout à l'heure, c'est avec elle que William dormira. Bon... c'est tout de même elle qui porte l'alliance, et moi qui joue le rôle ingrat de la maîtresse, celle qui suscite les mensonges et les doubles jeux. Claudia est une femme trahie et, au moins pour ça, elle mérite un peu de respect. Je dois m'efforcer d'être « gentille » envers elle.

Les remords m'accablent, mais je ne peux pas en parler ni le montrer. Chaque fois que je lui ai parlé de mes problèmes de conscience, William les a rejetés du revers de la main, probablement aussi incapable que moi de les affronter.

Je cale ma coupe de vin. Grâce à de grands efforts, je parviens à suivre l'exemple d'Esther et je goûte enfin aux plats qui se trouvent devant moi. Voilà une excellente façon de racheter la paix : je félicite chaleureusement la cuisinière. D'ailleurs, je me dois d'avouer que le potage et la salade sont savoureux. Je n'ai rien mangé de bon depuis l'explosion.

Je me détends tranquillement et, dans la salle à manger, la tension chute lentement, l'atmosphère se radoucit, ce qui soulage tout le monde. Je cherche un sujet de conversation neutre. Poser des questions sur la carrière des deux avocates me paraît une idée raisonnable.

– William et Thomas m'ont souvent parlé des causes dont vous vous occupez. Vous défendez des criminels... Le défi doit souvent être de taille !

Je me demande si j'ai échoué dans mon entreprise de gentillesse : j'ai l'impression d'avoir été plutôt sarcastique !

– Certainement pas plus difficile que d'affronter des incendies tous les jours !

Soudain, je vois la veuve souffrir. Sa douleur me transperce. À ma droite, William s'agite sur sa chaise. Esther, qu'il connaissait comme une femme inébranlable, ose montrer ses émotions.

– J'ai promis à Claudia que je ne te parlerais pas de Thomas pendant le souper, dit-elle à voix basse en me regardant dans les yeux. Un jour, par contre, ça me ferait du bien que tu me parles de lui. De votre amitié à la caserne... De ses derniers moments...

Je jette un coup d'œil à la légitime épouse assise à mes côtés. Esther et moi avons à peine pu parler depuis l'incendie. À quoi Claudia s'attendait-elle en invitant Esther à manger en face de celle qui tenait la main de son amoureux au moment de sa mort ? Mépris et colère montent en moi.

– Bien sûr. Dès demain, si tu veux !

– Merci. Ça me fera du bien. J'ai déjà invité Raphaël, mais il n'a pas été très réceptif.

– Il souffre beaucoup.

Claudia a la bonne idée de relancer la conversation sur nos différents voyages. Ce sujet léger me permet aussi de ne pas me sentir inférieure aux avocates. Du pays, j'en ai beaucoup vu ! Claudia et Esther ont préféré visiter les îles chaudes de l'Amérique du Sud plutôt que de parcourir, comme moi, les montagnes et les mers de l'Europe et de l'Asie.

– Même si fuir la réalité ne règle rien, j'ai tout de même pensé qu'un peu de recul ne pouvait pas faire de tort dans des moments difficiles, lance tout à coup Claudia avec un sourire satisfait. J'ai donc décidé d'offrir un petit cadeau à mon mari.

William n'apprécie guère les surprises. N'est-ce pas une caractéristique des hommes rationnels ?

– Huit jours au bord de la plage, au Mexique..., est-ce que ça te ferait plaisir ? J'ai acheté nos billets d'avion !

– Quoi ? Et tu n'as pas pensé à m'en parler avant aujourd'hui ?

William rougit de colère et dévisage sa femme avec une expression qui ressemble à du dégoût.

– Qu'est-ce que tu as ? s'étonne-t-elle avec tristesse. J'ai déjà organisé des voyages surprises avant aujourd'hui !

– Au cas où tu l'aurais oublié, il y a encore une enquête en cours. Tu n'avais pas à décider quand je pouvais partir et quand je devais rester ici ! objecte William d'une voix tranchante.

Claudia se glace pendant qu'ils se dévisagent. Une tension extrême règne entre eux. Dans ma tête, j'analyse, je réfléchis, j'extrapole : pourquoi William se montre-t-il aussi furieux ?

J'aimerais que ce soit à cause de ses sentiments pour moi. Non ! Je me reprends – ou je me repends ! Mon cœur cogne fort dans ma poitrine.

– Si tu ne veux pas venir avec moi, tant pis, rétorque Claudia, réprimant ses larmes. J'irai donc avec une amie !

– Excellente idée ! Esther, tu es invitée !

– Vous êtes nerveux tous les deux : le moment n'est pas approprié pour prendre une décision, répond l'avocate avec tact.

Claudia approuve, mais elle semble toujours aussi triste. Est-ce que William, plus ou moins consciemment, la prépare pour... une séparation ? Le vin me fait tourner la tête. Je ne sais plus quoi espérer.

Cette fois, c'est moi qui m'efforce de relancer la conversation en terrain neutre. Claudia se détend, bien qu'elle évite le regard de son mari. Le repas se termine dans le calme, nous avons réussi à éviter le pire malgré quelques écueils. William n'a plus parlé, mais il reprend vie lorsque j'annonce mon départ.

– Je vais te reconduire, affirme-t-il. Tu as bu pas mal de vin.

Ai-je le goût de me retrouver seule à seul avec lui ? Je suggère d'appeler un taxi, mais il refuse. Les émotions, l'alcool et la fatigue m'empêchent de protester. Claudia lui demande s'il reviendra immédiatement.

– Il se fait tard. Nous avons certaines choses à mettre au clair, tu ne crois pas ?

Elle tente de cacher ses émotions, mais je devine à quel point elle a été blessée par son attitude pendant le repas.

– Claudia, combien de fois ta carrière a passé avant notre couple ?

Décidément, ce soir, William fait la vie dure à sa femme.

– Pour une fois que je fais passer mes intérêts avant les tiens, tu devrais essayer de me comprendre !

William sort de la maison pendant que Claudia se tourne vers moi et camoufle son chagrin de façon remarquable. Les salutations sont presque chaleureuses. Claudia, et je l'admire pour cette raison, fait preuve d'une très grande maîtrise d'elle-même.

– Ce n'est pas toujours facile d'être sur la même longueur d'ondes, bafouille-t-elle en guise d'explication.

– Je sais. J'ai déjà vécu en couple !

À ce moment, William revient près de nous. Il évalue l'attitude de sa femme, puis l'enlace. Lorsqu'il se redresse, il la tient par les épaules et dépose un baiser sur ses lèvres. Je frissonne. Leur tendresse me dégoûte.

– Je ne serai pas long, Claudia.

Elle est soulagée. Moi aussi. Leur petite réconciliation me fait l'effet d'un minuscule pansement sur une plaie ouverte.

Je m'assois dans la voiture de William qui, à mon grand étonnement, a retrouvé son calme.

– Ta femme a été rudement secouée, ce soir.

William demeure silencieux, mais je le sens troublé. Les rues défilent et nous nous retrouvons bien vite chez moi. Je marche lentement sous la pluie violente et froide, comme si elle pouvait me débarrasser de tous mes cauchemars. Dans mon appartement, je m'installe au salon. Tout naturellement, mon amant s'assoit contre moi.

– Je te dis depuis des semaines que rien ne va plus entre ma femme et moi... Tu en as eu la preuve, ce soir !

Mon sourire moqueur le blesse. Je ne suis quand même pas née de la dernière pluie : ce sont les paroles qu'entendent toutes les maîtresses ! De plus, il n'a absolument rien fait pour aider sa cause.

– Chérie, je vais t'avouer une chose qui te soulagera.

Il m'embrasse dans le cou avant de me parler de sa visite au bureau de l'enquêteur Dubois. Je devine rapidement où il veut en venir, mais je refuse d'y croire. J'attends sa conclusion avec appréhension.

– Thomas voulait se suicider, dit-il avec une tranquille assurance qui me désarçonne. Il a posé les bombes dans l'immeuble.

– Et il a voulu tuer Raphaël ?

Dans mes cauchemars, je vois toujours le matricule 66, celui de Raphaël, coincé sous les poutres et les débris. Je frissonne.

– Thomas n'a pas pensé à son coéquipier. Il souhaitait simplement mettre fin à plusieurs longues années de souffrance.

Je secoue la tête, nerveuse et horrifiée. William caresse mon bras avec une vigueur surprenante.

– Écoute..., poursuit-il d'un ton raide, Hannon ne veut pas d'un incendiaire dans son service. Policiers et pompiers ont décidé de cacher la vérité au grand public. Après tout, il n'y a eu aucun mort. Sauf le coupable !

– C'est impossible, William !

J'ai crié et j'ai maintenant l'impression de manquer d'air.

– Emma, arrête de chercher plus loin : nous avons trouvé la solution à tous nos problèmes. Nous pouvons tous les deux dormir tranquilles. Thomas a obtenu ce qu'il souhaitait !

– Tu le connais trop bien pour vraiment croire ça, non ?

Il ne m'écoute plus.

– Seules quelques personnes savent la vérité. J'estimais que tu méritais aussi de la connaître étant donné tous les efforts que tu as faits pour sauver celui qui, dans le fond, ne voulait que mourir...

– Tu dois aussi en parler à Raphaël ! Il a bien failli y laisser sa peau !

Le regard de William se durcit. Il saisit mon bras et le serre. La pression augmente. Je grimace.

– Hors de question ! Ralph va guérir, puis oublier ça. Promets-moi de te taire !

– Lâche-moi, sale brute ! ordonnai-je en sentant la douleur m'envahir.

Il ne relâche pas la pression. J'essaie de le repousser, mais il serre davantage. Qu'est-ce qui lui arrive ? Je finis par promettre ce qu'il veut entendre, et il me libère brusquement. Je recule sur le divan et essuie quelques larmes du revers de la main.

— Je voulais que tu comprennes à quel point c'est sérieux. La vérité, tu la gardes pour toi. Point final !

— Dis-moi pourquoi Raphaël ne pourrait pas connaître la vérité ?

— Le principe du secret, Emma, tu connais ? Moins il y a de gens qui le savent et plus nous avons de chances de le préserver !

D'un côté, Raphaël pense que Thomas est le meurtrier de sa femme. De l'autre côté, William le considère comme un pyromane suicidaire. Pourtant, personne ne parviendra à me convaincre qu'il est un criminel dangereux ! Je suis perdue devant autant de folie.

Je regarde mon bras, rouge et enflé. En moins de vingt-quatre heures, William a accepté comme une évidence que son grand ami ait posé des bombes et mis en danger la vie de ses confrères. Et il tient au secret au point de me blesser... Je ne le comprends plus. Devient-il aussi paranoïaque que moi ? J'ai hâte qu'il parte. Je dois prendre du recul pour mieux comprendre.

Je me lève et file vers ma chambre. J'aperçois alors le beau bouquet de fleurs que j'ai reçu ce midi. Sans carte. Étrangement, je ressens quelque chose d'oppressant chaque fois que je regarde ce bouquet aux couleurs vives et joyeuses. D'ailleurs, leur vue me redonne un peu d'énergie. J'apporte le bouquet au salon, où William est affalé sur mon divan. Il ne réagit pas du tout en apercevant les fleurs. Et si elles n'étaient pas de lui ?

– Maintenant, William, j'ai vraiment besoin de recul. Une ou deux semaines de repos me feront le plus grand bien. Je te téléphonerai quand je serai prête à te revoir.

Il essaie de parler, mais je pose mes doigts sur ses lèvres.

– Allez, rentre sagement à la maison. Ta femme t'attend. Et tiens, remets ces fleurs à Claudia. Remercie-la aussi pour l'excellent souper.

Il me fixe. Nous sentons tous les deux que rien ne sera plus pareil.

Chapitre 11

Après trois semaines d'hospitalisation, le blessé avait enfin regagné son appartement. Cependant, seuls ses parents, sa copine et Emmanuella pouvaient passer le seuil de la porte, et encore, pas trop longtemps. Obnubilé par ses réflexions, le pompier se confinait dans la solitude.

Le retour à la vie normale lui paraissait pénible. Raphaël Sansoucy se trouvait très diminué physiquement : sa commotion cérébrale lui causait bien des désagréments. Les plus petites tâches devenaient des corvées dont il n'avait pas la force de s'acquitter. Ses étourdissements l'empêchaient de faire plus de quelques pas sans devoir s'appuyer contre un mur. Il tremblait tellement qu'il lui était impossible de tenir un stylo ou de manipuler un couteau. Même s'il savait que les séquelles ne seraient pas permanentes, son orgueil en prenait un coup. Moralement, il ne se reconnaissait plus. Il n'éprouvait plus aucun intérêt pour la vie, comme si ses passions avaient été éteintes en même temps que l'incendie. Même la présence de Caroline, pour qui il avait abandonné bien des projets lorsqu'il en était tombé amoureux, lui semblait maintenant fade. Un seul désir le motivait encore : comprendre.

Ce soir-là, Emma vint le rejoindre vers dix-huit heures. Tous les deux s'assirent au salon. Ils s'observèrent l'un l'autre. L'impression d'être de purs étrangers les déstabilisait. Raphaël, qui connaissait si bien Emma, se demandait maintenant quelle perception elle avait de lui.

Le silence s'éternisait, alors que tous les deux étaient plongés dans leurs réflexions. Raphaël prit la parole le premier :

— Avant de t'enfuir de ma chambre d'hôpital, tu m'as accusé d'être en plein délire. Après quelques jours de réflexion, est-ce que tu crois toujours à ma folie ?

Emma hésita avant de lui dire que, selon elle, des bouts de phrases inachevées ne pouvaient absolument pas être la preuve d'un acte aussi grave que celui dont Raphaël accusait Thomas.

— Et même si cette histoire était vraie... Je ne comprends pas ton raisonnement. Si Thomas a vraiment tué sa femme... et les autres femmes, la vérité doit éclater au grand jour !

— Pourquoi ? Il a été puni, Emma !

— Peut-être, mais nous sommes les seuls à le savoir. Douze familles québécoises vivent dans l'incertitude. Douze femmes enceintes ont été tuées, vraisemblablement par le même assassin. Douze femmes et douze bébés à naître ! Ça fait beaucoup de gens qui, aujourd'hui encore, ignorent une vérité qui leur permettrait peut-être d'envisager leur avenir avec une certaine sérénité !

Essoufflée, Emma s'arrêta. Raphaël grimaçait en tenant sa tête entre ses mains. D'intolérables douleurs lui martelaient les tempes.

– Le cerveau est comme une machine, poursuivait-elle. Il a besoin de savoir pour composer un comportement, pour cicatriser une blessure, pour permettre de passer à une étape suivante. S'il n'a pas toutes les données nécessaires, le cerveau nous maintient dans une sorte de latence ou de torpeur interminable.

– ...

– Toi et moi sommes sortis vivants de ce brasier depuis quelques semaines à peine et, déjà, le doute nous tue peu à peu. On ne dort plus. On ne mange plus. On s'isole. On repousse les gens qu'on aime. On perd confiance. On n'a plus le goût de rien. On dépérit !

– C'est exactement ça..., répondit-il en hochant la tête, comme s'il était soulagé de pouvoir enfin nommer ses sentiments.

– Imagine-toi un instant comment vivent les familles des victimes après tant d'années d'obscurité ! La vérité doit être connue !

L'effroyable réalité commençait à se dessiner dans l'esprit de Raphaël. Les arguments d'Emma avaient atteint leur cible. Dénoncer son collègue... Le pompier aurait besoin de temps pour s'y résoudre.

– Et comment peut-on faire ? Il est trop tard ! Thomas est mort et nous avons tous les deux caché la vérité sur ce qui s'est passé dans l'appartement 406, lança Raphaël avec émotion.

Ils auraient dû parler des doutes de Thomas, de ses commentaires ambigus à propos de William. Aurait-elle dû déclarer... qu'elle avait tiré sur son respirateur ? Son cœur se serrait à nouveau.

– Si nous revenons sur nos déclarations... Non ! Toi, es-tu prête à sacrifier ta liberté pour Thomas ?

La pompière réfléchit longuement.

– Je suis prête à la sacrifier pour offrir la vérité à ces douze familles.

Raphaël la dévisagea, éberlué par sa réponse aussi grave qu'inattendue. Emma poursuivit :

– Je ne vois qu'une solution : chercher nous-mêmes. Quand nous détiendrons une preuve indéniable que Thomas ne peut pas être l'assassin, nous retrouverons notre tranquillité d'esprit.

Il hocha vaguement la tête et, tout à coup, la pompière décida de lui avouer tout ce qu'elle savait :

– Je détiens maintenant une preuve que Thomas ne peut pas avoir tué cette femme qui a été découverte après l'incendie.

Sceptique, Raphaël retint son souffle.

– Thomas se trouvait au chalet de William au moment de la disparition. Avec Esther !

– Possible. Mais de qui tiens-tu cette information ? demanda Raphaël tout en se grattant la tête.

– Du lieutenant Turmel.

– Peut-on vraiment lui faire confiance ?

Emma dévisagea son collègue, cherchant à scruter le fond de ses pensées. Voilà une question qui, depuis la veille, la tourmentait profondément. Si elle aurait normalement répondu « Oui ! », l'agressivité de William, la veille, l'avait choquée. Emma aurait aimé demander conseil à Raphaël, mais elle refusait de lui avouer sa liaison.

– Toutefois, si Thomas avait prévu ces petites vacances, il aurait dû nous aviser qu'il ne viendrait pas jouer au hockey. Avant ce fameux jour, il l'a toujours fait !

– Un oubli, une distraction ! s'exclama spontanément Emma.

Raphaël fit une pause, réfléchit.

– L'hypervigilance fait partie des effets secondaires d'un choc post-traumatique, ironisa-t-il. Alors, je suis hypervigilant : je n'ai plus confiance en personne. Sauf en toi...

Après un moment de silence, Emma reprit :

– Thomas était mon ami, le tien aussi et...

– Erreur ! Thomas a toujours été un camarade, un bon collègue, rien de plus. Par contre, je sais que vous étiez proches, tous les deux.

Bouleversée, Emma s'enfonça dans le divan. Raphaël la serra dans ses bras. La pompière prit une décision importante :

– Hier, j'ai eu un entretien avec William. Même si je ne dois pas t'en parler... je sens que je dois le faire.

Elle raconta, avec tous les détails, les conclusions de l'enquête policière. Raphaël tressaillit.

– Non, Emma. Tout le monde se trompe ! Je ne crois pas que Thomas ait posé les explosifs dans cet immeuble.

– Pourquoi ? Tu le crois bien coupable de douze meurtres. Il aurait pu décider d'en finir avec la vie d'une façon aussi spectaculaire !

Raphaël avait suivi son coéquipier dans la pièce enflammée malgré ses craintes, il avait tenté de le convaincre de faire demi-tour. Puis il s'était battu pour le sortir des débris... Il ravala sa salive. La gorge sèche, il prit son verre d'eau et le cala.

– Peut-être, peut-être... Mais Emma, j'ai regardé Thomas Devost droit dans les yeux avant et après l'explosion. Crois-moi, il ne savait pas qu'il allait mourir !

Perturbée et traumatisée par tous les événements qui se déchaînaient sur elle comme une tempête, Emma pleurait sans quitter Raphaël du regard.

– Raphaël, tu as pourtant toi-même déclaré à l'enquêteur que tu croyais Thomas suicidaire. Il semble même qu'une partie de la preuve repose sur tes dires.

– L'enquêteur Dubois m'a harcelé pendant des heures pour que je parle et il a tiré ses propres conclusions de ce que je lui ai avoué. Je n'ai jamais affirmé que Thomas était suicidaire ! Quand je lui avais demandé en quoi il croyait ses jours comptés, Thomas m'a simplement répondu qu'il ne le savait pas, qu'il avait un sentiment diffus, un *feeling*... Là aussi, je l'ai regardé dans les yeux. Il souffrait, c'est tout ce que je peux affirmer !

Ils gardèrent le silence pendant plusieurs minutes, perdus dans leurs réflexions.

– Emma, nous ne pouvons pas prétendre connaître la plupart de nos confrères. Rappelle-toi le soir où nous avons vu le reportage sur la mort de Lucie Gallant... Nous travaillions depuis plusieurs mois avec Thomas. Il était sous les ordres de Gamache depuis deux ou trois ans... Et sur cinq personnes, seul William le connaissait assez bien pour se rappeler le nom de sa femme !

Emma se redressa, puis sursauta. Quand ils s'étaient retrouvés au cœur du brasier, le regard de Raphaël était tout aussi noir. Il se leva et revint avec une vidéocassette qu'il plaça dans le magnétoscope. Il lui demanda de regarder attentivement.

– Je ne voulais pas partager ça avec toi, mais je pense que tu dois tout savoir, finalement.

Dès les premières images, elle reconnut l'émission : il s'agissait d'un documentaire de deux heures intitulé « Le tueur en série des Laurentides », diffusé un an plus tôt sur la Chaîne nationale d'information. Elle observa la photo de la première victime, Jacinthe Brunet. En gros plan, on montrait son alliance, bijou qui avait disparu au moment où on avait découvert son corps. Par la suite, on avait toujours retrouvé les femmes dépouillées de leur alliance ou, si elles n'étaient pas mariées, d'un autre bijou.

Raphaël appuya sur « arrêt » et tendit aussitôt un petit sac à Emma. Elle sursauta.

– J'ai trouvé ça chez Thomas. Quatre jours avant l'incendie.

– Mais... qu'est-ce que... c'est ?

Emma avait reconnu la bague qu'elle venait tout juste d'apercevoir à l'écran. Tout se mit à tourner autour d'elle.

– Thomas m'a demandé de l'aide pour réparer le toit de son cabanon. J'ai trouvé cette bague... dans l'étui de sa perceuse ! J'ai aussitôt reconnu le bijou, qu'on a souvent vu dans les reportages sur le tueur en série. Une alliance en or, ornée de quatre petits papillons en argent, c'est hors du commun, ça ne s'oublie pas ! J'ai donc fait semblant de rien et je lui ai demandé si la bague appartenait à Esther. Il est devenu aussi pâle que tu l'es en ce moment... Il a bafouillé que William venait tout juste de lui rapporter sa perceuse.

– William... Encore William...

Emma ferma les yeux.

– En effet. Dans cette histoire, il y a un lien clair entre ces deux-là.

– Et Thomas t'a laissé partir avec le bijou ? Ça n'a pas de sens !

– Non. Il l'a bêtement remis dans l'étui de la perceuse. Puis je l'ai observé pendant que nous travaillions. Il était... très troublé, Emma. Je ne sais pas comment décrire son état autrement.

– Est-ce qu'il a lui-même caché le bijou à cet endroit ?

– À le voir, j'estime qu'il a découvert le bijou en même temps que moi. Mais comment en être certain ? Si c'était le cas, pourtant, c'est lui qui aurait dû soupçonner William, et non l'inverse...

Raphaël s'arrêta. Il réfléchissait à toute vitesse.

– J'ai voulu m'assurer que je n'avais pas halluciné. La première nuit après ma sortie de l'hôpital, je me suis rendu chez Esther, en espérant qu'elle et ses voisins dorment à poings fermés, et je suis allé fouiller dans le cabanon. La perceuse se trouvait toujours là. La bague aussi. Et il y avait une clé et ce petit mot juste à côté.

Il les tendit à Emma. La clé était visiblement celle d'un cadenas et, sur la petite note, elle lut en grandes lettres attachées « Un souvenir pour toi ». Emma ne reconnut pas l'écriture. Elle tremblait de tout son corps pendant que Raphaël continuait de réfléchir à voix haute.

– Dans le fond, l'hypothèse du suicide est plausible ! Découvert, Thomas a voulu se suicider... et se débarrasser de moi en même temps !

Emma se leva et s'appuya contre une bibliothèque, le regard toujours rivé à l'alliance. Penser que la bague puisse être une pièce dans la collection d'un assassin la rendait folle ! Cette femme et son enfant avaient tellement souffert... La pompière se sentait étourdie.

– Turmel détient certainement des pièces du casse-tête, Emma. Au fond, personne ne le connaît vraiment. Toi non plus. Même si tu couches avec lui !

Emma rougit et s'éloigna de Raphaël. Comment pouvait-il être au courant d'un secret aussi bien gardé ? Et elle qui n'avait rien su de ses fiançailles...

– J'ai toujours su que tu ne laissais pas Turmel indifférent, dit-il en guise d'explication. Même quand nous étions ensemble, il te tournait autour. Et je te connais bien, Emma. Ces derniers mois, j'ai reconnu tes regards, tes gestes, ta douceur...

– Bravo ! rétorqua-t-elle avec colère. Moi, je n'ai rien deviné quant à tes projets de mariage !

Ce fut le tour du pompier de rougir. Il se doutait bien qu'elle apprendrait la nouvelle un jour ou l'autre.

– Emma, je...

– Non, nous ne sommes pas ici pour discuter de nos vies amoureuses. Passons !

Soulagé, Raphaël hocha la tête et prit une grande inspiration. Malgré lui, il se demandait ce qu'Emma pensait de ses fiançailles. Il aurait aimé l'interroger davantage, mais il savait trop bien qu'il n'obtiendrait jamais son approbation ! Avant de demander la main de Caroline, il avait beaucoup pensé à Emma. L'idée de l'affronter l'avait effrayé au point où il avait trouvé plus facile de lui cacher la vérité.

– Je disais donc que nous devions trouver les renseignements dont dispose Turmel, reprit-il tant bien que mal. Vu tes relations... privilégiées avec lui, tu es la bonne personne pour t'en occuper.

Elle se sentait si gênée qu'il soit au courant de sa liaison qu'elle n'osa pas lui parler des épisodes d'agressivité de William à son égard.

Prise d'un soudain malaise, Emma courut jusqu'à la salle de bain, où elle vomit avant de s'effondrer sur le sol, à bout de forces. Pendant qu'elle sanglotait, appuyée contre le bain, Raphaël lui caressait le dos.

On frappa à la porte de l'appartement. Raphaël alla ouvrir. Emma reconnut la voix de William. La bague, la clé et la note se trouvaient toujours sur la table de salon...

Chapitre 12

J'ouvre les yeux. Je suis étendue par terre dans une salle de bain. Tout tourne. Vraisemblablement, je reprends conscience. Puis je me rappelle... Raphaël. La vidéo. La bague. Les mensonges. Je respire difficilement. Raphaël, comme moi, est pris au piège.

Raphaël et William doivent encore discuter dans l'entrée de l'appartement, sinon je les entendrais mieux. Je dois faire quelque chose pour cacher les preuves que Raphaël a recueillies.

Je me lève, mais je dois vite m'appuyer contre le mur. J'inspire profondément. Avant de quitter la pièce, je me regarde dans le miroir. Mon teint est aussi verdâtre que les murs d'une chambre d'hôpital. Je ressens une certaine gêne à l'idée de devoir me présenter dans cet état devant les deux hommes... Tant pis ! Pour le moment, ce qui importe, c'est de sortir Raphaël de l'impasse.

J'ignore pourquoi William a décidé de lui rendre visite, mais je suis consciente d'au moins une chose : il ne s'attend pas à me trouver ici. Après notre désastreuse séparation de la veille, je n'ai pas envie de le revoir déjà. Mon bras porte encore les marques de sa colère.

Je marche à petits pas. Je traverse le couloir puis, au salon, je m'appuie à nouveau contre le mur. Un étourdissement plus puissant que les autres me terrasse.

Lorsque je rouvre les yeux, Raphaël et William sont penchés au-dessus de moi. J'ai une serviette d'eau froide sur le front, ma ceinture a été desserrée, mes jambes sont surélevées : mon inconscience a donc duré un bon moment. De violents coups martèlent mes tempes.

— Qu'est-ce qui s'est passé ? me demande Raphaël.

— Qu'est-ce que tu fais ici ? lance William.

Ce dernier me dévisage. Son regard tourmenté n'est pas celui d'un supérieur inquiet pour sa subalterne.

— J'ai eu un malaise, mais ça va mieux. J'ai simplement besoin d'une bonne nuit de sommeil.

Raphaël fronce les sourcils.

— Emmenons-la dans ta chambre, suggère William à Raphaël. Elle doit rester étendue un certain temps.

— Le divan ou le fauteuil fera très bien l'affaire, dis-je d'un ton sec.

William m'aide à me relever, passe tendrement son bras autour de mes épaules et me soutient jusqu'au divan, où je m'étends avec soulagement. Une migraine me met au supplice. William masse ma tête et y découvre deux bosses, l'une sur le côté gauche et l'autre sur le haut de mon front. Cette dernière est particulièrement douloureuse.

— Tu t'es salement cogné la tête, reconnaît William.

Il prend mon poignet et sonde mon pouls. Le diagnostic tombe :

— Ton rythme cardiaque est faible. Les bosses, le pouls... As-tu mal à la tête en plus ?

— Oui. Beaucoup.

— Tu vas devoir aller à l'hôpital pour faire vérifier ça.

William se lève, sort un crayon de sa poche et son regard, tout naturellement, balaie la table de salon à la recherche d'une feuille de papier. Il aperçoit alors l'alliance. Je grimace. Raphaël a pu cacher le petit mot et la clé qui l'accompagnaient. Pourquoi a-t-il laissé l'alliance sur la table ? J'observe attentivement William pendant que Raphaël me tâte la tête à son tour. La stupéfaction se dessine sur son visage, alors qu'il fixe le bijou doré. Sa main gauche se tend vers le précieux indice.

— Qu'est-ce que ça fait ici ?

Sa colère me transperce. Qu'est-ce qui le met dans cet état ? Raphaël, à mes côtés, se racle la gorge. Je sens sa tension. Personne ne parle. J'ignore le rôle de William dans cette folle histoire, mais je tâche de me rappeler que, quelques jours auparavant, j'aurais volontiers remis ma vie entre ses mains. Ma serviette d'eau froide glisse sur le genou de Raphaël. Tout en me massant les épaules, il me regarde intensément. Je dois me calmer.

— Caroline t'a déjà rendu sa bague de fiançailles ? Peut-être as-tu décidé de l'offrir à Emma ?

Mais qu'est-ce qu'il s'imagine ? Une crampe au ventre me plie en deux. Je me tortille, mais je ne gémis pas. Je voudrais tellement être chez moi, seule, loin de ces deux hommes !

— Je suis toujours fiancé à Caroline, en plus d'être heureux et fidèle ! siffle Raphaël avec animosité.

William ne bronche pas.

Couchée sur le dos, comme un nourrisson, je me sens très vulnérable. Je m'assois sur le divan, mais William me suggère de demeurer étendue. Je fais fi de ses conseils.

En un instant, le regard de William s'adoucit. Parce que je l'ai connu dans l'intimité, je peux percevoir qu'il est en train d'essayer de jouer le rôle du lieutenant inquiet, alors que la jalousie le dévore. Pour lui, Raphaël a toujours représenté un obstacle important à une union plus officielle entre nous et sa présence auprès de moi le met en colère. Toutefois, William a repris la maîtrise de lui-même et il redevient charmant, compréhensif, empathique.

— Dans le fond, peu m'importe ce qui se passe entre vous deux..., lance William d'un ton presque détendu. Ce sont vos affaires. Tant que vos passions ne changent rien à l'ambiance de travail, je n'y vois aucun inconvénient !

William a remis l'alliance à sa place et s'en désintéresse complètement. Il entreprend un interrogatoire digne de nos interventions de premiers répondants médicaux : il note tous mes symptômes sur le bout de papier que lui a tendu Raphaël. Je garde quelques détails pour moi. Depuis l'incendie, je souffre tous les jours, à différentes intensités, d'étourdissements, de saignements, de nausées ou de maux de tête. Personne n'est au courant... puisque je me cache à moi-même la gravité de mes symptômes !

— Je t'accompagne à l'hôpital, décide enfin William. Tu ne vas pas bien, Emma.

– Non. Je suis simplement bouleversée !

– Tu sais bien que c'est plus que ça.

Oui, je le sais ! Et j'ai peur.

– Si je vais à l'hôpital, ce sera sans vous deux !

Raphaël fait signe à William de ne pas insister. Je regarde ma montre et constate que vingt et une heures sonneront bientôt : le temps a filé à la vitesse de l'éclair !

– Tu es seule, Emma, dit William à voix basse. Pour une fois, laisse-toi donc aider... et aimer. Tu perds la tête aussitôt que tu risques de faire preuve d'un peu de dépendance. Ton attitude est malsaine. Même dans notre équipe. Tu ne peux pas tout faire seule !

Raphaël retient un sourire devant aussi peu de subtilité. William se dévoile, mais s'en rend-il compte ? Moi, pour respecter mes bonnes résolutions, je tais mes sarcasmes. J'ai pourtant envie de lui rétorquer que ma détermination et ma débrouillardise ont été les premières qualités qu'il a remarquées et encouragées chez moi. Quand je me battais pour gagner ma place au service des incendies, William était derrière moi, à la condition expresse que je continue, avec le même acharnement, à tenir tête à nos confrères. Je me souviens de ses mots : « J'adore les "battantes". Et toi, tu en es toute une ! »

– Mais qu'est-ce que vous avez à vous montrer aussi paternalistes avec moi ? Vous m'énervez, à la fin !

Je dois aller à la salle de bain, où je vomis encore. Je n'ai plus la force de me relever et j'accepte finalement d'être conduite à l'hôpital. À la condition claire et nette que ce soit Raphaël qui m'y emmène. Je somnole pendant le trajet, puis me réveille quand Raphaël touche mon bras.

– On y est, ma belle. On sera vite rassurés sur ton état.

La salle d'attente déborde de patients. Je me sens dévisagée. Les gens se souviennent-ils du visage de la pompière qui, pendant quelques jours, a maintes fois fait la manchette des informations régionales et provinciales ? Une infirmière vient me chercher pour une évaluation qui ne dure pas longtemps puisqu'elle s'aperçoit rapidement que j'ai du mal à me tenir debout. Une autre femme en blanc m'entraîne au cœur de la salle d'urgence, vers une civière vide coincée entre deux autres civières. Puis elle tire les rideaux, me fait enfiler un vêtement d'hôpital, pratique des examens sommaires.

Raphaël, qui a patiemment attendu de l'autre côté du rideau vert, me rejoint lorsqu'elle s'éloigne enfin. Il s'efforce de me sourire, mais son visage blême est crispé et ses yeux, vitreux. Il est gravement blessé, et autant d'efforts ont dû l'épuiser.

– William n'avait jamais vu la bague, affirme-t-il.

– Je suis trop fatiguée pour penser...

– S'il ment, c'est de façon vraiment inégale ! poursuit Raphaël, comme s'il ne m'avait pas entendue. Il n'est pas parvenu à cacher sa jalousie... et il réussirait à camoufler qu'il connaît l'existence d'une preuve aussi compromettante ? Ce serait plutôt paradoxal !

Paradoxal... Ce mot convient très bien à ma vie depuis l'incendie. Même si je tiens à ce que la vérité soit connue, j'ai de plus en plus peur de ce qu'elle nous obligera à affronter.

Je convaincs Raphaël de partir. Il quitte mon petit espace vital juste avant l'arrivée d'un médecin qui, à son tour, pose mille questions et pratique de nombreux examens. Cette fois, je me suis juré de dire la vérité, rien que la vérité.

On me découvre tout à coup deux commotions cérébrales ! La première est sans doute une conséquence de l'effondrement : quelque chose a dû me frapper sans que je m'en rende compte. J'avais d'ailleurs remarqué que mon casque était cabossé. Je dois la seconde commotion, très légère toutefois, à ma chute chez Raphaël.

Le médecin soulève la manche de ma jaquette d'hôpital.

— Vous avez là un gros hématome. Comment vous êtes-vous blessée ?

J'observe mon bras. Je suis surprise qu'on y voie si bien les marques de quatre doigts et, un peu plus à gauche, une marque qui pourrait être celle d'un pouce.

— Peu importe.

— Si vous avez été battue, vous devez nous le dire.

Je secoue la tête et tente de fournir une explication plausible, même si je sais que le médecin a raison de me poser des questions.

— Si c'était le cas, je saurais me défendre, croyez-moi !

— Voulez-vous porter plainte à la police ? Vous ne devez pas prendre ce genre d'attitude à la légère, vous savez.

— Tout va très bien...

— Je note quand même ce signe de violence dans votre dossier. Ça pourrait vous servir plus tard.

— Vous perdez votre temps.

Humiliation. Honte. Je ferme les yeux quand le médecin s'éloigne enfin. Il est quatre heures, je ne m'endors pas et les secondes, sur ma montre, s'égrènent à une vitesse désespérément lente. La toux de mon voisin de lit m'agresse. La vieille dame qui gémit, de l'autre côté, aiguise aussi ma patience.

Je suis en train de farfouiller dans mon petit-déjeuner quand le médecin s'approche à nouveau. Son air ne me dit rien qui vaille.

– Le laboratoire vient de nous envoyer les résultats des prises de sang, madame Sanchez. Commençons par les moins bonnes nouvelles.

Le cœur palpitant, je hoche la tête.

– Vous souffrez d'anémie, en plus de manquer de potassium. Comment vous alimentez-vous depuis votre accident ? Et avant ?

– Avant, je mangeais très bien. Depuis l'incendie, je n'ai ni faim ni envie de cuisiner.

– Il vous faudra remédier à ça. J'ai déjà arrangé une rencontre avec une nutritionniste. Elle viendra vous voir cet avant-midi.

Balivernes ! Ce n'est pas en m'expliquant le mode d'emploi du *Guide alimentaire canadien* qu'elle me redonnera l'appétit !

– Quant à la bonne nouvelle...

Il marque une pause, et je retiens mon souffle. Mauvais pressentiment...

– Félicitations ! Vous êtes enceinte de seize semaines !

Je tourne la tête et pose la main sur mon ventre. Comment est-ce possible ? Quatre mois déjà et aucun doute ne m'a jamais traversé l'esprit ! Je n'ai rien à offrir à un enfant. À cet enfant que je porte. Pas même un père.

Chapitre 13

Une agréable odeur flotte dans l'air. Je m'approche du cuisinier qui, concentré sur sa tâche, sursaute quand je m'assois à ses côtés. Avec des gestes de plus en plus vifs, il hache des légumes. Même s'il s'efforce de me sourire, il semble vraiment de mauvaise humeur. Je détourne le regard.

– Tu devrais encore dormir, me souffle-t-il sur un ton à la fois amical et sévère.

Je hausse les épaules et me demande si j'ai bien fait d'accepter l'invitation de Samuel à demeurer chez lui le temps nécessaire pour retrouver mes forces. Je jette un regard circulaire sur son appartement. Tout est sobre, fonctionnel, presque austère : ce décor ne colle pourtant pas à la peau de mon partenaire, aussi énergique qu'extraverti. Cette atmosphère, tout à fait contradictoire avec mon caractère bouillonnant, me déprime. Au moins, je me sens en sécurité, sachant bien que William n'osera pas me relancer jusqu'ici. Tant mieux, car je n'ose pas demander à Samuel de filtrer mes appels. Il ignore tout de mes tourments, et j'ai bien l'intention de le laisser en dehors de ça. Malgré notre bonne vieille amitié, je refuse de le mêler à cette histoire rocambolesque.

Je ne me sens pas à l'aise en compagnie de Samuel qui, complètement perdu dans ses pensées, ne se préoccupe même pas de son chien. Érickson manque d'attention et, par dépit, il pose son museau sur ma cuisse. Je le caresse distraitement et brise le silence dès qu'une idée me vient en tête :

– Avez-vous eu plusieurs interventions au cours des derniers jours ?

– On a eu un lot d'appels de répondants médicaux... On s'est rendus chez un vieux qui était mort dans ses excréments depuis quelques jours... Un gamin étouffé qu'on a pu réanimer... Un accident de voiture avec blessés légers... Un feu de cuisinière, éteint en moins de quinze minutes... Comme tu peux le constater, il n'y a eu que des événements palpitants !

Même s'il a une formation d'ambulancier, Samuel a toujours détesté les appels médicaux. Toutefois, je ne l'ai jamais entendu parler des patients avec aussi peu de respect. D'ailleurs, il travaille encore à Urgences Santé, de temps en temps, pour arrondir ses fins de mois.

– On a besoin d'un gros défi, d'un bon feu... Ce serait le meilleur antidote pour vaincre nos appréhensions. William est particulièrement nerveux. Il ne mange plus, il ne sourit plus, il manque d'énergie...

– Tu ne me parais pas dans un meilleur état !

Sans me répondre, il finit de couper des légumes. À quoi pense-t-il ? Lorsque Raphaël m'a quittée, j'ai rapidement loué un appartement et Sam, qui venait tout juste d'être quitté aussi, m'a proposé de cohabiter avec moi pendant quelques mois. Je le connaissais bien : nous avions déjà voyagé en couple, nous avions fait maintes « soirées cinéma » en couple ou entre amis, nous partagions plusieurs passions – les voyages, la randonnée pédestre, notre métier, la cuisine et la bonne nourriture – alors j'avais acquiescé. Nous avons finalement partagé mon cinq et demi pendant plus d'un an, et j'ai adoré cette période. Malgré nos peines d'amour respectives, nous avons trouvé la force de rire – de nous-mêmes, entre autres – et nous nous sommes changé les idées en faisant du sport et en cuisinant pendant de longues journées.

Sam me regarde dans les yeux. Ses prunelles brunes sont voilées de tristesse. Comme moi, revoit-il sans cesse le corps emprisonné et calciné de notre confrère ? Même si Thomas était de dix ans notre aîné, nous en étions proches tous les deux. Samuel et lui partageaient la passion des desserts – ils organisaient souvent des compétitions de « la meilleure tarte » ou du « meilleur gâteau quatre étages » pendant nos nuits de garde –, alors que j'admirais la foi, la spiritualité et la force de Thomas.

Samuel interrompt tout à coup le cours de mes pensées :

– Qu'est-ce qui se passe, Emma ? Tu es si différente depuis cet incendie...

– Thomas me manque tellement ! m'exclamai-je sans détour. Je n'arrive tout simplement pas à me rendre compte qu'il soit disparu... pour toujours ! Malgré ses épreuves, il avait conservé une foi en Dieu qui me donnait confiance et me rassurait toujours. Quand je trouvais la vie lourde, Thomas avait toujours le bon mot pour me sortir de l'impasse. Il a été très généreux envers moi.

– Même s'il ne parlait presque pas ?

J'essuie une larme du revers de la main. Thomas Devost... Presque aussi grand et encore plus costaud que Raphaël, il parlait peu mais savait « lire » les gens avec une acuité impressionnante.

– Je considérais Thomas comme un grand frère, un mentor.

Depuis la nomination de William à titre de lieutenant du groupe 2, à la caserne 2, mon équipe de travail n'a plus changé et nos liens ont toujours été exceptionnels. Thomas et William avaient le même âge et étaient de grands amis, ils passaient à peu près tous leurs congés ensemble à bricoler, pêcher, chasser, bûcher, jogger ou quoi encore. Samuel et Raphaël sont des compagnons de route depuis l'école de pompiers et, grands voyageurs et sportifs invétérés, ils ont beaucoup voyagé ensemble, souvent avec leur équipe de hockey. Je me souviens encore de leurs anecdotes sur les châteaux en Irlande, le casino de Monaco, les bons vins et les fromages de Suisse, le ski alpin et la planche à neige en Autriche, les couchers de soleil sur la Californie... Ils s'étaient promenés sac au dos pendant plusieurs années, faisant pratiquement le tour de l'Europe, découvrant les États-Unis. Je les ai parfois accompagnés.

De mon côté, je me considérais proche de mes quatre confrères de travail, que j'appréciais pour des raisons différentes.

– Quand j'ai autant de chagrin...

Je ne peux plus parler. Je fonds en larmes. Samuel se lève, s'assoit à mes côtés, pose ses mains sur mes genoux. Rongée par les remords, les doutes et la peur, je brûle d'envie de lui confier mon lourd secret. J'ouvre la bouche. Samuel comprendra-t-il mon geste ? M'approuvera-t-il de l'avoir caché aux enquêteurs ?

– Le plus dur...

Non ! Je dois me taire ! Je me lève si vite que j'accroche le dossier de ma chaise, qui tombe avec fracas. Je m'installe sur le divan, allume la télévision, change les chaînes sans même voir ce qu'elles offrent. Samuel m'a suivie. Il s'est arrêté dans l'embrasure de la porte et devine que je ne lui confierai rien... une fois de plus ! Il secoue la tête.

– On mangera d'ici une heure, Emma. Je suis là si tu as besoin de moi.

Je n'arrive pas à le remercier, mais je hoche la tête. Il retourne vers la cuisine.

Je laisse la télévision ouverte à la Chaîne nationale d'information. Je la fixe sans la voir lorsqu'une voix attire mon attention. Rémy Gaucher effectue une intervention en direct. Ce journaliste affecté aux faits divers s'est rendu sur les lieux de tous les meurtres. Il a d'ailleurs animé chacune des émissions spéciales consacrées au tueur en série. Il connaît sans doute des détails qu'il ne peut pas dévoiler publiquement. Et s'il pouvait nous aider, Raphaël et moi, à trouver des réponses à nos questions ? Son adresse de courriel est justement affichée à l'écran. Je la note rapidement à l'endos d'une vieille enveloppe qui traîne sur la table de salon.

Je me rends compte, tout à coup, que le journaliste se tient au bord d'une route terreuse. Il montre, derrière lui, les scellés jaunes de la police. Cette scène de crime me paraît familière et je monte le volume. Et zut ! La caméra a quitté le regard bleu du reporter pour revenir à celui de la lectrice de nouvelles.

Je saisis la télécommande comme s'il s'agissait d'une arme et je passe rageusement d'une chaîne à l'autre. Érickson saute sur moi. Même si j'ai toujours aimé ce chien, je le repousse assez brusquement pour le faire japper de mécontentement. Les chaînes d'information semblent avoir fait consensus et parlent toutes de politique et de scandale. Bon, selon toute évidence, je devrai attendre le bulletin de nouvelles de dix-huit heures pour savoir ce qui s'est passé sur cette route de campagne...

Je vais à la cuisine, tente d'éviter le regard de Samuel et prends l'annuaire téléphonique. Mon hôte me regarde avec curiosité, mais je file dans la petite chambre, la mienne pour quelques jours. Je commence à trembler pendant que je cherche le bon numéro. Je réfléchis encore un moment, puis je téléphone. Ma décision est prise. Et finale. L'appel est vite fait, bien fait. Dans quelques jours, je pourrai mettre tout ça derrière moi...

Enfin, l'horloge grand-père qui trône dans la cuisine sonne six coups. J'essuie mon visage et retourne au salon où, sur sa chaise berçante, mon collègue écoute aussi les nouvelles. Par chance, il a choisi la Chaîne nationale d'information. Rémy Gaucher se trouve devant une voiture de police, avec une forêt pour toile de fond. Le ciel est immensément gris, le vent souffle des feuilles contre son visage sombre. Le titre, écrit dans le bas de l'écran, confirme mes doutes :

« La treizième victime du tueur des Laurentides ? »

Le reportage commence. Je reconnais l'endroit. Une autre victime a déjà terminé sa vie le long de cette route sinueuse. Je devrai vérifier laquelle, mais je suis prête à parier qu'il s'agit de Lucie Gallant...

> « Il était sept heures trente, ce matin, lorsqu'un agri-
> culteur a avisé la police de sa macabre découverte :
> une femme enceinte gisait sur le bord d'une route de
> campagne, à Saint-Jérôme, dans les Laurentides. De
> nombreux policiers, enquêteurs et journalistes se sont
> aussitôt précipités sur les lieux... Ils avaient une im-
> pression de "déjà-vu".

> « L'identité de la victime a rapidement été connue :
> Anne Lamontagne, trente-sept ans. Il y a cinq jours, la
> dame s'était enfuie de l'hôpital Louis-H.-Lafontaine,

où elle était soignée depuis quelques semaines pour un épisode de dépression majeure. Elle était enceinte de six mois. Les détails sur son enlèvement et le moment exact de sa mort demeurent toujours inconnus.

« En fin d'après-midi, les policiers de la Sûreté du Québec refusaient encore de répondre à la question qui est pourtant sur toutes les lèvres : Anne Lamontagne est-elle la treizième victime du tueur des Laurentides ? Pour le moment, les enquêteurs tentent de reconstituer l'horaire de la femme depuis sa disparition de l'hôpital.

"Savez-vous à quand remonte la disparition de madame Lamontagne ?

— Son médecin lui a remis une permission de sortie lundi midi, et elle devait rentrer à l'hôpital pour dix-sept heures, ce qu'elle n'a jamais fait. Personne n'a eu de ses nouvelles depuis lundi midi. Par conséquent, nous ignorons quand elle est disparue, tout comme ce qu'elle a fait entre le moment où elle a quitté l'hôpital et celui de sa mort. Évidemment, nous lançons un appel à la population : quiconque aurait vu Anne Lamontagne dans les derniers jours est prié de contacter les policiers au 1-800-1-CRIMES.

— Avez-vous des indices qu'il s'agisse d'une autre victime du tueur des Laurentides ?

— ... La méthode est semblable. Nous devrons toutefois déterminer s'il s'agit bel et bien du même tueur. Ces meurtres sont tellement médiatisés que nous ne pouvons pas écarter l'hypothèse qu'il puisse s'agir d'un imitateur..."

« Rappelons que c'est au printemps 1997 qu'une première femme avait été retrouvée morte, à vingt-cinq kilomètres d'ici : Jacinthe Brunet, enceinte de sept mois, avait été battue à mort. Cinq semaines plus tard, la Sherbrookoise Lucie Gallant était découverte, également battue à mort. Par la suite, chaque année, une ou deux femmes ont péri sous les coups du tueur en série des Laurentides. Si les appréhensions se confirment, Anne Lamontagne sera sa treizième victime.

« Il y a quatre ans, les enquêteurs de la Sûreté du Québec, en collaboration avec plusieurs corps policiers municipaux, ont créé une brigade spéciale afin de rechercher le meurtrier qui sème la terreur dans la province depuis plus de sept ans. Le psychologue Antoine D'Amours, de l'Université de Montréal, suit l'affaire depuis ses débuts.

"Le tueur est certainement un homme très intelligent et très rusé. Il a commis douze meurtres sans jamais laisser la moindre trace d'ADN : ni poils, ni cheveux, ni sperme, ni fragments de peau... Il n'y a jamais eu de témoins oculaires, tant lors des enlèvements que lorsque les corps ont été déposés en bordure de ces routes de campagne...

– Il y a trois semaines à peine, le tueur a fait une autre victime, la douzième. Il accélère son rythme...

– En effet. Cela amène à se poser plusieurs questions. Les onze premières victimes étaient des femmes mariées, en bonne santé, âgées en moyenne entre vingt-cinq et trente ans. En plus, elles avaient toutes un bon emploi, disparaissaient dans leur ville de résidence alors qu'elles ne devaient être sorties que pour quelques heures. Or, la douzième victime était une jeune fugueuse de

124

dix-neuf ans, et la femme retrouvée aujourd'hui, si elle s'avère bel et bien être une de ses victimes, ne correspond pas non plus au profil habituel. Les policiers devront certainement se pencher sur ce point. Pourquoi le tueur change-t-il tout à coup ses habitudes ?

– Quelle conclusion en tirez-vous ?

– Il est plus prudent de ne pas répondre à cette question sans avoir tous les détails en main. Néanmoins, je dirais qu'il faut espérer que le tueur, poussé par son impatience, devienne de plus en plus imprudent et qu'il laisse des indices derrière lui !"

« D'ailleurs, vers dix-sept heures, coup de théâtre : les enquêteurs convoquent les journalistes à un point de presse. Ils annoncent que l'autopsie a permis une découverte étonnante.

"Le médecin légiste a retrouvé du sang et des fragments de peau sous les ongles de la victime. On peut donc penser que la victime s'est débattue et qu'elle aurait griffé son assaillant.

– Si le meurtrier a déjà un casier judiciaire, vous pourrez donc remonter jusqu'à lui grâce aux preuves d'ADN ?

– C'est ce que nous espérons ! "

« Ce nouvel indice saura peut-être rassurer une population qui, de plus en plus, s'impatiente devant la lenteur de l'enquête. Les policiers recommandent toujours aux femmes enceintes de ne pas sortir seules dans des endroits isolés.

« En attendant la progression de l'enquête, c'est une treizième femme enceinte et un treizième bébé à naître qui viennent de terminer leur vie le long d'une route de campagne des Laurentides...

« Rémy Gaucher, pour la Chaîne nationale d'information, à Saint-Sauveur. »

Je suis si étourdie que j'ai l'impression de m'évanouir. Une voix m'appelle. Est-ce dans mes rêves ? C'est la voix de Thomas. Il se tient dans le couloir, à la caserne. Je m'approche. Il sourit, me tend la main et me remet une clé. Il prend ma main entre les siennes et il la serre fort, comme s'il voulait me convaincre de l'inestimable valeur de ce présent... Je veux lui parler, mais il disparaît soudainement et est remplacé par l'image de Samuel. Je reviens au présent, à la réalité.

– Qu'est-ce qui se passe, Emma ?

Je sors de mes divagations pour m'apercevoir que Samuel m'observe avec une tendre inquiétude : je ne dois pas dégager une image de bonne santé ! Sam me serre fermement dans ses bras, alors qu'Érickson vient lécher ma main.

Une nouvelle victime. Thomas Devost ne peut donc pas être le tueur en série des Laurentides. Tant mieux ! Voilà la preuve que Raphaël et moi attendions. Pourrons-nous avoir l'esprit tranquille, maintenant ? Devrions-nous tourner la page, cesser nos recherches ? Pendant un instant, je m'imagine retrouver mon existence « d'avant », tranquille et routinière. Je veux refaire ma vie. Tiens, je changerai même d'équipe. Ça me permettra de mettre un point final à mes histoires avec Raphaël et William. Lui, d'ailleurs, je devrais avoir la force de le quitter. Je dois chasser tous les mensonges de ma vie.

La réalité me rattrape. Je ne peux pas recommencer ma vie, je devrai la poursuivre et accepter de vivre avec les conséquences de mes erreurs. Je suis enceinte d'un enfant à qui je ne peux rien offrir de bon et je devrai assumer les remords causés par mon choix. Thomas possédait des preuves accablantes qui l'auraient mené, un jour ou l'autre, à découvrir l'identité du tueur des Laurentides. Parce que s'il n'est pas le tueur... il possédait tout de même la bague d'une des victimes, ainsi qu'une note et une clé fort mystérieuses. Thomas a en quelque sorte légué ces preuves à Raphaël, qui a menti pour protéger la mémoire de son coéquipier. Maintenant, il ne peut plus se débarrasser de cette quête de la vérité sans briser sa vie... et la mienne. De toute façon, lui et moi avons longtemps été témoins de la souffrance de Thomas. Il nous apparaît maintenant nécessaire de poursuivre sa mission afin de libérer son âme et de soulager les nôtres.

– Emma ?

Je me rends compte, tout à coup, que je me suis accrochée au t-shirt de Samuel et que je le tiens très fort. Je dois parler ou j'en mourrai.

– Encore un meurtre... Tu sais, je pourrais aussi vivre la même chose que ces femmes... que Lucie Gallant...

Attentif, il attend sagement les confidences que je tarde à lui offrir, même si son regard interloqué semble me poser mille questions.

– Ces femmes doivent vivre un cauchemar indescriptible.

J'ai du mal à parler, il tend l'oreille pour mieux me comprendre. Je ne suis pas prête à devenir mère, mais, paradoxalement, je défendrais mon enfant des agressions à n'importe quel prix. C'est effroyable de l'avouer, mais je veux être la seule à décider de son avenir.

– Je suis enceinte. De quatre mois.

Sa réaction ne se fait pas attendre une seule seconde :

– Bravo, Emma ! Je suis très content pour toi !

Un sourire radieux éclaire ses traits, même si je devine une certaine surprise dans le fond de ses prunelles. Aussi étrange que cela puisse paraître, sa réaction me déchire. S'il avait tout de suite compris ma détresse, j'aurais enfin pu me sentir soulagée, épaulée. Mais après avoir observé mon visage aussi froid qu'une nuit d'hiver, Samuel s'assombrit à son tour.

– Qui est le père ?

– ...

– C'est Raphaël, hein ?

– Non ! Qu'est-ce que tu vas imaginer là ?

Il ne fait aucun commentaire, mais il fronce les sourcils et, visiblement, s'efforce de deviner qui peut bien être le responsable. Un désagréable frisson parcourt ma colonne vertébrale alors qu'une idée me traverse l'esprit. Et si Samuel, comme Raphaël, devinait ma liaison avec le lieutenant ? Je ne veux pas que William apprenne la nouvelle par quelqu'un d'autre !

– Est-ce que je connais cet homme ?

– Je ne dirai rien sans la présence de mon avocat ! rétorquai-je avec un rire sans joie pour camoufler mon malaise.

– Bon...

Samuel ne semble pas très heureux de mon mutisme.

– Et est-ce qu'il est au courant de ta grossesse ?

– Non, et il ne le saura pas non plus.

– Mais si c'est un gars de la région, tu ne risques pas de le croiser un jour ou l'autre avec ton ventre tout rond ou en poussant un landau ?

Songeur, Samuel pose sa main sur mon ventre. Malgré moi, je tressaille. Lorsqu'il me dit à quel point ça lui fait étrange de penser que je suis maintenant une maman, je le repousse brusquement.

– Tu devrais le dire au père. Tu portes son enfant, Emma...

Il a raison. D'ailleurs, depuis que j'ai appris la nouvelle, j'ai très peu réfléchi à la réaction qu'aurait William si je lui avouais sa paternité. Mon intuition me dit qu'il bondirait de joie. Il quitterait sa femme, il voudrait que nous formions... une famille avec notre enfant. Je déglutis péniblement. J'ai longtemps souhaité fonder une famille, mais, maintenant que cette chance s'offre à moi, je suis effrayée.

Érickson, qui se promène toujours entre son maître et moi, reçoit soudain des caresses un peu trop brutales à son goût et il me fuit.

– Au moins, tu as de bons amis, ajoute-t-il. Tu seras bien entourée pour élever ce bébé.

– C'est un cliché, ça, Sam ! Même si mes copines me donnent de bons conseils et qu'un ami comme toi m'aide à cuisiner de la nourriture pour bébé, je serai quand même seule pour me rendre chez le pédiatre, pour soulager les petites et les grandes peines, seule pendant toutes les nuits blanches...

– Oui, mais c'est *ton* bébé ! Ce n'est pas rien !

J'arrête de parler. Samuel me dévisage, tente de me communiquer son enthousiasme. Je me sens tellement embrouillée !

– Je n'ai pas l'intention de garder l'enfant, Sam. Pas dans ces circonstances.

Samuel bondit et me regarde, visiblement incapable de comprendre.

– ... Sérieusement ? Je suis... tellement surpris par une décision comme celle-là !

Il fait maintenant les cent pas dans la pièce.

– Toi, une femme jeune et en bonne santé, tu veux vraiment te faire avorter ?

– Je ne suis pas en santé, Samuel ! Je suis devenue enceinte avant l'incendie. Pendant la phase la plus cruciale du développement de l'enfant, j'ai pris des médicaments contre la douleur, et, à partir de l'incendie, j'ai cessé de bien dormir et de bien m'alimenter. Le gynécologue m'a dit que c'était presque miraculeux que je n'aie pas subi un avortement spontané...

– Tu ne crois pas que ce soit une raison de plus pour le garder, Emma ? Tu ne vois pas un signe derrière tout ça ? Si cet enfant-là s'accroche de la sorte, c'est parce qu'il veut vivre !

La culpabilité, que je tiens péniblement à distance depuis que j'ai appris la nouvelle, il y a deux jours, gonfle en moi. Ma respiration devient difficile. Samuel s'approche et me prend les mains. Les cheveux en bataille, un sourire émerveillé aux lèvres, il tente de me communiquer son enthousiasme.

– Selon le pédiatre, dis-je d'un ton monocorde, le bébé pourrait garder des séquelles du traitement qu'il a reçu pendant ses premières semaines de gestation : du mongolisme à l'hyperactivité, en passant par diverses malformations... Je ne veux pas offrir ce genre de vie à un enfant, Samuel. Essaie de me comprendre !

Mon énumération l'a sans doute convaincu, parce qu'il hoche la tête.

– Je comprends, Emma. La situation n'est pas idéale, loin de là. Mais je veux que tu saches une chose : si tu décides de garder ton bébé, tu ne seras pas seule. Je peux faire plus que de la purée ! Je peux aussi donner des boires de nuit et t'accompagner chez le pédiatre aussi souvent que tu en auras besoin !

Ma décision est prise, mais inutile qu'il le sache.

– Mais je t'en prie, Emma, promets-moi de téléphoner au père.

– Pourquoi ?

– Si tu choisis l'avortement, tu risques de vivre des regrets terribles. Et s'il finit par l'apprendre... J'en parle en toute connaissance de cause, tu sais ?...

Oui, je sais. Au tout début de leur relation, sa copine Anne-Marie est accidentellement tombée enceinte et elle a choisi l'avortement sans même lui en parler. Elle avait dix-huit ans et lui, dix-neuf. Quand il a fini par l'apprendre – par une amie d'Anne-Marie, celle qui l'avait accompagnée à la clinique –, Samuel a été blessé d'avoir été ainsi mis à l'écart par sa compagne.

– Si le père choisit l'avortement avec toi, vous serez au moins deux à partager une décision vraiment importante. De cette façon, il y aura moins de poids sur tes épaules. Et tu risques moins de le blesser profondément.

– Tu as raison sur ces points, je l'admets.

Mais est-ce que j'ai vraiment envie d'en parler à William ? Sera-t-il d'accord avec l'avortement ? Je n'en suis pas du tout certaine. Au contraire, je pense qu'il souhaitera avoir ce bébé. Une boule se forme dans mon ventre. Moi, former une famille avec William et *notre* enfant ? Ciel !

Le téléphone sonne à nouveau et Samuel se lève pour répondre après une seconde d'hésitation. Il m'apporte l'appareil sans fil, mais il le cache pour me murmurer :

– Je vais sortir prendre l'air quelques minutes avec Érickson. Jette un œil sur le souper, ce sera bientôt prêt. Et tu devrais discuter de tout ça avec Raphaël. Il te connaît bien, il pourra t'aider à y voir plus clair...

J'acquiesce, mais il ne se rend pas compte qu'à ce stade de la grossesse, je n'ai pas un jour à perdre. Il m'embrasse sur la joue, et je tends enfin la main pour récupérer le téléphone.

J'attends que Samuel ait claqué la porte pour répondre à Raphaël. Je m'efforcerai de lui cacher la tristesse et l'effroi qui m'habitent.

– As-tu écouté les nouvelles ? me demande-t-il d'entrée de jeu.

Sa voix indique un haut niveau de stress, voire de panique.

– Oui..., murmurai-je.

– Quelles sont tes conclusions ?

Je refuse de répondre à cette question. Craignant proba-blement ma réaction, Raphaël bafouille :

– William...

Mon cœur se serre. Thomas étant lavé de tout soupçon, tous ses doutes se portent maintenant sur William. Dans cette chaîne d'événements incongrus, cela paraît même, l'espace d'un instant, logique. Plusieurs éléments convergent vers lui. Il a acquiescé à la thèse du suicide de Thomas avec une grande facilité. Il sait mentir. Il peut tromper sa femme sans éprouver de remords. Thomas a refusé que nous l'appelions à l'aide alors qu'il était sur le point de mourir et il l'a clairement dési-gné comme étant celui qui pouvait avoir déposé l'alliance dans la boîte de sa perceuse. Et, surtout, mon bras endolori prouve que William est capable de violence, même envers une femme qu'il aime. Mais à l'intérieur de moi, je sais que ça n'a aucun sens ! Jamais je ne pourrai adhérer à cette hypothèse !

Raphaël et moi gardons le silence un moment, complète-ment perdus dans nos réflexions.

– Quand le moment de l'enlèvement d'Anne Lamontagne sera dévoilé par les policiers, nous pourrons reconstituer l'horaire de William. Si ça concorde, tu...

Il hésite. Le chagrin m'envahit, vite remplacé par une bouffée de colère : Raphaël croit en sa culpabilité et est prêt à me jeter dans la gueule du loup.

– Tu veux que je le revoie...

– Oui... Pour examiner son corps et essayer de trouver cette blessure...

– Et nous pourrions alors le livrer à la police.

Vu sous cet angle, ça paraît aussi logique que facile ! Mais cette histoire n'a aucun sens.

– En effet. Si William est bel et bien le meurtrier, voilà une chance unique de l'arrêter. Mais il y a un hic : cette mission est risquée pour toi !

– Pas du tout. Il n'a rien à voir dans cette histoire !

– Je le souhaite tellement, Emma !

En plus, je porte un bébé, *son* bébé ! Si Raphaël se doutait...

Le détecteur de fumée se met en route. Un signe du destin, peut-être ? Je raccroche sans un mot de plus et me rend à la cuisine. Dans la poêle, le steak carbonise. Je ferme les yeux en revoyant l'image de Thomas. Comme une automate, la pompière en moi pose tous les gestes de rigueur avec une rapidité et une efficacité étonnantes : j'enlève la poêle du feu, aère l'appartement, arrête le détecteur de fumée au bruit éprouvant. Le calme revient dans l'appartement. Le téléphone sonne à nouveau ; je ne réponds pas. Dès qu'il a enfin cessé de vibrer, je cours dans ma chambre et regarde la petite feuille sur laquelle j'ai noté : « Jeudi, treize heures trente. » J'hésite. Jeudi, il sera peut-être trop tard pour découvrir la marque tant recherchée sur le corps de mon amant... Enfin, je me décide. Le temps presse, tant pis si le bébé est encore là... De toute façon, Samuel a semé le doute et la confusion dans mon esprit. Je compose en tremblant les sept chiffres du téléavertisseur de William...

Chapitre 14

Il ne pleuvait plus. Emma en profitait pour aérer son appartement, heureuse de pouvoir jouir de la chaleur de ce début juillet. Elle avait quitté l'appartement de Samuel le lendemain de leur discussion. Elle avait aussitôt fait quelques courses et acheté des plats chez un traiteur que lui avait recommandé une de ses amies. Sans trop savoir pourquoi, elle ressentait un regain d'énergie.

Dix-neuf heures. William Turmel se présentait à l'appartement de sa maîtresse avec plus d'une heure et demie de retard. Un incendie mineur l'avait retenu à l'extérieur de la caserne jusque vers dix-huit heures et il était ensuite passé chez lui prendre des vêtements de rechange et son équipement pour quelques jours au chalet. Sa femme n'étant heureusement pas rentrée du travail, il s'était contenté d'un simple coup de fil pour l'aviser qu'il partait trois jours pour le chalet.

En sortant de sa voiture, il fit l'inventaire de ce qu'il apportait à Emma : des fleurs, du vin, un dessert, des croissants. Même s'il avait insisté pour apporter le souper, elle avait refusé, préférant cuisiner elle-même.

Elle ouvrit la porte dès qu'il eut frappé, et William, au premier coup d'œil, la trouva aussi pâle qu'à ses dernières visites. Elle le remercia pour les fleurs et tourna les talons après un chaste baiser. Il la suivit à l'intérieur. Pendant qu'elle plaçait les roses dans un vase de qualité, fabriqué en Espagne, il l'observa plus attentivement. Ses mains tremblaient. Son teint était blême et ses traits, fatigués.

Lorsqu'elle eut terminé, Emma fixa William droit dans les yeux. Elle s'étonnait de le sentir aussi calme et décontracté. Les cernes qui assombrissaient son regard représentaient la dernière trace visible de l'incendie meurtrier. Les ravages qu'il avait causés chez elle et chez Raphaël seraient beaucoup plus permanents. Comment William avait-il fait pour se soigner aussi rapidement ? Pensait-il encore à Thomas ? Une sorte d'admiration envahit Emma et elle eut très envie, subitement, de se serrer contre lui. Elle avait besoin de croire qu'elle pourrait aussi, un jour, retrouver la sérénité.

– Tu sembles en grande forme, dit-elle en s'efforçant de sourire.

– J'étais heureux de recevoir ta proposition... Ça me fait tellement plaisir que tu aies envie qu'on passe du temps ensemble !

William s'approchait d'elle petit à petit, comme s'il craignait de se faire repousser. Pour échapper à son regard insistant, Emma s'éloigna de quelques pas. Elle marcha jusqu'au salon, s'arrêta devant la petite bibliothèque, celle qui ne contenait que des souvenirs. Elle observa le portrait du groupe 2, une photo qui datait de moins d'un an.

– Tu as raison de m'en vouloir, chérie. Je me suis mal comporté envers toi, ces derniers temps. Je n'ai jamais voulu te blesser. Est-ce que tu en as douté un seul instant ?

– Oui, j'en ai douté.

Elle souleva la manche de son chandail. Plusieurs jours après celui où il l'avait serré, son bras était encore bleu et jaune. William se sentait mal à l'aise, mais il attribua à la mauvaise santé de la pompière la lenteur de la guérison. Quand Emma l'attaquait, s'éloignait de lui ou le menaçait de séparation, il avait du mal à contrôler sa jalousie.

– J'ai complètement perdu la tête. J'ai tellement honte de moi... Pardonne-moi, Emma.

Elle acquiesça et le laissa approcher. Il l'embrassa, mais elle demeurait tendue et mit du temps avant de bouger les lèvres à son tour. Enfin, elle finit par se détendre et passa les bras autour de sa taille. Il la serra contre lui et Emma, tout à coup, se rendit compte qu'elle portait l'enfant de cet homme. Elle eut follement envie de prendre sa main pour la poser sur son ventre. Son amoureux, son bébé... Est-ce que tout ne pourrait pas être simple ?

– Emma, as-tu envie de venir passer trois jours avec moi, à Mont-Laurier ? Je suis persuadé que ça te ferait du bien de vivre quelques jours dans le calme le plus complet. Tu aimes la nature autant que moi, non ? Je m'occuperai de tout, là-bas, tu n'auras qu'à te reposer et à respirer l'air pur... On peut naviguer sur le lac ou marcher pendant des heures. J'ai vérifié les prévisions météorologiques : le beau temps sera au rendez-vous. Nos premières vacances nous permettraient de rattraper le temps perdu. Enfin...

La pompière réfléchit à toute vitesse. Elle avait très envie de passer du temps au calme. Mais... Non, accepter cette proposition n'avait aucun sens ! Pas dans ces circonstances ! Elle portait son enfant et n'avait pas l'intention de lui en parler... Comment pourrait-elle le regarder dans les yeux ?

– J'ai un rendez-vous chez le médecin, jeudi.

– Ça nous laisse presque deux jours, alors. C'est mieux que rien.

Visiter son chalet...

– Ta femme pourrait décider de venir te rejoindre et...

– En milieu de semaine ? Impossible !

Quel autre argument pouvait-elle lui servir ? William ne lui laissa pas le temps de réfléchir :

– Si tu préfères aller dans une petite auberge, quelque part dans les Laurentides ou ailleurs, ça me convient aussi. Emma, je veux profiter de ces trois jours au maximum ! Ici, on peut être dérangés à n'importe quel moment... Je veux vivre une petite lune de miel : t'aimer, être heureux avec toi et oublier tout le reste.

Être dorlotée pendant quelques jours par son amoureux ne lui était pas arrivé depuis longtemps. L'idée la tentait... Pendant qu'elle vérifiait sa lasagne dans le four, William continuait de lui vanter les bienfaits de ces courtes vacances. Charmant, séducteur, ensorceleur : Emma reconnaissait l'homme qui l'avait détournée de ses plus beaux principes, qui l'avait séduite par son charisme et son intelligence.

Maxime, Mélanie, Mindy, Anne, Simone... Nicolas, Dominic, Guillaume, Laurent... Mais pourquoi pensait-elle, malgré elle, à des prénoms de bébé ? Elle essuya la sueur sur son front et, comme elle se redressait après avoir déposé sa lasagne dans le four, le téléphone sonna. Emma jeta un coup d'œil à l'horloge : dix-neuf heures trente, moment exact où Raphaël avait promis de lui téléphoner pour s'assurer que tout se passait bien. Elle décrocha l'appareil.

Quand il eut compris qu'il s'agissait de Raphaël, William fronça les sourcils, tourna la tête. Pourquoi ne cessait-il pas de tourner autour d'Emma ? À la caserne, William pouvait les surveiller, évaluer leur relation. Au fil des mois, après leur séparation, il avait été soulagé de constater qu'Emma et Raphaël se parlaient de moins en moins. Et quel beau cadeau Raphaël lui avait fait en lui annonçant ses projets de mariage ! Depuis l'incendie, William sentait renaître la jalousie qui l'avait habité pendant toutes les années où Emma avait formé un couple avec Raphaël. Il la désirait depuis longtemps, peut-être même depuis son arrivée à la caserne. Il avait dû user de patience et de stratégie pour enfin l'avoir à lui. Mais à quel point avait-il réussi ? Raphaël, Raphaël, Raphaël... Il hantait les nuits et les jours de sa belle Espagnole.

William se rendit compte qu'il avait manqué les premiers mots de la conversation. Emma lui souriait tout en parlant à son ex-copain.

– Est-ce que William se comporte correctement ?

– Oui. D'ailleurs, ne t'inquiète pas si je ne réponds pas pour les prochains jours. J'étais sur le point d'accepter son invitation pour aller passer quelques jours à la campagne...

Elle remarqua la stupéfaction qui se dessinait sur le visage de William et ne s'étonna guère du silence pesant qui s'éternisait à l'autre bout de la ligne téléphonique.

– Tu es folle ou quoi, Emma Sanchez ? Ne fais pas ça !

– Ça me fera du bien de respirer, de prendre l'air, Raphaël. Ne t'en fais pas pour ma santé. Je serai à une heure d'un hôpital. J'aurai mon cellulaire avec moi, William apportera aussi le sien. Tout ira bien.

– Ne va pas à son chalet ! Tu perds la tête !

Emma ne put s'empêcher de sourire. Si Raphaël avait besoin de la preuve qu'elle ne croyait pas William coupable, il l'avait, maintenant !

– Tiens, je t'appellerai demain soir pour te rassurer, si c'est ce qu'il faut pour que tu dormes tranquille !

– Je mourrai d'inquiétude, Emma !

Il fit une pause, le temps d'avaler sa salive et de retrouver ses esprits.

– Écoute, j'irai passer ces quelques jours chez Caroline, à Montréal. Je serai plus près s'il... t'arrive quelque chose, ajouta-t-il, ne pouvant s'empêcher d'être craintif. Dis-moi une dernière chose : est-ce que tu sais vraiment ce que tu fais ?

– Oui, Raphaël. J'ai confiance. Ça va mieux. Sois tranquille !

Quand elle raccrocha, William la dévisageait avec une profonde incompréhension, cherchant à analyser l'attitude de sa maîtresse.

Emma s'approcha de lui et, souriante, prit ses mains entre les siennes.

– Premier point : Raphaël se doutait depuis longtemps que nous avions une liaison, mais il m'a finalement posé la question après l'incendie. Deuxième point : j'accepte ton invitation !

Il hocha la tête, profondément étonné.

– Est-ce que tu me comprends d'être surpris par ce revirement ?

Il n'avait plus de mots pour poser des questions, mais de nombreuses idées se bousculaient dans sa tête. Il avait la vague impression qu'Emma jouait un petit jeu et il aurait bien aimé en connaître les règles... Qu'attendait-elle de lui ? Quelle était vraiment sa relation avec Raphaël ? Pourquoi, après lui avoir cavalièrement fait savoir qu'elle ne voulait plus le revoir pour un certain temps, l'avait-elle rappelé si tôt ?

William s'efforça de se calmer. En fait, l'évolution s'avérait plutôt encourageante. Commencer à rendre leur relation « publique » était sans doute bon signe... Et enfin, ils profiteraient d'une trêve, juste pour eux, loin de tout le monde ! Il sourit le plus naturellement qu'il le put.

— Bonne nouvelle ! Tu choisis une auberge ou mon chalet ?

— Pourquoi pas ton chalet ? Je n'y suis jamais allée, mais j'en ai beaucoup entendu parler. J'ai hâte de voir ça !

Ils quittèrent l'appartement d'Emma vers vingt-deux heures. Elle dormit pendant une bonne partie de la route qui les mena dans les hautes Laurentides et elle se réveilla courbaturée à leur arrivée. Elle sortit de la voiture et observa le chalet, éclairé par la lune. Emma fut impressionnée par le fait qu'il soit construit en bois rond : dans sa jeunesse, en Espagne, elle avait longtemps cru au mythe qui affirmait que toutes les maisons canadiennes étaient construites de la sorte. Elle rejoignit William à l'intérieur. Le lieutenant avait déjà allumé deux lampes à huile et fait le lit. Emma ne l'attendit pas pour faire le tour des lieux. Deux pièces : une chambre à peine meublée d'un lit et d'une table de nuit, puis une pièce un peu plus grande qui servait de cuisine et de salon. Le chalet était propre, tout semblait en ordre.

— Demain matin, je te ferai faire le tour des environs. Tu verras enfin mon petit paradis !

La jeune femme acquiesça et s'assoupit sur le lit avant de se réveiller en sursaut. Elle devait demeurer éveillée jusqu'au moment où William se mettrait au lit. Il dormait sans chandail, elle pourrait donc vérifier s'il avait une blessure... William éteignit la lampe qui se trouvait dans le salon, ne laissant allumée que la plus petite des deux. Tout à coup, dans l'obscurité presque complète, Emma eut peur sans trop savoir pourquoi. Quand William s'approcha, sa visibilité s'améliora heureusement. Il déposa la lumière sur la table de nuit, juste à côté de son téléphone cellulaire. Il souriait et elle le trouvait beau, tellement séduisant...

– J'éteins la lumière ? demanda-t-il.

– Non ! répondit-elle vivement. J'ai envie de discuter encore un peu...

Il se mit au lit sans plus attendre, alors qu'Emma le regardait attentivement. À première vue, aucune marque sur son dos ni sur son bras gauche. Ainsi, son amant n'était pas cet être machiavélique qui tuait et torturait des femmes ! Emma fut surprise de se sentir soulagée. Elle était pourtant certaine de n'avoir pas douté un seul instant de son innocence. Si elle ne découvrait aucune marque du côté droit, le chapitre serait définitivement clos.

– Je suis content d'être avec toi, ma belle Emma.

– J'ai vu ta femme anormalement souvent depuis l'incendie... Je suis de plus en plus mal à l'aise, tu sais. Notre situation ne peut pas durer comme ça indéfiniment !

– Je suis bien d'accord. Il suffit d'un mot de ta part pour que je la quitte. Je te l'ai répété cent fois ! Je suis amoureux, Emma. Fou amoureux de toi !

William caressait son bras avec une douceur infinie. Emma lui sourit, mais elle remarqua qu'il évitait maintenant de la regarder. Commençait-il, lui aussi, à éprouver une certaine gêne lorsqu'il évoquait sa femme ?

– Je... je t'aime aussi, tu le sais bien.

– Pas toujours, justement.

Elle poursuivit, comme si elle n'avait pas entendu sa remarque :

– Attendons un peu, William. Si tu te sépares, nous aurons encore des problèmes, des crises, de grandes adaptations... Je ne suis pas prête à affronter ça. J'ai besoin d'une période d'accalmie, de retrouver le contrôle de ma vie.

Encore une fois déçu, il se blottit dans le lit en soupirant malgré tout qu'il se sentait bien. Emma n'écouta que son cœur et le serra dans ses bras. Malgré ses doutes et une pensée furtive pour sa femme, elle se rendait compte qu'elle l'aimait de plus en plus et qu'elle s'ennuyait terriblement quand elle ne le voyait pas pendant quelques jours. Quelle folie !

– Je t'aime, Emma. Si seulement tu éprouvais la même chose... On pourrait être si heureux ensemble !

Elle ne répondit rien, les larmes aux yeux. Ils s'embrassèrent longuement, ce que William considéra comme une invitation à passer à autre chose. Elle lui répéta qu'elle avait sommeil, mais il ne sembla pas l'écouter ni se rendre compte qu'elle demeurait figée.

– Attendons demain matin, William. Maintenant, nous sommes morts de fatigue tous les deux !

– Regarde la magnifique femme qui se trouve dans mon lit..., susurra-t-il entre deux baisers. Ça me redonne toute l'énergie dont j'ai besoin !

Il reprit ses caresses sans encore s'apercevoir que la jeune femme se trouvait ailleurs qu'avec lui. Elle se maudissait de ne pas avoir réfléchi davantage avant d'accepter cette petite escapade. Faire l'amour avec lui, tout en portant un bébé qu'elle lui cachait, était au-dessus de ses forces. Elle avait mal au cœur et cherchait la meilleure solution pour s'en sortir. Quand il caressa son ventre, elle éclata en sanglots et se leva si brusquement que son genou frappa le nez de William. Il jura et se leva à la suite d'Emma. Recroquevillée dans le fauteuil berçant, elle pleurait en cachant son visage entre ses mains. William se pencha pour la serrer entre ses bras.

– Qu'est-ce que tu as ? Mais qu'est-ce qui se passe ?

« Mentir, encore mentir ! Et j'ai l'embarras du choix pour les mensonges plausibles ! » pensait Emma en remarquant que ses mains, maintenant posées contre les épaules de William, tremblaient anormalement.

Dans toute l'année où elle avait fréquenté William, elle ne s'était jamais encore immiscée dans sa vie personnelle : ils se fréquentaient toujours chez elle ou faisaient différentes activités, mais ils n'allaient jamais chez lui. Ici, elle pouvait imaginer Claudia vivre dans ces mêmes lieux, la voir dormir dans le même lit, l'entendre rire ou soupirer auprès de son époux. Emma se détestait, tout à coup, abhorrait ses décisions.

– La fatigue... Ta femme, dont on venait tout juste de parler... J'irai mieux demain, je te le promets.

– D'accord... Calme-toi. Ça ne vaut pas la peine de pleurer comme ça !

Elle fit un signe de tête pour le remercier et se calma peu à peu, reconnaissante qu'il ne pose aucune autre question et lui évite le supplice de fabuler encore.

– Allez, viens au lit. La vie est toujours plus belle après une bonne nuit de sommeil, tu ne trouves pas ? Tu dormiras comme un bébé, ici !

Elle rit, gênée par une comparaison aussi bien choisie, et le suivit jusqu'au lit. Elle s'efforça de s'y blottir confortablement.

– Fais de beaux rêves, ma chérie. Merci d'être ici, avec moi.

William s'endormit presque tout de suite. Mais Emma n'avait plus sommeil. C'était le moment ou jamais... Sur le qui-vive, elle attendit que son amant dorme profondément pour allumer à nouveau la lampe à huile et examiner minutieusement le côté droit de son corps. Rien ! Soulagée, mais perdue dans ses pensées, elle trouva le sommeil peu avant l'aube.

Lorsqu'il se réveilla, William s'aperçut immédiatement qu'Emma ne se trouvait plus dans le lit. Il tenta en vain de voir l'heure sur sa montre, puis, inquiet, il se leva et l'appela.

– Je suis là, répondit-elle à voix basse. Je lis.

« À peine six heures », pensa William en s'agenouillant face à celle qui, sur le fauteuil berçant, tenait un roman sur ses genoux. À la pâle lumière de la lampe à huile, elle semblait encore plus faible qu'à la clarté du jour. Et si elle lui cachait une maladie plus sérieuse ? Quelques scénarios farfelus défilèrent dans la tête de son amant.

– Je suis réveillée depuis à peine une demi-heure, expliqua la pompière. J'ai mal au cœur, mais ce n'est rien de grave.

– Il y a des médicaments dans le petit meuble, juste là...

– Non, merci, je n'ai besoin de rien. Tu peux aller te recoucher. Je me sens bien, ici. Avec toi...

– Pas question ! D'ici une heure, il fera suffisamment clair pour que je t'amène dehors.

Pendant l'heure qui suivit, William vaqua à quelques tâches pendant que sa maîtresse, calée dans sa chaise, luttait contre une sensation de froid pénétrant. Il prépara un déjeuner* qu'Emma refusa. Tout en mangeant avec appétit, il lui raconta comment il s'était procuré cet endroit. L'immense terrain appartenait à des amis de ses parents. Dans les années soixante-dix, peu avant le changement des lois concernant la protection des terrains agricoles, le couple avait consenti à vendre, pour une bouchée de pain, une dizaine d'acres à ses parents. Son père avait déboisé le chemin pour s'y rendre.

Huit ans plus tôt, il avait légué le terrain à son fils. William avait passé tous ses jours de congé à construire le chalet, souvent aidé par ses compagnons de travail. Emma se souvenait d'ailleurs que Raphaël, alors une recrue, y avait passé quelques fins de semaine.

– Thomas m'a tellement aidé que je lui ai offert de lui céder une partie de mon terrain pour qu'il se construise aussi un petit chalet. Il semblait intéressé, mais Lucie est morte le même été et il n'a jamais voulu revenir ici.

Emma se raidit. Les Laurentides... Cette magnifique région québécoise se retrouvait étrangement au cœur de toutes les énigmes.

---

* Au Québec, selon l'Office de la langue française, le repas du matin s'appelle le *déjeuner* tout court. Un déjeuner, cependant, peut être petit par opposition à gros. Dans ce cas, le syntagme *petit déjeuner* s'écrit sans trait d'union.

Six heures quarante-cinq. William ouvrit les toiles. Le soleil éblouit la pièce.

– Viens ! Les couleurs sur le lac seront fantastiques !

L'air frais saisit l'Espagnole. Elle prit son manteau avant de suivre son amant qui, comme un enfant, trépignait d'impatience. Il avait raison : Emma fut fascinée par l'alliance du soleil et du lac. Elle ne détachait plus son regard de l'arc-en-ciel de couleurs qui virevoltait devant elle.

– J'ai passé toute mon enfance près d'une rivière, à la campagne, et j'aidais mon père à s'occuper de la ferme dans mes temps libres..., raconta William en observant davantage sa maîtresse que le paysage magnifique. J'ai déménagé en ville pour poursuivre mes études à l'université, mais j'avais l'intention de revenir à la campagne aussitôt mon baccalauréat terminé. Mes plans ont changé lorsque j'ai décidé de passer les examens pour devenir pompier... Renoncer à l'administration pour travailler sur le terrain a été une excellente décision, mais je m'ennuie tous les jours de la campagne, de la nature. Tu comprends pourquoi j'ai eu le coup de foudre pour cet endroit ! C'est petit et loin de tout, mais c'est à moi !

Émue par ses paroles, Emma hocha la tête.

– Tu y viens souvent depuis l'incendie ?

– Aussitôt que je le peux. Je ne suis pas heureux à la maison ni à l'aise à la caserne... alors je me ressource ici.

– Et Claudia ?

– Elle aime bien l'endroit, mais elle déteste faire autant de route pour un petit week-end. C'est une fille de ville et d'action, de toute façon.

Emma eut un pincement au ventre en repensant à Claudia, mais elle tenta de la chasser de son esprit. Ils ne dirent plus rien pendant de longues minutes, contemplant le lac tranquillement. Emma s'amusa de voir des écureuils se chamailler, regarda les oiseaux voler autour du lac avec une assurance tranquille. Décidément, cet endroit lui plaisait.

– Veux-tu aller te promener ? J'ai d'autres endroits à te faire découvrir !

Déjà onze heures ! La pompière n'avait pas vu le temps filer. Après une heure de marche, Emma, fatiguée, s'appuya contre un gros arbre. Même si elle était une habituée des randonnées en pleine forêt, elle s'était écorchée les mains à deux reprises en trébuchant.

– Je suis à bout de forces, William. On fait demi-tour !

– D'ici quinze minutes, nous atteindrons le sommet de la colline. Il y a un point de vue extraordinaire sur le lac et je veux absolument t'y emmener. On peut ralentir le pas et manger une bouchée. J'ai des sandwiches et des crudités dans mon sac.

– Bon... Un dernier effort ! On mangera là-haut.

Ils marchèrent en silence jusqu'à l'endroit désigné par William. Emma avoua tout de suite qu'il avait eu raison d'insister : la vue coupait le souffle. Le reflet verdoyant des sapins dansait sur l'eau turquoise. D'où ils se trouvaient, Emma ne pouvait voir que ça : le lac et la forêt. Le dépaysement était absolu. Un bref instant, elle oublia tout à coup ses douleurs et ses ennuis pour savourer le bonheur d'être là, en pleine nature, loin du bruit et de la pollution.

– C'est l'heure de manger ! J'espère que tu as faim !

Elle acquiesça. William était penché sur son sac à dos et préparait un pique-nique. Prise de nausée, Emma s'éloigna d'un pas rapide à l'intérieur de la forêt. Elle parcourut une vingtaine de mètres avant d'apercevoir, caché sous des arbres immenses, un minuscule chalet, au moins deux fois plus petit que celui de William. À l'intérieur, il devait à peine y avoir de la place pour déposer un lit, une table et quelques armoires.

– Qu'est-ce que tu fais ? demanda William en la rejoignant.

– Je ne voulais pas vomir devant toi !

Il fronçait les sourcils en la dévisageant avec incrédulité. Il serrait sa main.

– Ce chalet t'appartient aussi ?

– J'ai découvert cette cabane récemment. Je ne sais pas à qui elle appartient. Comme nous nous trouvons à la limite de mon terrain, je suppose qu'elle est la propriété des amis de mes parents.

Un énorme cadenas obstruait la serrure. La taille et la marque du cadenas correspondaient en tous points aux caractéristiques de la clé qu'Emma triturait dans sa poche. Oui, c'était bel et bien la clé que Thomas avait « destinée » à Raphaël ! Si elle ouvrait la porte... que découvrirait-elle ? Un long frisson la parcourut. Tout à coup, elle n'était plus certaine de rien.

– Tu n'as jamais essayé d'entrer à l'intérieur ? demanda Emma.

– Tu vois bien que c'est fermé ! répliqua sèchement William.

Par un simple cadenas ! La pompière observa les environs. Comment quelqu'un avait-il pu construire cette cabane si aucun sentier ne menait jusque-là ? Impossible de traîner les planches à travers plusieurs kilomètres de forêt sans l'aide d'un véhicule !

Elle sursauta quand son téléphone cellulaire sonna. William jura à voix basse. Raphaël, encore ? Il lâcha la main d'Emma avec colère alors qu'ils retournaient vers le pique-nique.

– Emma, comment ça va ?

Raphaël dissimulait mal son inquiétude. Emma prit une grande inspiration, déterminée à cacher son malaise.

– Je vais très bien. C'est tellement beau, ici !

– William est correct avec toi ?

– Oui, absolument. Toi, tu vas bien ?

– Disons que les mauvaises nouvelles s'accumulent depuis deux jours...

– Qu'est-ce qui se passe ?

– Mon ex s'est précipitée dans le fond d'un bois avec un homme potentiellement dangereux...

Emma ne put s'empêcher de l'interrompre brutalement :

– Non, tu sais que c'est faux !

– Enfin... Et puis, quand je suis arrivé chez ma fiancée, elle m'a annoncé qu'elle a bien envie d'accepter un échange d'un an avec un premier violon de l'Orchestre symphonique de Tokyo !

– Ouf ! Quelle nouvelle !

– Tu peux le dire. Crois-tu à l'amour à distance, toi ?

– C'est une drôle de question à poser à son ex ! s'exclama Emma avant d'éclater d'un rire sans joie.

– Bon... Rappelle-moi ce soir. Je dors encore chez Caroline.

Il raccrocha sans un mot de plus. Le cœur d'Emma battait à toute allure. Si Raphaël devenait libre à nouveau, est-ce que... Non ! Elle ferma les yeux. S'interdire de penser. Et revenir à la réalité. Elle avait des problèmes beaucoup plus graves à régler que ses histoires de cœur.

La cabane. La clé. Thomas avait-il caché, à cet endroit, toutes les preuves qu'il détenait par rapport au meurtre de sa première femme ? Elle devrait revenir ici avec Raphaël. Mais comment ? Et en souhaitant y trouver quoi ? Et si William avait raison et que la cabane appartenait aux amis de ses parents ? Comme une enfant, elle croisa ses doigts.

– Pourquoi Raphaël te surveille-t-il sans cesse ?

Emma regarda enfin son amant. Une nouvelle fois, la colère montait en lui à un rythme effrayant. Raphaël et elle auraient dû penser que leur système de surveillance irriterait William en attisant sa jalousie ! William, Raphaël et elle ne pourraient plus jamais travailler ensemble. Les choses allaient trop loin.

– Il s'inquiète pour moi. L'incendie nous a rapprochés.

– Tu ne penses pas que c'est un peu trop... intense ? Tu n'as plus dix ans !

– Peut-être... Mais là-haut, quand Thomas... Thomas... Enfin, tu connais l'histoire..., expliqua maladroitement Emma.

151

– Cet incendie est derrière nous tous. Il faudrait peut-être que Sansoucy s'en souvienne, maintenant.

– Pourquoi t'inquiètes-tu autant, William ? Je ne suis plus amoureuse de Raphaël !

– À d'autres, Emmanuella Sanchez !

Soudain, une douleur aussi vive qu'inattendue plia la jeune femme en deux. Elle s'éloigna dans le bois pendant que mille idées traversaient l'esprit du lieutenant. Partir très loin. Avec Emma. Ou organiser le départ de Raphaël... Et s'il perdait son emploi ? Il serait obligé de s'éloigner de Sherbrooke pour obtenir un nouveau poste dans un grand centre et il en profiterait probablement pour rejoindre sa fiancée à Montréal. Trop simple, pensait William en frappant un arbre avec son pied. Raphaël ne partirait pas, il ne finirait jamais par lui laisser la paix avec Emma !

Emma s'approchait de lui. Quinze minutes s'étaient écoulées. Elle était aussi verte que les sapins qui l'entouraient.

– Il faut qu'on parte d'ici, William. J'ai des saignements... anormaux... Je dois aller à l'hôpital immédiatement.

– Des saignements anormaux ?

Des larmes coulaient sur ses joues. Convaincue qu'elle faisait une fausse couche et qu'elle éviterait la pénible épreuve de l'avortement, Emma se sentait à la fois triste et soulagée.

– Viens. Je dois rentrer.

Ils marchèrent lentement, William soutenant sa maîtresse du mieux qu'il le pouvait à travers les racines, les troncs et les branches qui barraient leur route. Soudain, il s'arrêta. Emma se tourna vers lui pour découvrir un abîme dans son regard.

– Tu es enceinte.

Aucune question, il avait finalement tout compris... Submergée par la honte, Emma baissa la tête après avoir vu une larme rouler sur la joue de son amant.

– Je suis tombée enceinte un certain temps avant l'incendie. Mais je l'ai seulement appris au cours des derniers jours.

Emma attendait la question fatidique : « Enceinte de qui ? » Mais William garda le silence. D'instinct, il savait.

– J'imagine que tu as mis tout le monde au courant, sauf le pauvre idiot que je suis ! Raphaël a tout su, lui !

Il s'éloigna de quelques pas, consumé par une profonde jalousie qui prenait racine dans son ventre, parcourait ses terminaisons nerveuses pour aller éclater dans ses poumons.

– Non, non ! Raphaël ne sait rien ! J'ai voulu passer ces trois jours avec toi pour avoir la chance de t'en parler au bon moment... Je ne me sentais pas prête à garder cet enfant et je voulais que tu comprennes mes raisons...

Exténuée, effrayée, Emma sanglotait.

– Viens, William. C'est fini ! On n'a plus de décision à prendre. Le bébé ne voulait pas de moi comme mère et...

Elle s'arrêta. Devant elle, William était en train de s'enfiévrer. Elle sentait sa rage monter au rythme où son regard se noircissait. Dans un élan de panique, Emma tourna la tête dans tous les sens. Rien à faire : s'il devait arriver quoi que ce soit, personne ne viendrait à son secours dans le fond de ce bois. Elle glissa discrètement la main dans sa poche, mais William ne fut pas dupe.

– Lâche ce téléphone. Pas question que tu appelles le brave Sansoucy à ta rescousse ! On a fait un enfant ensemble, on doit bien être capables d'en discuter !

Tout tenter pour s'en sortir... Emma joua la carte de la franchise brutale :

– Tu as changé depuis l'incendie, William. Ce n'est pas normal que j'aie peur de toi !

Il la dévisagea avec colère, chagrin... Il se tourna pour frapper un arbre de trois ou quatre vigoureux coups de pied. Plus tôt, Emma l'avait aperçu en train de poser le même geste. Elle ne pouvait s'empêcher d'imaginer ces femmes qui avaient péri sous les coups de pied de leur agresseur... Mais elle refusait toujours de croire que c'était William !

Ce dernier se retourna vers elle, plus calme. Emma respirait par saccades. Ne sachant plus quoi penser, elle appela intérieurement Thomas à l'aide.

– Dans cette histoire, nos responsabilités sont partagées, Emma. Je t'aime et j'ai été vraiment nul avec toi au cours des derniers mois. Et toi, tu n'as rien fait pour soulager ma jalousie.

Il demeura silencieux, alors qu'Emma cherchait à comprendre le sens de ses propos. Beaucoup plus calme tout à coup, il lui tendit la main.

– Viens, Emma. Suis-moi. Je veux que tu aies cet enfant !

Il lui prit le bras et l'entraîna vers son chalet.

Chapitre 15

La pièce est plongée dans l'obscurité. Je me lève à la hâte et soulève l'interrupteur. En vain. Je me précipite vers ma fenêtre et m'aperçois que tout est plongé dans le noir. Seuls les éclairs d'un immense orage illuminent la ville, alors que la pluie tombe avec violence. À tâtons, je me rends dans la cuisine pour y prendre ma montre et une lampe de poche. Six heures.

Le thermostat, dans le couloir, indique qu'il fait encore bien chaud chez moi, mais je me sens gelée. Le froid, en fait, ne m'a pas quittée depuis mon séjour dans les Laurentides...

À mon retour à la maison, j'ai eu la surprise d'avoir un message d'Esther Venne sur mon répondeur. Elle m'invitait à prendre un café avec elle. Je n'ai pas encore eu la force de la rappeler, mais je compte bien accepter son offre. Discuter de Thomas n'est certainement pas une mauvaise idée, car tout ce que j'apprendrai à son sujet ne peut que m'aider à éclaircir cette sombre histoire.

L'autre message m'a moins plu. Mon patron veut me rencontrer. Le directeur du service des incendies s'impatiente sans doute de connaître la date de mon retour au travail. Contrairement à Sansoucy, je suis considérée par mon employeur comme une blessée bien plus « psychologique » que « physique », alors que les examens ont bel et bien prouvé des séquelles physiques.

Le temps s'égrène lentement. Neuf heures. Je vois enfin la voiture de Raphaël tourner dans l'allée de mon immeuble. Une profonde tristesse a marqué nos courtes conversations téléphoniques des derniers jours et nous avons beaucoup de choses à nous raconter. Nous nous assoyons au salon, un verre d'eau à la main. Je lui explique sans plus attendre que je crois avoir déniché l'endroit où Thomas a sans doute caché ses secrets.

– Il faut y aller le plus tôt possible ! s'exclame-t-il sèchement.

Je retiens mon souffle.

– Quand j'ai aperçu cette cabane, aussi bien cachée sous ces grands arbres, j'ai cru qu'il s'agissait de l'endroit où le tueur assassinait ses victimes...

– Et si c'était ça ?

– Mais une chose est certaine : William n'est pas le tueur.

Maintenant, ma vue s'embrouille et mon rythme cardiaque s'accélère.

– Pourquoi ?

– Nous étions à dix minutes de marche du chalet lorsque...

Je marque une pause. En quelques jours, mes sentiments ont beaucoup changé par rapport à ce bébé. Une fois le choc absorbé, je me suis rendu compte que je pourrais être une bonne maman et que, à l'aube de la trentaine, je me devais de garder cet enfant.

– ... Lorsque William a compris que j'étais enceinte !

La stupéfaction défigure Raphaël, qui comprend étonnamment vite les conséquences de ma dernière affirmation :

– Enceinte de lui ?

Le regard bouleversé de Raphaël se pose sur mon ventre et ne s'en détache plus.

– Cet enfant s'accroche à la vie. J'ai décidé de le garder...

Décontenancé, il ne sait pas s'il s'agit d'une bonne ou d'une mauvaise nouvelle. Il ne dira plus un mot avant d'avoir éclairci la situation dans son esprit.

– Je suis totalement plongée dans l'inconnu par rapport à cette grossesse. Mais est-ce que tu acceptes d'être le parrain, Raphaël ?

Il sourit, mais ne me répond pas. Je me berce lentement, regardant par la fenêtre la pluie qui s'abat sur mon balcon. Il lui faut vingt minutes pour rouvrir la bouche. On dit parfois que deux personnes sont vraiment proches lorsqu'elles peuvent supporter le silence. La relation entre Raphaël et moi a depuis longtemps atteint ce stade.

– Tu m'as toujours dit vouloir une famille. Pourquoi ne pas attendre d'avoir un mari, un homme sérieux que tu aimeras vraiment ?

– Attendre, attendre... Et si le temps passe et que je ne rencontre jamais personne ? Non, je suis enceinte et je le garde, Raphaël. Cet enfant-là a survécu à tous les assauts que je lui ai fait subir, alors je n'irai certainement pas le tuer de mon propre gré ! Même si c'est ce que j'ai cru vouloir il y a quelques jours...

Raphaël fronce les sourcils, surpris par mes mots. Il demeure sur place, sans bouger, comme si la stupeur le paralysait. Je ressens son inquiétude, je devine les questions qu'il se pose à mon propos. Je suis heureuse et surprise de me rendre compte que, malgré tout, il s'inquiète encore un peu pour moi.

— Si William est un tueur...

Il fait une pause et pèse ses mots, mais il reprend tout à coup sur un ton plein d'agressivité :

— Il est hors de question que tu gardes l'enfant d'un monstre !

— Hé ! de quoi je me mêle, Raphaël Sansoucy ?

Mes yeux s'emplissent de larmes. Raphaël dit vrai. Tout s'embrouille à nouveau dans ma tête, et la décision que je croyais prise se trouve à nouveau ébranlée par cette phrase aussi directe que terrifiante. Il se reprend rapidement, secouant la tête avec détermination :

— Je suis désolé, Emma... Écoute, William n'est probablement pas le tueur, je panique sans doute pour rien. Mais j'ai besoin de connaître une vérité que nous avons la chance de découvrir en allant voir ce petit chalet...

— Vu sous cet angle, ça me convient.

— Et que dit William à propos de l'enfant ?

— Il le voulait... Il parlait même de « notre bébé » ! Ça fait tellement drôle à entendre... Pendant notre marche dans le bois, j'ai eu une petite hémorragie qui lui a permis de comprendre que j'étais enceinte. Il m'a conduite à l'hôpital, où j'ai pu lui faire croire que j'avais perdu le bébé...

– Il t'a crue ?

– Probablement, répondis-je après une courte hésitation. De retour ici, nous avons discuté pendant une heure ou deux, et je lui ai dit que je voulais le quitter pour de bon.

– Vous ne vous verrez plus ?

J'ai pris la meilleure décision, mais je ressens une telle tristesse ! William me manquera. Notre discussion, houleuse, nous a cependant permis de conclure que nos vies regagneraient en simplicité s'il retournait sagement auprès de sa femme. Je crois que mon amant a été profondément affecté par l'idée d'avoir un enfant. Il a accepté ma décision parce qu'il a aussi profondément besoin de faire le point sur sa vie.

– Il a accepté et claqué la porte, dis-je simplement, sans entrer dans les détails.

– Même si tu ne sors plus avec lui, vous habitez la même ville, travaillez pour le même employeur et avez plusieurs amis en commun. Il finira par apprendre la vérité, Emma.

– J'aviserai à ce moment-là. S'il n'est pas le tueur, et je refuse de croire qu'il puisse l'être, je n'ai pas d'opposition à ce qu'il voie son enfant de temps en temps. Il en a le droit.

– Tu ne cesseras jamais de me surprendre..., bougonne Raphaël.

Je lui souris avec tristesse, et le silence s'installe à nouveau. Enfin, je lui pose des questions à propos des projets de Caroline. Je me heurte à un mur : froid, il me répond qu'il n'a pas envie d'en parler. Il consent seulement à m'avouer qu'aucune décision n'est encore prise.

– Caroline connaît une carrière exceptionnelle... Laisse-la vivre cette belle expérience. Elle t'en sera reconnaissante. Un an, ça passe vite !

Il n'a rien à faire de mes conseils, mais je crois sincèrement ce que je viens de lui dire. L'amour, le vrai, celui qui est fort et durable, peut supporter la distance. L'attachement, s'il est profond, n'a besoin de rien d'autre pour survivre que la certitude de la sincérité de l'autre.

Une pensée réconfortante vient soudain m'envelopper : mon père est toujours heureux de me recevoir dans sa petite maison, en bordure de la Méditerranée. Quand je retourne chez moi, ma mère me manque chaque fois cruellement, mais la nouvelle femme de mon père, que je connais quand même assez peu, m'accueille aussi avec chaleur. Je suis en congé et en début de grossesse. Pourrais-je me permettre quelques semaines de vacances chez moi, un petit mois pendant lequel je m'efforcerai d'oublier les images atroces de la mort de Thomas et le tueur en série des Laurentides ?

Raphaël s'assombrit encore plus lorsque j'évoque cette possibilité qui m'enchante vraiment.

– Si vous partez toutes les deux, ce ne sera pas facile...

Je fronce les sourcils alors que Raphaël baisse la tête, gêné par cette confidence surprenante. Je m'en réjouis, mais je meurs aussi d'envie de lui dire que je ne lui dois rien.

L'électricité, enfin, revient. Dehors, la pluie se fait moins violente, le vent souffle moins fort. Je m'empresse de préparer un café dont mon invité a bien besoin.

– Et si la série de meurtres se poursuit pendant ton absence ?

Il a posé la question sans conviction, comme s'il cherchait une bonne excuse pour me retenir à Sherbrooke.

– Je suis prête à un dernier effort : me rendre au petit chalet et utiliser la clé pour mettre la main sur les secrets qu'il renferme. Si Dieu le veut, le chalet n'aura aucun lien avec les meurtres. Après, j'irai me reposer en Espagne, loin de tout et de tout le monde. Pour ma part, l'enquête sera close.

Il approuve d'un signe de tête, mais je le sens encore interloqué par mes décisions. La mer turquoise se dessine dans ma tête, et je me sens libérée d'un lourd poids. J'ai hâte de marcher sur la plage, de plonger dans la Méditerranée, de revoir les membres de ma famille... Raphaël se résigne enfin et hoche la tête :

– Quand veux-tu retourner à Mont-Laurier ?

Je réfléchis longuement. Il vaut mieux y aller alors que William travaille. Après l'avoir fait tant souffrir, je ne veux pas risquer de le confronter à nouveau, surtout avec Raphaël à mes côtés.

– Il travaille trois nuits à partir de demain, dit Raphaël. Je viens te chercher à l'aube. Nous ferions mieux d'arriver tôt si nous voulons faire l'aller-retour au cours de la journée.

Je soupire et acquiesce.

Raphaël me quitte vers midi, après que nous ayons convenu de partir dès cinq heures, le lendemain matin. Les prévisions météorologiques promettent du temps doux et nuageux. Au cas où, je prépare mon sac pour un voyage de trois jours. Je choisis mes meilleures chaussures de marche, prépare des bouteilles d'eau, apporte mes vitamines. Je ne veux pas brusquer le bébé à nouveau. Je promets à mon enfant de lui offrir autant de repos qu'il voudra, dès mon retour. Je m'engage à lui choisir un prénom, à feuilleter des magazines pour décorer sa chambre... Mon esprit est maintenant dégagé de tous les doutes possibles : je suis une future mère de famille ! J'ai eu du mal à l'accepter, mais je crois que ce rôle me va beaucoup mieux que celui d'enquêteur. J'ai même le sentiment que je porte une petite fille !

Ma nuit est évidemment difficile. Je n'ai pas sommeil et, si je m'assoupis, je rêve à William... Cette histoire devient obsédante.

Le matin vient vite et amène Raphaël avec lui. En moins de dix minutes, nous sommes prêts à partir. Il garde le silence dans la voiture et je vois ses mains agripper le volant. Tout comme moi, la nervosité l'a gagné.

Nous avons fait quatre-vingt-dix minutes de route lorsque Raphaël sort enfin de son mutisme :

— Emmanuella, je voulais te dire que je respecte ta décision. Je suis surpris mais heureux que tu aies un enfant. Et si je peux t'aider pour quoi que ce soit, je serai toujours là. Pour assembler des meubles, tu sais qu'il n'y a pas meilleur que moi ! ajoute-t-il, pince-sans-rire. Et s'il y a des jours ou des nuits plus difficiles, j'essaierai de mon mieux de te remonter le moral.

Je souris pour cacher mes véritables émotions. Voilà ce que j'entends par de l'attachement profond : même si les sentiments amoureux se sont envolés, nous demeurons toujours près l'un de l'autre et nous sommes déterminés à nous soutenir envers et contre tout. Avant, j'aurais dit que Raphaël et moi avons « réussi notre séparation » puisque nous avons toujours continué de nous fréquenter. Maintenant, je préfère penser que nous avons « réussi notre relation » parce que nos liens sont demeurés vivants, au-delà de l'amour passionnel et de l'attirance physique.

– Merci, Raphaël. Je l'apprécie.

– Et ça me ferait drôlement plaisir d'être le parrain !

– Tant mieux.

J'ai du mal à cacher ma joie. Enfin un peu de soutien !

– Pour la marraine, j'hésite entre Isabelle et Julie.

– Je préfère Isabelle, répond-il sans la moindre hésitation. Une pompière aura trop de liens avec William. Jusqu'à la fin de l'été, c'est elle qui prend mon poste sur le groupe 2.

La seule autre pompière du service, Julie Gaudette, est l'une de mes bonnes amies. Elle y travaille depuis quatre ans, mais elle s'adapte encore mal à certaines de ses équipes parce qu'elle est incapable de tenir tête aux plus machos et aux plus pénibles de nos confrères masculins. Je suis très contente d'apprendre qu'elle aura la chance de passer son été avec le groupe 2 parce que William, un bon lieutenant, m'a toujours traitée « comme un gars » pendant nos interventions. Samuel D'Arcy et Antoine Patenaude représentent aussi d'excellents coéquipiers.

Neuf heures trente pointent déjà lorsque nous nous arrêtons devant le chalet de William. Raphaël enfile un lourd sac à dos et me sourit, tout à coup, comme il le fait rarement.

– Tu es resplendissante, aujourd'hui.

Moi, resplendissante ? Avec mes yeux cernés, ma queue de cheval et mes traits tirés ? Mais je me sens bien. En paix, même. Je n'aurais jamais cru, quelques jours plus tôt, pouvoir me sentir aussi bien.

— Qu'est-ce qui te fait cet effet-là ? La grossesse ou l'idée de te sauver en Espagne ?

— Les deux, dis-je sans hésiter.

— J'espère que tu auras une petite fille. Belle comme toi.

Je demeure sans voix et, pour cacher mon trouble, j'ouvre la marche et m'enfonce dans la forêt. Essaie-t-il de se rapprocher de moi parce que sa fiancée « l'abandonne » pour un an ? Peut-être pas. Depuis l'incendie, notre relation a beaucoup changé. Je ne sais plus à quoi m'en tenir. Probablement que lui non plus.

Ma boussole en main, je prends des notes sur une feuille et place des repères sur des arbres à l'aide des bandes jaunes dont nous nous servons sur les lieux d'incendie. J'en avais un petit rouleau dans mon sac d'équipement.

— Ça va, Emma ? s'inquiète Raphaël alors que nous marchons depuis une heure. Sommes-nous sur la bonne voie ?

— Excellente question !

Je m'assois par terre pour manger une banane. Blême, Raphaël fait de même.

— J'ai du mal à croire que des meurtres ont pu avoir eu lieu aux alentours. En fait, je me sens très inconfortable, murmure-t-il.

Ces paroles jettent une ombre terrible sur ma paix déjà précaire. Pendant un instant, je prie de toute mon âme pour qu'il n'en soit rien et que ces meurtres aient eu lieu ailleurs, loin d'ici. Je frissonne et abandonne le reste de ma banane. L'air me paraît maintenant sinistre.

Raphaël et moi marchons du mieux que nous le pouvons dans une forêt dense que nous ne connaissons pas. Vers le milieu de l'après-midi, je me décourage et doute de pouvoir retrouver la cabane.

— Nous devrions faire demi-tour avant la tombée de la nuit.

— Nous n'avons pas apporté nos sacs de couchage pour rien. Il faut s'y rendre, Emma.

La détermination de Raphaël a un effet stimulant et m'encourage à poursuivre, même si je n'ai pas du tout envie de dormir ici, sans une tente pour nous protéger.

Il est seize heures lorsque je reconnais enfin la colline qui mène au magnifique point de vue sur le lac. Notre regain d'espoir nous donne l'énergie pour la grimper à toute vitesse. Douze minutes plus tard, essoufflés, nous nous trouvons face au chalet. Je sors la clé de ma poche.

— Tu avais raison, Emma. Il doit y avoir un sentier à proximité. Le transport des matériaux est pratiquement impossible sans l'aide d'un véhicule tout-terrain.

Raphaël enfile des gants de caoutchouc et défait le cadenas. Il ouvre la porte et, après avoir respiré un bon coup, avance la tête à l'intérieur. Il se retourne vers moi très rapidement. Nos yeux sont remplis d'appréhension.

Raphaël entre dans la cabane, et je le suis de près, le cœur battant. Sur le mur du fond sont épinglées des photos de chacune des victimes. Ces photos ont été découpées dans les pages d'un quotidien, à l'exception de celle de Lucie Gallant, qui est représentée par une véritable photo en couleurs. Le tueur la connaissait !

Ma voix tremble :

— Thomas n'est pas le tueur : les deux dernières victimes, la fugueuse et la dame qui s'était enfuie de l'hôpital, ont leur photo sur le tableau d'honneur.

Raphaël enchaîne presque aussitôt :

— C'est William ?

— Oh ! Quelle horreur !

Je me mets à sangloter sans aucune retenue tellement je suis atterrée par la nouvelle. Est-ce que je porte l'enfant d'un psychopathe, d'un criminel maléfique, d'un envoyé du diable ?

— C'est impossible ! C'est impossible !

Malgré les preuves qui s'accumulent devant moi, je n'arrive toujours pas à croire que William puisse être le tueur en série des Laurentides. Mon esprit rationnel et mon cœur refusent cette réalité alors que Raphaël, comme moi, semble incrédule.

— Il y a peut-être une autre explication, bredouille Raphaël, mal à l'aise devant mon immense détresse. Qui sait...

Seuls un lit et une grande armoire meublent la pièce poussiéreuse. Je m'approche du matelas et m'aperçois qu'il est maculé de taches de sang, au moins une douzaine de grosses gouttes. Je secoue la tête et m'avance vers le meuble. En le touchant, je constate qu'il est très lourd.

– Comment un seul homme a-t-il pu traîner ça jusqu'ici ?

Raphaël le regarde à son tour.

– Il a pu le fabriquer sur place. Le bois est de qualité, mais il y a très peu de finition. Le meuble semble même instable. Les portes, elles, ont pu être achetées en magasin.

J'essaie de prendre une grande inspiration, mais l'air se bloque quelque part dans ma trachée. J'ouvre les deux portes. Raphaël se glisse à mes côtés. Sa respiration est haletante. Un gros bocal se trouve dans le fond de l'armoire, mais je vois mal ce qui se cache à l'intérieur parce que la pièce, qui ne compte qu'une petite fenêtre et la porte restée ouverte, est plongée dans une certaine obscurité. Je me penche pour mieux voir. Je hurle à m'en faire éclater les poumons lorsque je comprends de quoi il s'agit. Raphaël pousse aussi un cri de surprise.

Dans un liquide, probablement du formol, repose une forme de quelque vingt centimètres... Le fœtus devait avoir quatre ou cinq mois lorsque sa mère a été tuée...

Chapitre 16

Le lieutenant entra dans la cuisine où Simon Hélie et Julie Gaudette cuisinaient en silence. Il les observa un moment. Julie travaillait dans son équipe pour une partie de l'été et Simon ne remplaçait que quelques jours, mais tous les deux semblaient déjà avoir l'humeur morose de l'équipe habituelle.

– Je meurs de faim, s'exclama William en se penchant par-dessus l'épaule de la pompière. Qu'est-ce que vous préparez ?

– Des blancs de poulet à la salsa, répondit Simon sans le regarder, concentré sur la préparation de la sauce.

– Où sont Patenaude et D'Arcy ?

– Aux dernières nouvelles, Antoine lavait sa moto, et Samuel marchait comme une âme en peine dehors, dans les environs. Il a l'air déprimé, aujourd'hui.

Dès leur retour au travail, Emma avait demandé à William de veiller sur Samuel. Il ne s'était pas acquitté de sa tâche, mais Samuel et lui avaient quelquefois discuté de leurs appréhensions par rapport au prochain gros incendie qu'ils auraient à affronter. Samuel semblait bouleversé à l'idée qu'Emma et lui auraient normalement dû monter au dernier étage de l'immeuble.

William n'eut pas besoin de le chercher longtemps. Chaque fois qu'il se retirait du groupe, Samuel allait écouter les *Simpsons* ou se réfugiait près du camion échelle, étranges habitudes que le lieutenant n'était jamais parvenu à s'expliquer. Il le trouva recroquevillé et appuyé contre la roue du camion ; William s'assit par terre, face à Samuel, et s'adossa contre le mur.

– Plus les jours passent et plus tu parais malheureux...

– Je suis seulement épuisé. Je n'arrive plus à trouver le sommeil. Pendant mes vacances, je passerai trois semaines en Suisse, plus précisément dans le petit village des Diablerets, au sommet d'une des magnifiques Alpes suisses !

Samuel avait découvert cette région trois ans plus tôt, alors que son équipe de hockey avait pris part à un tournoi à Gstaad, une ville touristique située à proximité. À la fin du tournoi, Raphaël et lui étaient passés par hasard dans ce village perdu dans la montagne, véritable oasis où le silence avait encore une signification, où l'air était pur et l'ambiance, tellement calme. Raphaël et lui avaient dormi deux nuits en camping, presque à la belle étoile. Samuel était bien décidé à refaire la même chose avant d'aller passer quelques jours chez des amis, à Lausanne.

– J'espère que ça t'aidera à repartir du bon pied. Nous avons besoin de toi, ici, Sam. Je veux que mon équipe revienne au complet. Raphaël y compris.

– Emma et Ralph ne seront plus jamais les mêmes, répliqua-t-il avec une certaine animosité dans la voix. Surtout Emma !

La dernière phrase mit le lieutenant sur la défensive. De toute évidence, Samuel savait des choses à propos de celle qui venait de le quitter. Persuadé qu'Emma ne changerait plus d'avis, William s'était donné pour mission de sauver son couple. Pourtant, il n'avait aucune autre motivation que celle de ne pas se retrouver complètement seul.

La veille, William avait soupé en compagnie de sa femme, ce qui n'était pas arrivé souvent au cours des derniers mois. Elle le trouvait changé, agressif, tendu. Au moins était-il parvenu à se montrer chaleureux et attentif envers sa femme et il n'avait pratiquement pas pensé à Emma pendant tout le souper.

— Un jour ou l'autre, notre groupe retrouvera l'équilibre. N'abandonne pas ta carrière sans d'abord chercher à t'adapter.

— Comment as-tu deviné que je pense parfois à quitter mon poste ? s'étonna Samuel.

— Parce que nous y réfléchissons tous, répondit honnêtement William. Je ne fais pas exception.

Samuel hocha la tête. Il se posait beaucoup de questions sur l'avenir d'Emma, et son amie lui manquait. Raphaël l'inquiétait aussi : il devenait un véritable ermite, alors qu'il avait l'habitude d'être aussi actif qu'énergique.

— Tu sais, Sam, je n'arrive pas à chasser de ma tête l'idée que je suis en partie responsable de la mort de Thomas ainsi que de la mauvaise forme de Raphaël et d'Emma. J'étais aux commandes de cette intervention. La radio que je tenais dans ma main vous reliait tous à la vie. Certes, je ne pouvais pas deviner que le toit allait s'effondrer aussi tôt et je n'avais eu aucun commentaire de la part de mes équipes à l'intérieur, mais c'était ma responsabilité de vous sortir de là.

– Raphaël reprend ses forces et le moral peu à peu. Je ne m'étonnerais pas de le voir revenir au travail d'ici l'automne, ce qui serait excellent pour lui. Personnellement, je m'inquiète davantage pour Emma. C'est elle qui s'enfonce dans la déprime !

– Qu'est-ce qui te fait dire ça ? s'enquit William.

Ses mains moites témoignaient de sa grande fragilité quand il était question de la pompière.

– Elle a le don de se mettre dans des situations impossibles ! Une fille aussi extraordinaire qui se retrouve enceinte de « père inconnu »... Je trouve ça tellement étonnant !

– Elle... elle t'a parlé de sa grossesse ?

– Vaguement. À toi aussi ?

William hocha la tête. « Père inconnu... » L'expression le blessait profondément. Il se doutait bien qu'Emma avait parlé de sa grossesse à tout le monde... sauf à lui, le principal concerné ! Et il lui en voulait...

*   *

*

La carillon de la porte d'entrée résonna dans la caserne vers le milieu de la nuit. Réveillés en sursaut, les hommes constatèrent qu'il était cinq heures trente. Qui pouvait bien les visiter à une heure pareille ? Simon se leva en maugréant. À la porte, il s'étonna de voir plusieurs hommes en complet et cravate. Le premier, à l'avant, montra son insigne de police.

– Est-ce que William Turmel est ici ?

172

– Il dort, comme tous les gens sensés devraient le faire à pareille heure, lança Simon.

– Nous voulons le voir immédiatement.

Le pompier hésita puis, voyant que les hommes n'avaient pas le cœur à rire, les emmena vers la chambre du lieutenant. Alertés par le bruit, les trois autres pompiers se massèrent dans le couloir. L'enquêteur ouvrit brusquement la porte.

– William Turmel ?

– C'est moi, répondit le lieutenant en se levant de son lit, encore tout endormi. Qu'est-ce qui se passe ?

Trois autres des hommes s'approchèrent de lui, et William sursauta en apercevant les menottes que tenait l'un d'eux.

– William Turmel, vous êtes en état d'arrestation. Vous avez le droit de garder le silence et...

– Quoi ? Je suis arrêté ? Mais pour quelles raisons ?

Un des policiers lui tira le bras sans ménagement et William se retrouva menotté, les mains dans le dos. Ils l'entraînèrent vers le couloir de la caserne, se moquant bien qu'il n'ait même pas eu le temps de lacer ses souliers. Le policier continuait de lui lire ses droits.

– Arrêtez, je connais mes droits ! Je veux savoir pour quels motifs je suis arrêté ! Cette arrestation est ridicule, je n'ai rien fait !

– Vous êtes accusé de plusieurs viols et meurtres.

Turmel suffoqua en apprenant la nature des accusations. Il eut les larmes aux yeux et tentait, même s'il se savait ridicule, de retrouver l'usage de ses mains.

– J'espère que vous blaguez ?

– Pas du tout. Monsieur Turmel, je vous conseille de garder le silence sans la présence de votre avocat.

William, désemparé, croisa le regard incrédule des pompiers sous ses ordres. Seule Julie, instinctivement, vint à sa rescousse :

– Vous faites sûrement erreur sur la personne ! Le lieutenant Turmel est un homme respecté et respectable, apprécié par tout le monde ! Vous perdez la tête !

– Le juge décidera si nous perdons la tête. Venez, monsieur Turmel.

– Attendez ! Je dois téléphoner à mon patron pour qu'il envoie du renfort. Sans la présence d'un lieutenant, une équipe ne peut pas répondre aux appels. Si je pars, vous mettez la vie de la population en danger !

Un des enquêteurs ordonna à Samuel de placer l'appel.

– Dites-lui que nous partons avec Turmel dans cinq minutes. Pas une de plus.

Samuel appela le directeur Hannon et refusa de lui dévoiler au téléphone pourquoi Turmel devait quitter aussi précipitamment. Sentant bien qu'il se passait quelque chose de grave, Brian Hannon réagit en affirmant qu'il venait tout de suite et qu'il demanderait au lieutenant de l'équipe de jour de venir prendre la relève sur-le-champ.

Debout dans le couloir, l'accusé, les pompiers et les cinq policiers étaient tendus, sur le qui-vive. William réfléchissait aux différentes façons de se sortir de cette impasse. Le temps s'égrenait lentement.

– Bon, on y va ! La population se passera de quatre pompiers jusqu'à l'arrivée de votre directeur. Venez, monsieur Turmel.

– Non ! Attendez le directeur ! C'est complètement dément !

Les enquêteurs avaient usé leur patience. William comprit qu'il ne pouvait plus retarder l'échéance et que, d'ici quelques minutes, il se retrouverait au poste de police sans rien comprendre aux accusations. Les larmes aux yeux, Turmel jeta un dernier regard vers ses hommes. Seule Julie osait encore le regarder.

– Courage, William. Ça va s'arranger. Je sais que c'est une grossière erreur !

Quand il sortit de la caserne, William Turmel s'aperçut que plusieurs médias se trouvaient dans la cour de la caserne. Il était filmé, photographié, épié. Menotté, il ne pouvait même pas cacher son visage. En s'assoyant dans la voiture de police, William regarda l'enquêteur dans les yeux. Il y vit du mépris, de la colère et, derrière cela, une certaine dose de fierté.

– Mais qu'est-ce qui se passe ? s'écria-t-il. Dites-le moi au moins, que je comprenne le fond de cette histoire rocambolesque !

– Ça fait des années que mon équipe et moi attendons ce moment-là. Au moins cinq longues années...

William comprit tout à coup. Plusieurs viols et meurtres...
Une impressionnante quantité de médias à la porte de la
caserne... Des policiers qu'il ne connaissait pas... Il tombait des
nues et l'incrédulité transperçait sa voix lorsqu'il murmura :

– Je suis soupçonné d'être le tueur en série des Laurentides ?

L'enquêteur détourna la tête. William avait du mal à
respirer.

Chapitre 17

William Turmel tenait sa tête entre ses mains, un téléphone posé devant lui. Il n'avait pas le choix, il devait faire appel à sa femme ! Pourtant, du même coup, il sacrifiait ce qui lui restait de sa qualité de vie. Ne comprenant pas ce qui avait poussé les enquêteurs à l'arrêter, il devrait tout dire à Claudia pour qu'elle l'aide à débroussailler toute cette histoire. Cependant, mise au courant de ses infidélités, Claudia demanderait le divorce et ne lui ferait pas de cadeau. Recommencer à zéro à trente-cinq ans lui paraissait au-dessus de ses forces. Pas de femme, pas d'enfant, plus de maison, beaucoup moins d'argent... L'avenir s'annonçait sombre.

Il rouvrit les yeux. Des problèmes plus urgents encore devaient être réglés ! Hésitant, il composa son propre numéro de téléphone. L'horloge accrochée devant lui indiquait six heures dix. La voix chaleureuse de sa femme répondit dès la troisième sonnerie, comme si elle était réveillée depuis longtemps.

– Tu dormais, Claudia ?

– William ? Non. Ça va ? demanda-t-elle en percevant déjà sa détresse.

Comment pourrait-il lui raconter la vérité ? Lui-même, noyé par le choc, ne se rendait pas encore tout à fait compte de la gravité de sa situation.

– Je suis au poste de police. J'ai besoin de toi.

– Qu'est-ce que tu fais là ?

– ... Je suis en état d'arrestation. J'ai besoin de toi comme avocate !

– Arrêté ? Mais pourquoi ? balbutia sa femme.

– Je te l'apprendrai quand tu seras ici. Je t'attends.

– Je viendrai immédiatement, mais je veux savoir sous quel motif on t'a arrêté !

William ne put retenir un sanglot, puis le silence s'étira. Claudia ne comprenait pas que son mari ait été arrêté en pleine nuit, alors qu'il devait être à la caserne. Elle se dirigea vers son bureau à toute vitesse, alluma la lumière. Étant donné l'heure matinale, l'habitude la persuadait pourtant qu'il lui répondrait « ivresse au volant » ou « conduite avec facultés affaiblies ayant causé des lésions ou la mort ».

Claudia entendit enfin son interlocuteur déglutir. La voix de son mari tremblait lorsqu'il lui annonça :

– Je suis accusé de viols et de meurtres.

Claudia perdit le souffle, si bien que son mari dut reprendre après un long silence.

– Claudia, je ne comprends pas ce qui m'arrive ! En fait, on m'accuse d'être le tueur en série des Laurentides !

Complètement hébétée, Claudia retira le chandail de coton qu'elle avait enfilé au saut du lit. Elle avait très chaud, tout à coup. Consciente que son mari bénéficiait d'un temps d'appel limité au poste de police, elle reprit tant bien que mal :

– Je... j'arrive, William. Je serai au poste de police dans moins d'une demi-heure. D'ici là, garde le silence. Ne dis absolument rien aux policiers.

– O.K. ! Merci, chérie.

Il raccrocha pendant que Claudia se rendait à la salle de bain. Elle aspergea son visage d'eau froide, espérant s'éclaircir les idées. Elle se sentait très confuse et elle se demanda si elle devait téléphoner à Esther puisque, dans les causes importantes, elles travaillaient souvent ensemble. En enfilant un pantalon, Claudia décida d'attendre d'avoir eu une première discussion avec son mari avant de contacter sa consœur. Un mélange de peur et de honte l'habitait. Elle préférait être seule avec William pour affronter la vérité. Les accusations portées contre lui étaient horriblement graves. Une erreur, ce ne pouvait être qu'une erreur ! Elle déglutit péniblement en se regardant dans le miroir, les yeux humides. William avait tellement changé depuis un certain temps...

Claudia s'interdit de penser de la sorte. Si elle ne séparait pas ses émotions de son rôle professionnel, elle ne réussirait jamais à le défendre convenablement. Elle inspira profondément et prit une résolution : essayer, du moins pour quelques heures, de percevoir William comme un simple client. Ensuite... elle aviserait. Tout simplement.

De retour dans son bureau, elle consulta à nouveau le calendrier. Vendredi matin ! William passerait fort probablement la fin de semaine en cellule. S'il était vraiment accusé de multiples viols et meurtres, jamais elle ne parviendrait, en une seule journée, à le faire mettre en liberté provisoire.

Vingt-huit minutes après la fin de l'appel, maître Claudia Arnold se présentait au poste de police. Ses mains tremblaient, mais elle fit tous les efforts possibles pour le cacher à l'enquêteur qu'elle connaissait depuis longtemps et qui l'accueillit froidement. Parce que le rôle de l'avocate était de réduire au minimum les peines encourues par les criminels que les policiers mettaient parfois des années à mettre sous les verrous – et parce qu'elle réussissait souvent à démasquer les erreurs policières –, elle n'était pas très appréciée par les enquêteurs.

Il fallut quinze minutes avant qu'elle puisse s'asseoir face à son mari, prostré sur une chaise. La pièce, petite, était peinte d'un bleu pâle que Claudia trouvait chaque fois déprimant. Une caméra de surveillance était suspendue dans un coin de la pièce ; l'avocate s'assura qu'elle ne fonctionnait pas. Pour tout mobilier, la pièce comptait un petit guéridon et deux chaises en bois.

Le regard confus de William se posa sur sa femme. Même si elle fréquentait des criminels depuis plus de quinze ans, Claudia avait rarement vu un homme aussi désemparé. Soulagée, elle se dit qu'un psychopathe ne ressentirait pas autant de stress et de peur.

– Même en me creusant la tête, je n'arrive pas à comprendre ce qui a poussé les enquêteurs à m'arrêter, affirma-t-il d'entrée de jeu.

– William, tu dois bien avoir une idée ! Cette brigade travaille depuis quatre ou cinq ans à la capture du tueur en série : les enquêteurs n'arrêteraient jamais un homme marié comme ça, sans la moindre raison !

Claudia fronçait les sourcils en dévisageant l'homme assis devant elle. Un long frisson parcourut son corps, alors qu'une très mauvaise intuition s'emparait d'elle. « Allez, concentre-toi : tu as un client devant toi ! Point à la ligne ! »

– William, les accusations portées contre toi sont extrêmement graves. On n'a pas une seconde à perdre si on veut te tirer de là. On va donc procéder dans l'ordre, de façon méthodique, en s'efforçant d'oublier nos liens affectifs.

– Très bien. J'ai confiance en toi, Claudia. Comment s'organise-t-on pour tes honoraires ?

– Étant donné qu'on partage le même compte bancaire, je pense qu'on peut s'arranger avec ça plus tard.

Il préférait discuter de ce genre de questions le plus tôt possible, convaincu qu'elle le rejetterait dès qu'elle connaîtrait la vérité.

– J'ai peur, Claudia.

– C'est assez compréhensible !

À sa place, elle aurait été littéralement terrorisée. La vie de William se trouvait probablement déjà changée à tout jamais. Des médias de toute la province se massaient devant le poste de police où venait d'être arrêté un suspect dans le cadre de la plus terrible affaire criminelle de l'histoire du Québec. L'image de son mari serait diffusée partout, on parlerait de lui dans toutes les chaumières... Et même si la justice le reconnaissait innocent avec de solides preuves, il y aurait toujours des gens pour continuer de douter et pour le regarder avec crainte et méfiance.

S'il était coupable ? Le cœur de Claudia bondit dans sa poitrine au moment où William prit sa main et la serra de toutes ses forces. Très vite, Claudia le repoussa :

– Je sais ce que tu ressens, mais je ne peux pas me permettre de te soutenir de façon émotive. Si je veux travailler le plus efficacement possible, je dois séparer les rôles.

Il hocha la tête, mais des larmes remplirent ses yeux pendant que Claudia sortait un carnet et un stylo de sa mallette. Elle devait noter tous les détails afin de ne rien oublier.

– Le point de départ doit être mon terrain de Mont-Laurier, commença maladroitement William.

Il parla du chalet qu'il avait découvert à la limite de son terrain.

– Les enquêteurs seraient tombés sur ce chalet par hasard, quelques semaines après toi, en effectuant une fouille dans cette immense forêt ?

Il secoua la tête. Tout dire. Tout de suite. Il le fallait. Les mots lui brûlaient la gorge. Il aurait tellement eu besoin d'un verre d'eau !

– Emmanuella Sanchez doit l'avoir rapporté à la police. Il y a un mois déjà..., elle est venue au chalet avec moi.

– Comment ça ?

Le ton de l'avocate n'avait plus rien de professionnel alors qu'elle dévisageait son mari. Excessivement mal à l'aise, il se dépêcha de tout dévoiler :

– Emma a été ma maîtresse pendant la dernière année...

Assommée, Claudia se leva pour marcher de long en large dans la petite pièce. Une profonde douleur lui coupait le souffle. Elle se trouvait idiote de n'avoir rien deviné. Maintenant, le comportement de son mari devenait tellement compréhensible ! Dans son esprit, les différentes pièces du casse-tête s'assemblaient à la vitesse de l'éclair. Elle avait mal au cœur.

Elle aurait aimé lui crier les pires injures, mais elle conserva son sang-froid et fut de glace lorsqu'elle se retourna à nouveau vers lui :

– Je vais téléphoner à Esther. Elle saura mieux te défendre que moi parce que je n'ai pas la distance émotive nécessaire pour représenter une cause aussi importante. La seule chose dont j'ai envie, actuellement, c'est de rentrer à la maison pour balancer tes affaires par la fenêtre ! N'aie crainte : Esther et toi vous en sortirez très bien.

– Claudia...

– Ne t'en fais pas, j'attendrai que les procédures soient terminées pour que nous réglions nos comptes... personnels.

– Mais c'est toi que je veux comme avocate, Claudia ! J'ai confiance en toi bien plus qu'en Esther ou en aucun autre de tes collègues !

Claudia secoua la tête. Elle devait faire appel à toutes ses forces pour ne pas fondre en larmes. La peine, la déception et la colère nageaient en elle. Déshonorée, trompée, bafouée. Cocue. Le mot était aussi laid que la vérité. Pourquoi ? Elle aurait voulu fuir cet endroit, se retrouver seule pour réfléchir et tenter de mieux comprendre.

– Tout ça me paraît irréaliste. Tu m'as trompée, menti, pendant un an... J'ai un étranger devant moi, pas mon mari ! Et si c'était toi, le tueur en série des Laurentides ?

– Claudia ! Je ne suis pas un homme parfait, mais crois-tu vraiment que j'aie pu tuer treize femmes enceintes, dont la femme de mon meilleur ami ?

– Je ne suis plus sûre de rien... Je ne te connais plus...

L'avocate sortit subitement de la salle d'entretien. Rongé par les remords, William s'écroula et prit sa tête entre ses mains. Il méritait que Claudia le laisse tomber, mais il avait trop besoin de son soutien et de ses compétences pour capituler déjà. Il aurait dû lui demander quand il apprendrait les circonstances qui avaient mené à son arrestation. À ce moment-là, il y aurait peut-être vu plus clair. Et maintenant, tout seul dans cette pièce déprimante, que devait-il faire ? Et si Claudia ne revenait pas ?

Il dut patienter une dizaine de minutes encore avant qu'elle ne revienne, un café à la main et l'air beaucoup plus calme.

— Esther viendra nous rejoindre. Bien que je ne croie pas que ce soit possible, nous ne serons pas trop de deux pour t'éviter un week-end en prison.

— Je passerai la fin de semaine en cellule ?

L'effroi se dessinait sur le visage du pompier, qui commençait à peine à réaliser l'ampleur de ce qui l'attendait. La sueur coulait le long de ses tempes.

— Probablement plus longtemps. La pression médiatique sera extrêmement forte. Nous avons tous les deux suivi l'affaire, tu sais à quel point et depuis combien d'années la population attend une arrestation ! Les policiers disposent sans doute de preuves solides, si bien que le procureur de la Couronne devrait recommander qu'on te laisse en prison jusqu'à la tenue de ton procès. J'aurai bien du mal à convaincre le juge du contraire !

— Un criminel trop dangereux pour la société ! lança William, pétrifié par ses propres mots.

— Exactement ! En tout cas, je dispose de très peu de temps pour me préparer : tu comparais devant le juge cet après-midi, vers quatorze heures. Enfin, on connaîtra les preuves retenues contre toi.

Les larmes aux yeux, Claudia l'observait tandis que, dans sa main, la tasse de café tremblait. Elle regarda sa montre, pressée de voir arriver Esther. Elle avait le temps pour quelques questions, celles qui lui brûlaient les lèvres et qui déchiraient son cœur d'épouse.

— Pourquoi Emma ? Tu la connais depuis si longtemps, pourquoi est-ce arrivé à ce moment précis ? Est-ce que tu l'aimais depuis longtemps ?

— En ce moment, honnêtement, je ne sais même pas quoi te répondre, Claudia. J'ai les idées embrouillées. Je suis si désolé...

— Mais pourquoi avoir pris une maîtresse ? Avant ces derniers mois, tout allait bien entre nous !

Elle avait l'impression d'être en train de débiter d'énormes clichés. Combien de fois, dans son bureau, avait-elle entendu des femmes se poser les mêmes questions ? À deux reprises, elle avait défendu des maris accusés d'avoir assassiné leur douce moitié. Des hommes sans histoire, des « bons gars » dont rien ne laissait présager qu'ils tueraient un jour. Par expérience, Claudia avait appris qu'on ne connaissait jamais vraiment quelqu'un. Son mari ne faisait pas exception.

— Mon attirance envers Emma n'avait aucun rapport avec toi, Claudia. Je t'aime toujours.

Claudia éclata d'un rire sarcastique alors qu'Esther, après avoir frappé à la porte, entra dans la pièce avec un café dans la main. Elle regarda William et Claudia tour à tour, l'air ébahie.

Depuis le bref coup de fil de Claudia, son imagination ne prenait aucun repos et elle avait inventé mille scénarios, tous plus effroyables les uns que les autres. Comment pouvait-elle croire que William Turmel était accusé d'avoir sauvagement assassiné la première épouse du seul homme qui avait vraiment compté dans sa vie ?

Esther dévisageait le lieutenant et secouait la tête.

– Je ne peux pas y croire, William.

– Moi non plus !

Pendant l'heure suivante, William subit un interrogatoire serré de la part d'Esther. Stupéfaite d'apprendre sa liaison avec sa coéquipière, elle s'efforça de ne rien laisser paraître et de se concentrer sur les faits qui pouvaient avoir mené à son arrestation.

Ensuite, elle regarda ses notes et dessina dans sa tête un portrait de la situation. Elle se trouvait devant un homme de trente-cinq ans, marié et de bonne réputation, mais infidèle depuis plus d'un an. Propriétaire depuis huit ans d'un chalet isolé dans les Laurentides, non loin d'où la plupart des corps avaient été retrouvés, il s'y rendait régulièrement, souvent seul. De plus, il n'avait pas un horaire de travail routinier, ce qui lui permettait de se déplacer sans susciter trop de questions de la part de son entourage.

L'avocate, inconsciemment, baissa les manches de son chandail. Elle avait l'impression qu'un grand coup de vent avait soufflé dans la pièce. Pourtant, la sueur continuait de couler le long des tempes de William.

– On doit y aller, maintenant, on va préparer notre défense. On te revoit au palais de justice, cet après-midi.

– Est-ce qu'ils vont me conduire en prison ?

Esther reconnut l'angoisse de plusieurs de ses clients ; elle comprenait William de s'inquiéter. La vie en prison n'était pas facile et celle de William, s'il était déclaré coupable, deviendrait infernale. Les tueurs de femmes et d'enfants, s'ils n'étaient pas placés en isolement, ne vivaient généralement pas longtemps ou, à tout le moins, pas très bien...

– Pour le moment, tu seras seulement emmené dans une cellule du poste de police, ici, au sous-sol. N'oublie surtout pas la règle d'or : ne rien dire à personne !

Il avait les yeux remplis de larmes quand il hocha la tête. Claudia, qui se tenait debout dans un coin de la pièce depuis le début de l'interrogatoire d'Esther, n'en menait pas large non plus.

– Dans le pire des cas, qu'est-ce qui peut m'arriver, Esther ?

– On ne te laissera pas en liberté provisoire, William : les accusations sont beaucoup trop graves. Profite des prochaines heures pour te faire à l'idée que tu passeras quelques jours derrière les barreaux. Prépare-toi aussi à affronter l'œil des caméras. Entre-temps, Claudia et moi nous occuperons de ton cas.

Il acquiesça, mais Esther percevait son immense détresse. Elle se pencha à côté de lui et serra sa main entre les siennes. Une certaine gêne l'habitait parce qu'elle le connaissait bien, mais elle sentit qu'il était de son devoir de le mettre en garde.

– La guerre ne sera pas facile, mais nous allons nous battre avec acharnement ! Cet après-midi, j'irai voir Emma. Peut-être qu'elle pourra nous aider à y voir un peu plus clair...

– Profite de l'occasion pour lui dire que je la déteste !
s'exclama-t-il avec rage.

– Turmel, tu feras toi-même tes messages à ta maîtresse,
rétorqua sèchement Claudia en s'avançant vers la porte. Allez,
Esther, on n'a plus de temps à perdre.

– Tu as raison. Bon courage, William.

Partagée entre la douleur et la peine, Claudia fixa longuement son mari. Il se leva et la prit dans ses bras. Des larmes
mouillèrent la chemise d'uniforme du lieutenant Turmel. Sa
femme se dégagea rapidement, le regarda pendant d'intenses
secondes et quitta la pièce sans un mot.

Déstabilisé par cette solitude et par sa grande impuissance,
William se laissa tomber sur la chaise. Il devait maintenant
imaginer les pires scénarios. Les scénarios les plus noirs...

Chapitre 18

De grosses larmes roulaient sur les joues d'Emmanuella Sanchez lorsqu'elle raccrocha le combiné du téléphone. La télévision, allumée sans le volume sur une chaîne d'information continue, diffusait des images de lieux et de gens qui lui étaient trop familiers. Elle avait envie de frapper. De hurler. Sur le divan, Raphaël Sansoucy la regardait attentivement.

— Esther Venne vient immédiatement me poser quelques questions. Il lui a tout dit... Et regarde donc le cirque médiatique autour de cette affaire ! Dans moins d'une semaine, tout le monde connaîtra la vérité. Aucun de mes collègues ne me respectera plus. Leurs femmes vont me détester. Ma carrière à Sherbrooke est finie ! Et bientôt, je...

Plus de quatre mois : la veille, Emma avait appris que, dès le moment où elle avait su pour sa grossesse, il était déjà trop tard pour l'avortement. Elle désirait de toute façon garder son enfant, mais elle maudissait son cycle menstruel irrégulier et s'inquiétait d'avoir pu, pendant aussi longtemps, porter un bébé sans s'en rendre compte. Serait-elle une mauvaise mère, dépourvue de tout instinct maternel ?

– Tu as fait ce que tu devais faire, lui dit Raphaël. En permettant l'arrestation du tueur en série des Laurentides, tu as sauvé des vies.

Non, non... Elle avait tout simplement rencontré un enquêteur de la Sûreté du Québec pour lui parler de son épouvantable découverte dans le petit chalet : jamais elle n'avait émis le moindre doute ou soupçon à l'encontre de William.

– Y compris la tienne. Plus ton ventre va s'arrondir et plus tu aurais couru le risque de finir ta vie rouée de coups...

Emma hocha la tête en essuyant ses dernières larmes.

– Quand les enquêteurs n'auront plus besoin de moi, je retournerai définitivement en Espagne avec mon enfant. J'apprendrai à considérer mon séjour au Canada comme une simple parenthèse qui m'aura permis de pratiquer un métier extraordinaire et de vivre deux... histoires d'amour.

Raphaël Sansoucy hocha la tête avant de fermer la télévision. Il avança la main pour toucher le ventre de son amie.

– Prends les choses une à la fois, Emma. Inutile de voir trop loin.

Il ne comprenait pas. Normal.

– Maintenant que le tueur est entre les mains de la justice, tu as le devoir de t'occuper de ton enfant. Il a besoin de tes soins.

– L'enfant d'un monstre ? demanda-t-elle avec appréhension.

Ces paroles lancées par Raphaël, au moment où il avait appris sa grossesse, avaient fortement choqué la pompière.

Depuis que William se trouvait en état d'arrestation, elle ne pouvait cesser d'y penser. Même si elle refusait toujours de croire qu'il était coupable de ces atrocités...

– C'est surtout l'enfant d'une femme merveilleuse. Garde ça en tête.

– Même si tu dis ça seulement pour m'encourager, je te remercie.

Elle le dévisageait, effarouchée, à la recherche d'un peu d'espoir.

– Tu sais bien que je le pense, Emma...

Il lui prit la main. Emma se secoua pour échapper au trouble que suscitaient les paroles de Raphaël.

– Tu devrais partir avant qu'Esther se pointe. Je ne veux pas qu'elle se doute que tu as dormi ici. Tous les gens ne sont pas en mesure de comprendre les relations amicales entre des ex-amants.

Il hocha la tête, et Emma reprit aussitôt :

– De toute façon, nous nous verrons de moins en moins à partir de maintenant.

– Pourquoi ?

Raphaël se gratta la tête, incertain de comprendre où elle voulait en venir.

– L'enquête est terminée. L'incendie est derrière nous. Nous retrouverons nos vies respectives. D'ailleurs, tu devrais t'occuper un peu plus de ta fiancée avant qu'elle quitte le pays. Est-ce qu'elle est jalouse de savoir que tu passes autant de temps avec moi ? Est-ce qu'elle te croit quand tu lui dis que nous sommes « parfaitement sages » ?

Il préférait éviter d'aborder ce sujet. Caroline posait des questions, mais elle n'avait pas beaucoup de temps à lui consacrer : elle répétait un dernier concert avec l'OSM avant son départ. Même s'il allait passer des journées chez elle, à Montréal, Raphaël réussissait à peine à la voir.

— Je ne peux pas croire en la culpabilité du père de mon enfant, mais je dois me rendre à l'évidence : tout joue contre lui. Plus vite je m'habituerai à l'idée, plus vite je cesserai de souffrir.

— Et s'il est innocent ? Et s'il avait besoin de nous pour prouver son innocence ?

En colère, Emma dévisagea Raphaël :

— Je t'ai suivi, j'ai enquêté avec toi, mais c'est terminé. William aura droit à une armée d'avocats pour le défendre : il ne sera pas condamné s'il est innocent ! Pour moi, c'est terminé ! Je souhaite de toute mon âme que William ne soit pas le meurtrier, mais j'ai vu un fœtus dans un pot de formol, à l'intérieur d'un chalet mystérieux qui se trouve sur son terrain, dans le fond des bois. Les policiers font maintenant leur boulot. S'ils ont cru bon de l'arrêter, qui suis-je pour penser qu'ils ont tort ? Je ne veux pas que ce soit lui, mais il y a un doute – un doute torturant – dans mon esprit. Je n'enquêterai plus, toi non plus et hâte-toi de retrouver ta vie, Ralph.

Il acquiesça et se sentit pressé de quitter l'appartement. Il ne souhaitait pas quitter Emma comme ça, tout à coup, comme si elle était le dernier point d'attache à sa vie d'avant. Tout changeait autour de lui : sa santé lui jouait de sales tours, la vie à la caserne ne représentait plus que des mensonges, sa fiancée s'éloignait de lui sans trop se soucier de son opinion... Mais le pompier garda ses pensées pour lui et quitta l'appartement de son ex-maîtresse tout juste avant l'arrivée de l'avocate.

*   *

*

Esther serra la main de la pompière en la regardant dans les yeux. Emma baissa rapidement la tête, submergée par la honte. Elle offrit un café à l'avocate, qui l'accepta volontiers. Elles s'assirent finalement l'une devant l'autre. Toujours estomaquée par les événements, Esther s'efforçait de conserver une attitude neutre et de ne porter aucun jugement sur ce témoin clé. Elle avait trop besoin d'elle pour que leurs relations personnelles viennent bousiller toute l'affaire.

– Emma, en souhaitant que nous puissions être franches l'une envers l'autre, je te poserai deux questions primordiales pour la suite de mon travail. En premier lieu, est-ce que c'est toi qui as dénoncé William à la police ?

– Non. J'ai simplement appelé les policiers pour leur signaler que j'avais découvert un indice important. En tant que bon citoyen, je me devais de le faire.

– Est-ce que tu crois vraiment William coupable de cette série de meurtres ?

– Je... je dois faire confiance aux policiers.

L'avocate, qui sortait le carnet de notes de son sac, avala péniblement sa salive. Elle avait grandement espéré qu'Emma, comme Claudia et elle, crie à l'injustice.

– Esther, j'ai dit ce que j'avais vu aux policiers, et ils ont fait le reste. J'étais loin de m'imaginer que les événements prendraient une telle direction.

Le téléphone cellulaire d'Esther sonna ; elle s'excusa auprès d'Emma pour répondre. Malgré l'agressivité de la voix, elle reconnut immédiatement Claudia.

– Les enquêteurs ont un mandat pour fouiller toute la maison. J'ai mis Patrick sur l'affaire. Je crois que j'en aurai plein les bras ici. Ces brutes ne sont pas très discrètes !

Patrick Vézina, un de leurs associés chez Arnold, Fortier, Venne, Vézina et associés, excellerait également dans ce type de cause. Esther aimait travailler avec lui et l'admirait pour son calme et sa grande patience.

– D'accord. Bonne chance, Claudia. Garde courage. J'irai te voir après la comparution.

Emma n'osa demander des nouvelles de l'épouse bafouée, bien qu'elle ressentît une sincère tristesse pour elle.

– Emma, peux-tu m'expliquer quel est cet indice que tu as découvert ?

– À moins d'un kilomètre de marche du chalet de William, il existe un petit bâtiment dont William prétend ne pas connaître le propriétaire. J'y suis retournée quelques jours après notre passage et j'ai trouvé le cadavre d'un bébé dans un pot de formol... À l'œil, j'ai estimé qu'il avait quatre ou cinq mois de gestation.

L'avocate, qui ignorait tout de cette preuve accablante, n'avait plus de mots et feignait de prendre des notes dans son carnet afin d'échapper au regard soudainement intense de la pompière.

– Les policiers n'ont jamais médiatisé le fait que certaines femmes avaient été éventrées et que leurs bébés n'avaient pas été retrouvés auprès de leurs mères, ce qui rend impossible d'avoir affaire à un imitateur.

– Mais William affirme qu'il t'a conduite jusqu'à ce petit chalet... S'il avait eu quelque chose à cacher, il ne te l'aurait pas montré, non ?

– Nous nous sommes rendus tout près de là, mais j'ai moi-même découvert le chalet en m'enfonçant dans les bois pour aller vomir. Est-ce qu'il t'a parlé de ma grossesse ?

Esther n'eut pas besoin de répondre ; la stupéfaction qui se dessinait sur son visage suffisait pour qu'Emma comprenne que William n'avait pas encore tout dit.

– Quand j'ai vu le chalet, William a changé d'humeur, mais j'ignore pourquoi... J'ai eu des crampes dans le ventre, je suis allée dans le bois et... j'avais commencé une hémorragie. Je ne me sentais pas bien et j'ai dû supplier William de me conduire à l'hôpital. Il a très vite compris que j'étais enceinte.

– Enceinte de qui ?

Emma n'avait pas envie de répondre à cette question, insultée malgré elle qu'Esther puisse croire qu'elle ait eu plus d'un amant.

– Selon toi ?

L'avocate comprit, baissa les yeux. La pompière reprit après un court silence :

– William voulait ce bébé... À l'hôpital, il était déjà trop tard pour sauver l'enfant...

Emma arrêta de parler en constatant le piteux état de sa visiteuse. Si elle pouvait quitter le pays avant que sa grossesse ne soit trop visible, Emma n'aurait jamais à se battre pour protéger son enfant de son père, s'il était coupable. Malgré toutes ses appréhensions, elle préférait mentir.

– Veux-tu un verre d'eau ?

Aussi blanche que la neige, Esther l'accepta pour désaltérer sa gorge sèche. Elle commençait à comprendre que la défense de William serait beaucoup plus difficile qu'elle ne l'avait espéré.

– S'il le faut, je témoignerai au procès de William. Pour le moment, je n'ai rien de plus à te dire, sinon que je suis dépassée par tout ce qui arrive.

– Beaucoup de preuves semblent être accumulées contre lui, mais est-ce que tu as vu de tes propres yeux un indice qui prouve hors de tout doute que William est bel et bien l'auteur des meurtres ou qu'il a lui-même construit le chalet ?

La question étonna Emma.

– Non...

– Alors attention, Emma ! Dans ce pays, on est innocent jusqu'à preuve du contraire !

– Si tu savais comme j'aimerais que ça soit une erreur...

Esther rangea son carnet sans rien ajouter. Elle avait encore mille questions à poser à la pompière, mais le temps la pressait, et les mots lui manquaient. Dès qu'elle se retrouva dans le vestibule, la main posée sur la poignée de la porte, Emma se rétracta : les procédures seraient sans doute longues et, un jour, son ventre la trahirait. Elle voulait tout dire, tout de suite, afin de prouver sa bonne foi. Elle toucha le bras de l'avocate pour la retenir.

– Esther, il y a une chose que je ne t'ai pas dite. Peux-tu me promettre de garder le silence ? Ça ne changera rien pour la défense de William, et je ne veux pas qu'il soit au courant. Ni Claudia.

– D'accord.

– Je n'ai pas perdu le bébé. Je le porte depuis environ vingt semaines et je devrais le mettre au monde dans le temps des fêtes. Le bébé est tout petit à cause des mauvais traitements que je lui ai fait subir, malgré moi, en début de grossesse. Je veux cacher mon ventre rond le plus longtemps possible.

– Pourquoi ?

Encore une fois, Esther ignorait quoi dire et quoi penser.

– Dès que j'aurai témoigné, je retournerai vivre en Espagne. Si William ignore sa paternité, ce sera plus facile pour tout le monde. Je n'ai pas l'intention qu'il voie mon enfant.

Esther haussa les épaules. À ce stade de la conversation, plus rien ne pouvait la choquer.

– Ça te regarde... Mais pourquoi me confier la vérité après me l'avoir cachée ?

– Je tiens à te prouver que tu peux avoir confiance en moi.

Esther hocha la tête même si elle pensait qu'il s'agissait d'une étrange façon d'attirer la confiance des gens.

– Bon courage, Emma. Je te contacterai plus tard.

Dans sa voiture, Esther prit quelques minutes pour réfléchir. Malgré tout ce que disait la pompière, l'avocate avait l'impression qu'il manquait une importante pièce au casse-tête.

Son téléphone cellulaire sonna à nouveau. Cette fois, la voix de Claudia était affolée :

– Viens chez moi, Esther. Au plus vite ! Ils ont plein de preuves !

– Oui, je serai là dans vingt minutes.

Le cœur d'Esther Venne battait à cent à l'heure lorsqu'elle approcha de la maison de Claudia. L'avocate s'étonna à peine de voir des dizaines de voitures de police et plusieurs camionnettes de médias garées dans la rue de sa collègue. Après avoir montré sa carte à trois policiers, Esther parvint enfin à se rendre auprès de Claudia, qui se tenait debout dans le garage. Appuyée contre la porte qui menait au jardin, elle affichait une mine blafarde.

– Jusqu'ici, ils ont trouvé cinq bagues. Cinq !

– Les bagues que... portaient les femmes avant leur mort ?

– Oui.

– À quel endroit ?

– Dans les boîtes de différents outils : la sableuse, la scie ronde...

Les deux femmes demeurèrent silencieuses de longues minutes alors que les policiers, autour d'elles, continuaient de tournoyer dans tous les sens. Une sixième bague fut repérée dans le coffre à outils que William transportait partout et que Claudia elle-même, à l'occasion, utilisait pour de menus travaux. Esther retint un cri en l'apercevant.

– L'alliance de Lucie Gallant, conclut Adam Chrétien, l'enquêteur principal au dossier.

– Je ne peux pas croire qu'il ait fait ça à Thomas ! hurla Claudia, de rage et d'incompréhension.

Elle secouait la tête, éperdue, comme si elle voulait nier la vérité qui s'imposait à elle. Elle fit signe à Esther de la suivre jusqu'à sa voiture et elle démarra en trombe. Esther se retourna pour regarder le conducteur d'une voiture qui se garait de l'autre côté de la rue. Il s'agissait de l'inspecteur du service des incendies. Que faisait-il là ?

– Je ne veux pas voir la suite, dit-elle. Je le déteste ! Je le déteste !

Le visage ravagé par la colère, Claudia attendit de s'arrêter à un feu rouge pour retirer sa propre alliance et la lancer dans le fond de la voiture. Le soleil frappa un diamant et provoqua un éclair de lumière qui fit cligner les yeux d'Esther.

– Lundi, j'entame une procédure de divorce, affirma Claudia. C'est fini. Fini !

– Je te rappelle à toi aussi que ton mari est innocent jusqu'à preuve du contraire. Tu devrais attendre la fin de la procédure pour demander le divorce. Si nous voulons le faire libérer, c'est tout à notre avantage que sa femme le soutienne... du moins en apparence !

– Ne me demande pas ça !

– La colère est mauvaise conseillère. Attends quelques jours ou quelques semaines pour entreprendre des démarches...

La colère, l'humiliation et la honte faisaient trembler Claudia. Elle stationna sa voiture devant l'immeuble où habitait Emmanuella Sanchez. Esther, à ses côtés, secouait la tête.

– Tu ne devrais pas venir ici. Ça ne t'apportera rien de plus.

– J'ai besoin de savoir certaines choses.

Face à face, la femme et la maîtresse de Turmel se dévisagèrent longuement. Emma posa la main sur son ventre en jetant un regard à Esther, derrière l'épaule de Claudia. L'avocate fit un signe de tête. Elles ne diraient rien à propos de la petite Maxime Sanchez.

Chapitre 19

Esther m'a tirée du sommeil au beau milieu de la nuit. Vers trois heures du matin, je téléphone à Raphaël.

— Esther vient de me téléphoner, lui dis-je aussitôt. William a été tabassé par d'autres détenus. Son état est sérieux, mais elle n'avait pas beaucoup de détails. Elle veut que j'aille le voir à l'hôpital, mais... je t'en prie, viens avec moi !

J'ai revêtu les vêtements les plus grands possible, ceux qui, je l'espérais, ne trahiraient pas ma grossesse. Inutile.

Je ne me présente pas à l'hôpital aux petites heures du matin sans raison : Esther Venne doit avoir une idée derrière la tête, mais laquelle ? Je n'ai pas du tout envie de me retrouver face à face avec Claudia Arnold, qui me déteste et ne s'est pas privée de me le faire savoir lors de sa très courte visite chez moi, avant-hier.

— Je dois avoir vu trop de films, mais j'avais l'impression que ça lui arriverait un jour d'être victime d'un règlement de comptes en prison. Pas toi ?

J'approuve alors que Raphaël s'apprête à se garer dans le stationnement de l'hôpital. Hier, j'ai passé la journée ici pour y subir une échographie et rencontrer deux médecins. Le pédiatre s'est montré heureux des résultats parce qu'ils ont prouvé que le développement du bébé s'est amélioré : il grandit, il gagne des forces. Le médecin de famille qui me suit de près a déclaré que j'aurai une belle fin de grossesse et que mon accouchement devrait normalement bien se passer, puis il m'a félicitée pour mes efforts. Ma santé a fait un bond en avant depuis que j'ai décidé de garder le bébé. Je dors et je mange mieux, je bouge davantage et je tourne vers l'avenir un œil un peu plus confiant, heureuse de penser que je poursuivrai ma vie loin de ceux qui m'ont fait souffrir et que j'ai fait souffrir...

— À quoi penses-tu ?

Je sors de la voiture sans répondre à Raphaël. Lorsqu'il est arrivé chez moi, tout à l'heure, il s'est montré surpris que mon ventre se soit autant arrondi et, sans attendre, il y a posé sa main. Il s'inquiète, il cherche à me cajoler, mais je refuse ses soins. Je ne veux pas raviver des sentiments contre lesquels je me bats depuis plus de deux ans, mon départ n'en serait que plus douloureux.

— Emma...

Je sursaute quand il prend ma main dans la sienne. Je la retire lentement afin d'éviter qu'il ressente mon malaise.

— Pourquoi m'as-tu demandé de venir ?

— Affronter Claudia m'effraie... Et ma fille a à peu près le même âge que le bébé retrouvé dans le pot de formol ! Malgré moi, je ne peux pas m'empêcher de trouver ça... effrayant !

Je me libère pour croiser les bras sur ma poitrine. Si William n'est pas le meurtrier, un autre homme court en liberté et pourrait menacer ma sécurité. À l'intérieur de mon corps, j'ai froid.

Je monte dans l'ascenseur jusqu'au sixième étage et tourne à droite dans le couloir. J'aperçois un gardien de prison qui fait le guet devant une porte close et, quelques pas plus loin, les deux avocates regardent des documents posés sur une table. Elles lèvent la tête en même temps et, pendant que le regard de sa collègue s'assombrit, Esther s'avance et nous serre la main tour à tour.

— Merci d'être venue, Emma. William a été victime d'une agression sauvage.

— J'en suis désolée, mais je ne comprends pas ce que je fais ici.

Claudia approche, s'arrête à quelques centimètres de moi. Je frissonne encore. Pourtant, c'est Esther qui reprend la parole :

— Depuis son arrivée en prison, il se tenait toujours sur ses gardes grâce aux conseils des gardiens. De toute façon, il peut à peine sortir de sa cellule, seulement une demi-heure par jour environ. Hier soir, un surveillant l'a vu se promener tout à fait tranquillement dans le secteur où logent les individus les plus dangereux de la prison. Quand il s'est fait attaquer, il n'a rien tenté pour se défendre. Selon les gardiens, ça ressemble à une tentative de suicide déguisée.

Je hoche la tête, le cœur en miettes. Je me sens coupable qu'il soit là par ma faute. Et j'ai mal pour lui.

— Maître Venne m'a avisée que vous aviez l'intention de partir en Espagne avec votre enfant aussitôt que vous aurez témoigné au procès de son client.

Esther a mis Claudia au courant ! Et moi qui croyais pouvoir lui faire confiance... Claudia, elle, me vouvoie tout à coup ! Elle prend une pause pendant que je réfléchis à la suite, puis Esther se hâte d'enchaîner :

– Nous avons trouvé des éléments qui prouveraient l'innocence de William.

– Lesquels ?

– Nous... nous ne pouvons pas en parler pour le moment.

L'hésitation avait été suffisamment longue pour que je comprenne qu'Esther bluffe.

– Mais nous avons besoin de lui... vivant ! Depuis son arrestation, nous voyons son état se dégrader de jour en jour. Il a besoin de quelque chose à quoi s'accrocher, sinon il ne tiendra pas le coup.

– Et tu veux que ce soit à mon bébé...

– Nous pourrions négocier une entente, me propose Esther. Par exemple, William renoncerait à sa paternité s'il est déclaré coupable des crimes, mais il aurait quelques droits sur l'enfant s'il est acquitté. Ça ne t'empêche pas de retourner dans ton pays, ça t'obligera seulement à planifier quelques visites père-enfant chaque année en retour d'une pension alimentaire.

– Je sens que je n'ai pas le choix d'accepter et je déteste ça !

– William apprendra un jour ou l'autre pour ta grossesse. Si nous négocions une entente tout de suite, tu es doublement gagnante. Premièrement, tu évites qu'il engage des recours légaux, ce qui t'épargne du temps, de l'énergie et de l'argent. Deuxièmement, tu seras libérée de lui s'il est jugé coupable. Ton enfant n'aura jamais à le rencontrer.

– J'ai une copine avocate qui travaille en droit de la famille, je vais la charger de négocier l'entente pour moi. Donne-moi ta carte, je lui demanderai de te contacter d'ici une semaine.

– Je te comprends d'être prudente, j'encourage même cette attitude.

Nous hochons la tête d'un même mouvement, et j'attends la suite, qui tarde à venir.

– En attendant que ton amie avocate et moi réglions ça, est-ce que tu veux quand même rencontrer William ?

Je jette un coup d'œil à Raphaël ; comme moi, il a l'air sceptique. J'ai peur de m'engager à respecter une pareille entente puisque je n'arrive pas encore à comprendre comment Claudia peut faire appel à moi pour remonter le moral de son mari. Et je ressens une honte profonde. Quelques semaines plus tôt, cette femme m'accueillait chez elle en s'efforçant de se montrer chaleureuse et agréable. William et moi aurions dû refuser, sous n'importe quel prétexte, de participer à cette mascarade.

– Laisse-moi réfléchir quelques minutes.

Je fais signe à Raphaël de me suivre et nous marchons jusqu'à l'extrémité du couloir. Je me tourne vers lui.

– Est-ce que je dois vraiment le rencontrer ? Je lui ai menti, je l'ai quitté, j'ai contribué à son arrestation... Il a toutes les raisons de m'en vouloir !

– Emma... Il t'aime, tu le sais. Tu devrais aller le voir.

Raphaël a raison, mais je garde à l'esprit que William doit tout de même ressentir beaucoup de colère à mon égard. Je retourne aussitôt auprès des avocates. Toute vêtue de noir, avec des cheveux de jais retenus en queue de cheval, maître Venne me paraît particulièrement austère cette nuit. Ses traits tirés témoignent sans doute de l'insomnie des derniers jours et du deuil qui l'afflige depuis la disparition brutale de Thomas. À l'aube de la quarantaine, elle m'a avoué que Thomas était son premier véritable amoureux, le seul homme qui avait vraiment pris une grande place dans sa vie.

– Je vais le rencontrer.

– Parfait. Ne sois pas surprise, il est menotté à son lit et il y a deux gardiens à l'intérieur de sa chambre, m'avertit Esther.

Claudia s'empare de quelques feuilles, déclare à Esther qu'elle va chercher du café et s'éloigne d'un pas pressé. Mal à l'aise, l'avocate s'excuse aussitôt pour l'attitude de sa consœur. J'éclate d'un rire narquois.

– Plutôt difficile d'accepter que la seule chose qui puisse motiver son mari se trouve dans le ventre d'une autre femme !

Esther me regarde avec stupéfaction.

– C'est même elle qui a proposé de te téléphoner...

Raphaël s'éloigne de nous. Esther semble soudainement très lasse, et je devine ses efforts pour relancer la discussion sur un autre sujet. Au même moment, le gardien posté devant la porte de William fait signe à Esther, qui s'approche puis pénètre dans la chambre. J'attends en faisant les cent pas. Appuyé contre un mur, Raphaël regarde dehors par la petite fenêtre du sixième étage.

Esther sort de la chambre au moment où Claudia revient.

– William est réveillé et accepte de te rencontrer. Il y aura un gardien avec vous.

Claudia n'essaie même pas de cacher sa tristesse. Au contraire, elle l'expose sans pudeur en me dévisageant avec une intensité troublante. Touché. La honte me submerge. Je pousse doucement la porte en me demandant de quoi aura l'air cet homme tabassé par des criminels.

Son visage est tuméfié, mais moins que je ne l'avais craint, et il est relié à de nombreuses machines. Son bras gauche est plâtré et sa main est menottée au barreau de son lit. Il doit éprouver un grand inconfort, ayant très peu de latitude pour bouger. J'ai du mal à croire que je suis vraiment en train de vivre cette scène, digne d'un film. Sans hésitation, je plonge mon regard dans le sien. Il paraît furieux de ma présence.

— Tu as du culot de te présenter ici après ce que tu m'as fait ! crache-t-il d'un ton rageur.

— Je... je sais, William.

— Je n'arrive pas à comprendre ce qui t'a poussée à agir ainsi. Le moins que l'on puisse dire, c'est que j'ai de très gros ennuis à cause de toi ! Mais qu'est-ce qui t'est passé par la tête ?

— Je regrette tellement, William ! Je ne pouvais pas savoir que ça tournerait comme ça... S'il était possible de revenir en arrière, crois-moi, je le ferais immédiatement !

Les larmes aux yeux, je garde le silence pendant qu'il m'observe avec acrimonie, frémissant de colère. Sachant que je m'apprête à lui causer un autre choc, j'inspire profondément et lance d'une voix incertaine :

— Est-ce qu'Esther t'a dit que j'avais quelque chose de bon à t'apprendre ? Je crois que cette nouvelle t'enchantera !

Je la dis tout de suite pour m'en débarrasser, anxieuse de connaître sa réaction :

– À l'hôpital de Mont-Laurier, je... je n'ai pas perdu mon bébé. Il est toujours là.

Muet de stupéfaction, il descend son regard humide vers mon ventre. Je prends sa main libre pour l'y déposer.

– J'attends une petite fille que j'ai décidé de prénommer Maxime.

Il retire sa main très vite et tourne la tête aussitôt. Il garde le silence. Je ne sais que dire, que faire ; chaque seconde me paraît interminable. Je regarde son profil. Je le trouve beau. Il me manque. Je comprends enfin ce qui me trouble depuis que je suis entrée dans cette pièce. William a perdu toute l'agressivité qui l'animait depuis l'incendie de la rue Wellington. Il semble faible, il a maigri. Claudia et Esther ont probablement raison de s'inquiéter pour lui. En moins de trois semaines, il a beaucoup dépéri.

– Pars, Emma. S'il te plaît, pars tout de suite !

– Pourquoi ?

– À quoi bon me torturer encore un peu plus ? Tu ne me laisseras jamais voir cet enfant-là. Va-t'en !

Je lui parle de l'entente que m'a proposée Esther. Il m'écoute attentivement puis secoue la tête.

– Si je suis libéré, on verra bien. Pour le moment, je préfère ne pas m'illusionner sur mes chances de voir mon premier enfant. Je ne m'inquiète pas pour toi. Raphaël remplira très bien le rôle de papa !

Même si je la comprends, sa réaction me surprend et me blesse. Sa voix est désespérément calme, dépourvue d'énergie.

– William, regarde-moi ! m'exclamai-je d'une voix tremblante. Je t'aime beaucoup, tu le sais ! Les faits sont là, devant moi, et je ne peux pas faire semblant de les ignorer. Je souhaite ardemment que ces « preuves » soient trompeuses et que ton innocence soit prouvée hors de tout doute. Je ne crois pas que nous pourrons, un jour ou l'autre, former un couple, une famille. J'espère quand même que ma petite fille pourra connaître son père et le voir en dehors des murs d'une prison. Bats-toi pour prouver ton innocence. Fais-le pour Maxime ! Que tu le veuilles ou non, la moitié de ses gènes viennent de toi. C'est ta fille !

Mes larmes tombent sur sa main. J'ai détruit toutes ses barrières, il ne joue plus aucun rôle. Le gardien de prison m'observe d'un air méprisant, mais je m'en moque.

– Jure-moi d'être prudente. Tu es enceinte, et un tueur court encore dans les rues... Protège-toi. Ne sors pas seule. Caroline Hélie est partie au Japon ; c'est le moment idéal pour retourner auprès de Raphaël. Il te protégera. Je lui fais confiance.

– Je te promets de jouer de prudence. Mais je te rappelle aussi que Raphaël est fiancé !

Déconcertée, je ne sais que dire d'autre. William a toujours été jaloux de Raphaël et il me suggère tout à coup de tomber dans ses bras !

– Maxime... C'est un prénom de garçon ! s'exclame tout à coup William.

– C'est unisexe. Ça me plaît beaucoup. Pas toi ?

– Je m'y habituerai si c'est ton choix.

– Quel aurait été le tien ?

– Je ne sais pas. Amélie. Non, Émilie.

Je passe ma main sur sa joue, et il se tort soudain de douleur en serrant son bras libre contre ses côtes. Il m'apprend qu'il a trois côtes fracturées.

– As-tu d'autres séquelles de cette agression ?

– Le médecin ne m'a rien dit encore, mais l'infirmière a cherché à me rassurer pour ces douleurs à la poitrine.

– Comment te sens-tu ?

– Mentalement, je vais mieux. Ça me fait du bien de te voir. J'essaye de me convaincre de ne plus me laisser toucher par toi, mais en vain : tu comptes vraiment beaucoup pour moi...

J'acquiesce, et William est saisi d'une violente quinte de toux. Lorsque ça se calme enfin, son front ruisselle. Je devrais le laisser se reposer, mais je suis incapable de prendre une décision. J'ai tellement envie de le croire, de plaider son innocence, de le soutenir, de l'attendre ! Et il est le père de mon enfant... Je me sens comme une girouette qui ne sait plus sur quel pied danser : j'oscille entre l'espoir et la peur.

– J'irai te voir à la prison, aussi souvent que je le pourrai. D'ici là, bats-toi pour faire éclater la vérité et pense que notre enfant, un jour ou l'autre, voudra connaître son père.

– Merci, Emma.

Je sors de la chambre avec un dernier sourire et un regard plein de compassion et de peur mélangées. Je me sens confuse et je demeure près de la porte un certain temps, les bras croisés, la tête basse. Quand elle m'aperçoit, Esther abandonne les papiers qu'elle consultait et vient vers moi pour me demander des nouvelles. Elle devine mon trouble.

– Il a l'air encouragé, dis-je sans la regarder.

– L'important, c'est qu'il tienne à la vie assez longtemps pour prouver son innocence.

Je m'éloigne pour ramasser la veste que j'avais déposée près de Raphaël. Je veux partir. Les salutations sont vite expédiées et je pousse un long soupir lorsque je me marche enfin dehors. Le bras de Raphaël me couvre les épaules, et j'ignore depuis quand et pourquoi il s'est retrouvé là.

– Tu es une femme fascinante, Emma Sanchez !

J'éclate d'un rire déconfit.

– Tu as le don de faire douter les gens de leurs sentiments pour toi...

Je repousse son bras et me retourne vers lui. Il me fixe d'un regard brillant, alors que son malaise est pourtant palpable. Qu'essaie-t-il vraiment de me dire ? Est-ce un aveu ? Et que dois-je répondre ? Six mois plus tôt, j'aurais été folle de joie, j'aurais tout laissé tomber pour retourner avec lui. Maintenant, pas question de briser un autre couple ! De toute façon, je ne dois pas oublier que je pars pour l'Espagne dans quelques mois. Sagement, je préfère donc éviter toute réponse.

Raphaël m'ouvre la portière de sa voiture tout en me proposant de prendre le déjeuner au restaurant. J'acquiesce.

J'ai hâte d'être à la maison mais, d'un autre côté, la solitude dans laquelle je m'enferme pèse lourd sur mes épaules.

– Est-ce que tu veux me raconter comment s'est passée ta rencontre avec William ?

– Plutôt bien.

– Je te sens troublée.

Il n'a toujours pas démarré la voiture et m'observe intensément, à tel point que j'en deviens mal à l'aise. Raphaël se ressaisit vite. Je le reconnais bien là. Nous nous éloignons de l'hôpital, et je ressens un profond soulagement.

– Je ne sais pas ce qui m'arrive, Emma, lance-t-il comme si chacun des mots lui brûlait la gorge. Depuis l'incendie, j'ai de plus en plus envie d'être avec toi. L'idée de ton départ m'angoisse. Je ne me comprends pas et je me sens coupable. Envers Caroline mais aussi envers toi et même William.

Je me sens surprise qu'il m'avoue quelque chose d'aussi étonnant, comme ça, en voiture, à six heures du matin, sans préambule. Pendant des années, j'ai dû lui arracher les mots de la bouche pour le faire parler de ses sentiments.

– Tu te trompes, lui dis-je en secouant la tête. Nous avons été réunis par les événements, mais notre histoire d'amour est derrière nous. Quand nous serons tous les deux en sécurité, ces sentiments s'évaporeront.

– Tu as sans doute raison... Je suis désolé, je te promets de ne plus t'embêter avec mes états d'âme.

Je n'ajoute rien, mais je songe à la possibilité qui s'offre à moi : reconquérir Raphaël ! Pourquoi certains événements ne se produisent jamais au moment où nous souhaiterions vraiment qu'ils nous arrivent ? Raphaël a choisi de se fiancer alors que, de mon côté, je porte l'enfant d'un autre. La tristesse m'envahit.

– Veux-tu déjeuner chez moi ? J'ai acheté des croissants au chocolat hier soir et je suis devenu expert dans l'art de faire des crêpes aux fruits.

– Vraiment ? Je dois absolument te voir à l'œuvre, alors !

Comme d'habitude, je fais comme chez moi dans cet appartement que nous avons longtemps partagé et je vais m'installer au salon après avoir préparé du café, laissant Raphaël se débrouiller avec ses casseroles.

J'ouvre la télévision et prend un livre posé sur la table de salon. Il s'agit d'un guide touristique de Tokyo. Pauvre Caroline. Elle aurait été horrifiée d'entendre les propos que son fiancé a tenus, quelques minutes plus tôt.

Le temps passe et je me désintéresse peu à peu des beautés de cette ville que je n'ai jamais eu envie de visiter au cours de mes périples en Asie : trop de monde, trop de pollution. J'écoute le bulletin des sports, puis deux reportages sur la politique. Je m'étonne quand le lecteur de nouvelles parle d'un cadavre découvert dans un rang de campagne... à Stoke, à dix minutes de route du Centre hospitalier universitaire de Sherbrooke.

J'apprends que la femme d'une trentaine d'années était portée disparue depuis six semaines et qu'elle n'était pas enceinte. Je soupire de soulagement. Même si William se trouvait encore en liberté au moment de la disparition, les méthodes me paraissent trop différentes pour que ce soit l'œuvre du tueur en série des Laurentides. À la télévision, le policier parle de la possibilité qu'il s'agisse d'un imitateur, et je m'empresse d'approuver cette hypothèse.

Le journaliste répète le nom de la victime. Mon sang se fige dans mes veines. Pour la deuxième fois de ma vie après Lucie Gallant, je connais la victime d'un homicide. Elizabeth Hannon est la fille aînée de Brian Hannon, le directeur du service des incendies...

Chapitre 20

Raphaël entra dans le garage et s'arrêta près du camion pompe. Il se sentait comme un étranger au poste 2, un endroit qu'il avait pourtant longtemps considéré comme sa seconde maison. Il avait envie de se sauver, bien qu'il fût conscient de devoir faire face à la réalité un jour ou l'autre. Il devrait recréer un esprit d'équipe, faire confiance à un nouveau lieutenant qui avait peu d'expérience et la réputation d'être très téméraire, puis combattre le feu et affronter ses pires craintes.

Raphaël monta au second étage pour y prendre son nouvel habit de combat, dont le jaune vif contrastait avec le jaune sale des autres vêtements. À quelques mètres du sien, un crochet était vide : le matricule 50 ne serait probablement plus jamais porté par un pompier sherbrookois. Raphaël tourna la tête. Thomas lui manquait. Il s'assit sur un banc et pria son partenaire. Il avait besoin de soutien.

Tant de choses s'étaient passées depuis que Thomas les avait quittés ! Raphaël, qui avait longtemps pu se vanter d'être l'un des pompiers les plus en forme du service, n'avait toujours pas retrouvé sa santé ; il avait surtout perdu son enthousiasme face à son travail. Sa fiancée avait déjà quitté le pays et il ne la reverrait que dans les premiers jours de janvier, période où il avait planifié un séjour de trois semaines au Japon. Et William croupissait au fond d'une cellule en attendant la tenue d'un procès qui, selon l'avis de son avocate, lui laissait bien peu de chances de s'en sortir sans être déclaré coupable.

Six heures quarante-cinq. Raphaël entra dans la caserne où déjeunaient les pompiers de l'équipe de nuit. L'accueil fut chaleureux, et Raphaël, tout à coup, s'ennuya des activités de groupe, de l'esprit de famille qui unit les membres d'une équipe. Ils auraient à rebâtir le groupe 2, mais Raphaël avait maintenant l'impression que c'était possible.

Le pompier consacra une partie de sa journée à l'entraînement. En fin d'après-midi, Julie Gaudette vint le retrouver et elle monta sur le vélo stationnaire pendant qu'il soulevait des poids.

– J'ai soupé avec Emma, hier soir. Elle est magnifique ! Malgré les craintes du début de sa grossesse, sa petite ne semble pas avoir trop de séquelles, elle a même l'air plutôt vigoureuse. Je l'ai sentie bouger !

Raphaël prit grand soin d'éviter le regard de la pompière. Il préférait ne pas trop parler d'Emma, même s'il savait que Julie comptait parmi les meilleures amies de l'Espagnole.

– J'ai hâte au procès pour en connaître davantage sur les preuves que les policiers ont retenues contre William. Ils doivent avoir quelque chose de très solide pour en arriver à porter des accusations aussi monstrueuses ! Viols, meurtres, incendie criminel ayant causé la mort...

L'enquête sur l'incendie de la rue Wellington avait été rouverte dès l'arrestation de William, et l'incident que les enquêteurs avaient d'abord considéré comme un « suicide » s'était soudainement transformé en meurtre. Thomas avait été blanchi d'une accusation aussi grave que farfelue. Raphaël n'arrivait toutefois pas à croire que William puisse être aussi machiavélique, ce qui l'amenait à se poser certaines questions à propos de la qualité de l'enquête policière. Une bombe avait été retrouvée dans l'édifice, mais avaient-ils une preuve directe qu'elle y avait été déposée par l'un ou l'autre des deux pompiers ? Les enquêteurs se fiaient-ils uniquement aux circonstances, aux conversations sur la radio et aux témoignages des survivants ? Trop mince, selon Raphaël : une même phrase pouvait avoir dix significations différentes selon les contextes et un témoignage un peu trop subtil pouvait tout changer. Il regrettait amèrement d'avoir menti aux enquêteurs. Il aurait aimé revenir en arrière, mais il ignorait quelle route prendre pour le faire.

Raphaël, tout à coup, s'affola : « Et si c'était toi, le machiavélique, dans tout ça ? Et si tu n'avais jamais dû te mêler de toute cette affreuse histoire ? »

Une voix dans les haut-parleurs de la caserne tira Raphaël de ses pensées. Sa collègue le regarda. La tension de Raphaël monta en flèche ; vu le nombre de camions appelés, il se doutait fortement qu'il s'agissait d'un appel pour un incendie.

« Rendez-vous au 880 rue Lapierre pour un feu de bâtiment. »

Julie avait déjà quitté la salle d'entraînement quand Raphaël réagit et se mit à courir vers le garage. Le pompier enfila ses bottes à toute vitesse et jura quand son pied s'enfonça dans un morceau de gâteau. Il n'avait pas le temps de réagir, puisque ses confrères étaient déjà montés dans le camion. Il remonta son pantalon de combat et les rejoignit, de mauvaise humeur. Son partenaire, Samuel D'Arcy, la conductrice, Julie Gaudette, et le lieutenant, Jonathan Beaupré, riaient à gorge déployée.

— Rebienvenue dans le groupe 2, Ralph ! s'exclama Samuel, qui continuait de se tordre de rire.

— Très drôle ! rétorqua-t-il en secouant la tête. Mon pied glisse dans la botte, c'est vraiment désagréable !

— Pensais-tu vraiment qu'on laisserait passer l'occasion de te jouer un mauvais tour ? demanda le lieutenant sans quitter la route des yeux. Hé ! après une longue absence, on doit te traiter comme une recrue... qui a beaucoup d'expérience !

— Je vous signale que je suis déjà passé par là et que je ne me suis pas amusé pendant mon absence. J'aimerais donc retrouver mon poste d'aîné !

— Je crois qu'on peut te l'accorder ! rigola Jonathan.

Raphaël finit par se détendre et endossa sa bouteille d'air. L'incident lui avait permis de cacher son anxiété dans sa colère.

Au même moment, une première équipe arrivait sur les lieux de l'incendie et faisait son rapport sur les ondes radio :

— 203 au contrôle, 10-18. Bâtiment de trois étages, bois/brique, toit plat, affectation résidentielle à tous les étages. Douze logements. Fumée et flammes apparentes secteur 2, sous-sol et rez-de-chaussée. PC stationnaire secteur 2.

— Bien reçu, 203.

— 203 au contrôle. Avez-vous des détails concernant l'évacuation ?

— Négatif, répondit la préposée du 911.

Raphaël grimaça malgré lui. Déjà nerveux d'affronter un incendie, il se retrouverait en plus sous les ordres du vieux Gamache, pour qui il n'avait aucun respect.

– Ralph, tu as de la chance de pouvoir te remettre dans le bain aussi vite ! lui dit Jonathan. À leur retour, Samuel et William ont dû attendre beaucoup plus longtemps pour affronter un incendie comme celui-là !

– Oui, j'ai de la chance, murmura Raphaël, se retenant de dire qu'il aurait aimé revenir au travail un peu plus calmement.

Samuel et Jonathan sautèrent du camion avec la même hâte, tandis que Raphaël se traînait derrière eux. Gamache organisait l'opération de recherches et il envoya aussitôt les pompiers D'Arcy et Sansoucy faire le tour du rez-de-chaussée. Il tendit une radio à Raphaël.

– Étant donné que tu n'as pas d'escalier à monter, tu ne devrais pas la perdre, cette fois !

Furieux, Raphaël saisit violemment la radio en lui jetant un regard hargneux. Il avait envie de lui crier que c'était Thomas qui avait perdu son appareil dans l'escalier, mais à quoi bon ? Le vieux se rappelait ce qui lui convenait et rien d'autre ! Un coup sur l'épaule le ramena à l'ordre ; Jonathan lui faisait signe de passer outre et de faire son travail. Raphaël se rendit près du camion pompe pour prendre de l'équipement, mais son lieutenant l'en éloigna pendant quelques secondes.

– Les circonstances de l'incendie sur Wellington demeurent nébuleuses pour plusieurs de tes coéquipiers, Ralph. Tu ne le sais peut-être pas, mais une vieille mentalité affirme qu'un pompier doit mourir avec son partenaire.

– Quoi ?

Raphaël avait failli s'étouffer en entendant des paroles aussi dénuées de sens.

– De toute façon, sans l'intervention de Sanchez, je serais mort aussi !

Derrière la visière qu'il venait tout juste de glisser sur son visage, Raphaël scruta son lieutenant. Pourquoi personne ne lui en avait parlé avant ? Il aurait dû penser que son retour ne serait pas bien perçu par tout le monde ! Pourtant, il demeurait convaincu que ses collègues ne devraient pas se montrer aussi durs pendant une intervention de cette importance ; il y aurait d'autres endroits pour régler leurs comptes. Pour le moment, toutes les énergies devraient être consacrées à combattre cet incendie.

– À toi de faire tes preuves, aujourd'hui. Laisse les autres dire, et toi, agis ! J'ai confiance en toi !

Jonathan s'éloigna et Raphaël rejoignit son partenaire au pas de course. Ils pénétrèrent au rez-de-chaussée par l'arrière et visitèrent les deux premiers appartements sans trop de difficulté puisque l'incendie ne les avait pas encore atteints.

– Module 12 au PC, dit Raphaël. Impossible de nous rendre dans les deux appartements du secteur 2, au rez-de-chaussée. Flammes et chaleur intense. Il faudrait arroser.

– PC à module 12, bien reçu. Sortez, on va se mettre en mode « attaque » dès le retour des équipes.

Raphaël retrouva l'air libre avec soulagement et s'étonna de s'apercevoir qu'il avait presque entièrement consommé l'air de sa bouteille. Il dut retourner au camion afin de la changer.

— Une vraie recrue, rigola Samuel en lui tapotant l'épaule amicalement. Tu devrais te calmer si tu ne veux pas sortir toutes les huit minutes !

— Contrairement à toi et aux autres, j'ai failli mourir dans le brasier, et mon partenaire a été brûlé vif sous mes yeux. Laisse-moi une chance de retrouver confiance ! aboya Raphaël.

— Hé ! calme-toi !

— J'ai déjà Gamache sur le dos, je n'ai pas besoin que mes amis mettent de la pression en plus !

Samuel leva les mains comme pour demander un temps d'arrêt au base-ball.

— Laisse-moi prendre les devants, je vais te couvrir. Tu ne risques rien.

Raphaël secoua la tête. Il ferma les yeux, s'appuya contre le camion. Il revivait tous les souvenirs de l'incendie de la rue Wellington avec acuité.

— Ralph, reprends ton souffle et secoue-toi, sinon tu donneras des munitions à ceux qui ne souhaitent pas ton retour ni celui d'Emma. Fais-moi confiance.

— Je ne peux pas, je serai incapable de retourner dans le brasier ! Je revois tout... Ce n'est pas ma faute, mais je revois tout, j'entends encore ses cris, je...

— Tu vas venir avec moi, un point c'est tout ! s'écria Samuel avec une pointe d'impatience. Thomas est mort, mais aujourd'hui, il y a un bâtiment qui brûle, et tu es payé pour combattre les flammes. Allez !

« Lucie... c'est moi qui... qui... Tout est de ma faute ! »
Comprendrait-il un jour la signification exacte de ces quelques
mots qui l'avaient plongé dans un enfer encore plus noir que
celui de la mort ? Depuis, il n'avait plus confiance en ses
proches ; il avait en quelque sorte mené à l'arrestation de son
lieutenant et camarade, et il n'avait pas manqué d'entraîner
Emma au cœur de sa déchéance. Il étouffait.

– Suis-moi !

Raphaël le suivit comme un automate sans remarquer
que Gamache et Beaupré, chacun dans son coin, avaient perçu
sa détresse. Il vit toutefois le signe de la main que son partenaire fit à Jonathan pour lui signaler que tout allait bien.

Gamache ne tarda pas à lancer de nouveaux ordres :

– Sansoucy, D'Arcy, Beaupré et Turcotte, attaquez au
rez-de-chaussée et tenez-moi au courant.

Raphaël suivit Samuel avec la désagréable impression
d'être en mode automatique. Il devait s'empêcher de réfléchir,
de ressentir et se contenter d'agir comme l'expérience lui avait
appris à le faire. Et surtout, il devait laisser de côté son instinct
qui, aujourd'hui, risquait de lui jouer de mauvais tours.

À l'aide de deux lances, les quatre pompiers arrosèrent
pendant une dizaine de minutes sans problème. Les flammes
se calmèrent rapidement, et Raphaël sentait qu'il recouvrait
peu à peu ses esprits.

– On va aller voir à l'intérieur, cria Samuel à l'intention de
Jonathan. Couvrez-nous.

Le lieutenant hocha la tête, un peu étonné que Samuel
emmène Raphaël au cœur de l'appartement en flammes.
Conscient qu'il s'agissait peut-être de la meilleure façon de

l'aider à vaincre ses démons, il approuva et s'effaça pour les laisser passer. Samuel franchit le seuil de l'appartement le premier. Il s'arrêta pour examiner les lieux : les pompiers se tenaient dans la cuisine et, en face d'eux, le couloir menait à quatre autres pièces. La fumée avait perdu de son intensité, si bien qu'ils parvenaient à voir jusqu'au fond de l'appartement. Dans les deux pièces de droite, les flammes rugissaient encore. En avançant, ils constatèrent qu'il s'agissait de deux chambres. Ils devaient à tout prix entrer dans ces pièces puisque c'était là que les pompiers découvraient le plus souvent les gens inconscients.

Ils arrosèrent un moment pour calmer les flammes, mais Samuel remarqua avec étonnement que la chaleur demeurait très intense. Il avança de quelques pas dans la pièce, puis se pencha pour mieux voir. À première vue, rien. Il fit demi-tour, la température commençant déjà à l'accabler.

Raphaël, qui l'attendait sur le pas de la porte, vit tout à coup une forme noire étendue par terre. Un gros chat ! Il avança pour prendre la bête dans ses bras sous le regard intrigué et pressé de Samuel, qui passa à côté de lui pour retrouver la température moins oppressante du couloir. Raphaël recula à son tour et cria quand il entendit un craquement. Le sol s'ouvrit sous ses pieds et il implora spontanément Thomas de lui venir en aide. Sa chute ne dura qu'un moment, mais le pompier eut le temps de se rendre compte qu'il tombait dans une pièce fortement éclairée par des flammes hautes et vives. Il allait mourir ! Il le savait. Il ressentit d'abord une douleur aux genoux, puis aux bras, et il comprit qu'il avait atterri sur le sol, toujours vivant, mais encerclé par le feu. Il souffrait et pouvait à peine bouger. Il fit un geste pour prendre sa radio, mais un choc soudain lui fit perdre conscience.

Quand Raphaël se réveilla, il était dehors et plusieurs personnes s'affairaient autour de lui. Contre toute attente, Jonathan Beaupré rigolait en le regardant.

– Tu aurais probablement été le premier pompier au monde à mourir noyé !

– ...

– Tu es tombé tête la première dans la pièce du sous-sol que les gars étaient en train d'arroser. En perdant ton casque, tu t'es retrouvé le nez dans l'eau. Heureusement, on vous a vite sortis de là !

Raphaël tourna la tête et vit Samuel qui, assis à côté de lui, reprenait aussi son souffle.

– Je suis désolé de t'être tombé sur le dos, lui dit-il entre deux quintes de toux. Ça n'a pas dû te faire de bien.

– Ça va, rétorqua Raphaël.

Il s'efforçait de se redresser malgré une vilaine douleur au dos.

– Plus de peur que de mal, je suppose, reprit Raphaël, fort gêné de la situation.

– Tant mieux ! dit Jonathan en lui tapotant l'épaule. Sam et toi irez quand même faire un tour à l'hôpital pour vous assurer qu'il n'y a rien de cassé.

– Non, on peut continuer l'intervention ! objecta Samuel.

– Hors de question ! hurla soudain une voix derrière eux. Rentrez chez vous, ça vaudra mieux pour tout le monde. Sansoucy, je te jure que c'est la dernière fois que tes coéquipiers doivent te sortir du feu !

Le lieutenant Gamache dévisageait Sansoucy avec une rage qu'il ne s'efforçait même pas de camoufler. Raphaël vit le chat noir marcher derrière Gamache et il sourit malgré lui. Ses neveux possédaient un chat semblable et ils l'adoraient. Comment s'appelait-il, déjà ? Flocon !

— Est-ce que c'est ma faute si le plancher s'est écroulé sous l'effet de la chaleur ? Hé, l'équipe du sous-sol aurait dû nous aviser de faire gaffe pendant notre reconnaissance dans l'appartement !

— Trop facile de mettre la faute sur le dos des autres ! fulminait Gamache. À sa sortie du feu, Sanchez a fait exactement comme toi en accusant Turmel de tous les maux du monde ! Vous êtes deux pour...

Il s'arrêta, prenant soudainement conscience que ses paroles risquaient de lui attirer des ennuis. Il tourna les talons après avoir craché à Beaupré de les mettre tous les deux dans une ambulance et de leur octroyer un congé de quelques jours. Jonathan attendit que les autres s'éloignent pour se pencher vers Raphaël.

— J'irai voir le directeur, ce soir. L'attitude de Gamache devient de plus en plus malsaine, ça ne peut plus continuer comme ça !

— Avec la mort de sa fille, est-ce que Hannon a vraiment la tête à entendre parler de mes problèmes ?

— L'attitude de Gamache n'est pas seulement *ton* problème ; c'est devenu *notre* problème à tous parce qu'il empoisonne la vie des pompiers déjà démoralisés par la mort de Thomas et par l'arrestation de William. Peu importe ce qui arrive, tu reviens travailler demain, compris ?

— Oui, répondit Raphaël sans le moindre enthousiasme.

— Parfait. Allez, bonne chance, les gars !

Il se leva pour laisser la place aux ambulanciers qui arrivaient près d'eux. Samuel jeta un regard nébuleux à son partenaire. Raphaël se doutait qu'il lui en voulait de l'avoir entraîné dans la spirale de ses ennuis, bien qu'il n'ait eu aucun moyen de déceler l'effondrement du plancher. Impuissant, il rageait en son for intérieur.

Raphaël passa de longues heures à l'hôpital, où une radiographie montra qu'il s'était à nouveau fracturé deux côtes. Sa première intervention et il obtenait un mois de congé supplémentaire ! La colère le consumait de plus en plus vivement. Il apprit sans trop s'étonner, et avec un certain soulagement, que Samuel n'avait aucune blessure, sinon une petite fracture au pouce de la main gauche. Comme il partait en vacances dans quelques jours, il n'aurait pas à profiter longtemps de son congé maladie. Son ami avait retrouvé sa bonne humeur et son optimisme habituels lorsqu'ils montèrent dans un taxi.

– Ce type d'accident peut arriver à tout le monde, Ralph. Pourquoi te mettre dans un tel état ?

Comme si Samuel ne s'en doutait pas ! Après plusieurs mois passés seul chez lui, Raphaël se réjouissait de pouvoir enfin revivre, d'avoir moins de temps pour réfléchir à la succession des événements qui s'étaient déroulés depuis la mort de Thomas. Retour au point zéro. Maintenant, il pourrait en plus s'attarder au fait que certains de ses collègues s'opposaient à son retour parce qu'il n'avait pas trouvé la mort aux côtés de son partenaire. Son second retour, après un deuxième incident grave, n'en serait que plus pénible.

Il n'avait pas envie d'en discuter. Il voulait rentrer chez lui et réfléchir, point à la ligne.

– Prends les choses du bon côté, dit Samuel en lui assénant une claque sur le bras. Ça te dit qu'on aille faire un tour au cinéma ?

– Non. Pas ce soir.

– Un film sur mon nouvel écran géant, alors ?

– Non, merci.

– Tu devrais cependant éviter de te précipiter chez Emma, lui dit Samuel d'un ton sérieux. Les rumeurs courent de plus en plus sérieusement à votre sujet. Plusieurs croient que tu es le mystérieux père de ce bébé...

Encore quelque chose qui se retournait contre lui ! Raphaël ne dit plus un mot avant leur retour à la caserne, où il s'organisa pour vite rentrer chez lui. Il s'enferma à double tour, mit de la musique classique pour s'aérer l'esprit. En vain. Il était torturé par des doutes, par une envie féroce de faire quelque chose pour soutenir William, mais il ignorait comment il devrait vraiment agir. Il tourna en rond chez lui jusqu'à ce que les médicaments qu'on lui avait administrés perdent leur effet et que ses côtes brisées commencent à le torturer. Il avala de l'aspirine avant de téléphoner à Esther pour lui demander s'il pouvait rencontrer William au cours des prochains jours. Elle acquiesça et lui appris que William avait été placé sur le programme « antisuicide » à cause de son attitude très inquiétante. Raphaël prit des notes et sursauta quand le téléphone sonna. Vingt-trois heures déjà !

– Samuel m'a appris ce qui vous est arrivé, lui dit Emma d'emblée. Viens me voir.

– Non, rétorqua-t-il d'un ton qui n'était pas du tout convaincu. Si j'étais raisonnable, je me coucherais.

– Je parie que tu as autant envie que moi de parler de cette interminable série de hasards. La liste ne cesse de s'allonger, Raphaël.

– Oui, mais nous devenons complètement paranoïaques !

Toutefois, elle avait raison sur un point : il avait envie de discuter avec elle. Il aurait de toute façon du mal à trouver le sommeil. Malgré les conseils de Samuel, il accepta l'invitation. Ils discutèrent jusqu'à l'aube, puis Raphaël dormit quelques heures sur le divan de sa collègue.

Chapitre 21

William se réveilla en sursaut, heureux de s'extraire d'un cauchemar atroce dans lequel, telle une ombre au-dessus de la mêlée, il avait vu un tueur en série mourir sur la chaise électrique. Le tueur, c'était lui.

Il regarda sa montre et constata avec dépit qu'il dormait depuis trois heures à peine. Les jours passant, il fermait l'œil de moins en moins. Il se leva et alluma la petite lampe qui éclaira sobrement la pièce.

Des romans, des cahiers et un album de photos trônaient sur une petite table. Il lisait peu, mais il prenait des notes aussitôt qu'une idée ou une question lui venait en tête. Il n'avait pas encore regardé l'album de photos que lui avait apporté Claudia la semaine précédente. Au terme d'une longue hésitation, il le prit et le posa sur ses genoux.

Claudia, Claudia... Elle passait le voir aux deux jours, parfois tous les jours. Son visage marquait son incompréhension et sa souffrance, mais elle ne parlait jamais de leur couple, concentrée qu'elle était sur le rôle professionnel qui la protégeait des questions plus douloureuses. William avait été surpris lorsqu'il s'était aperçu qu'elle ne portait plus son alliance. Réaction normale : six bijoux, appartenant à des femmes torturées et assassinées, avaient été retrouvés chez eux ! À chacune de ses visites, William surprenait le regard furtif qu'elle dirigeait vers sa main gauche. Lui continuait de porter son alliance, même s'il ne savait plus quels sentiments l'habitaient par rapport à sa femme.

Une seule fois, au début des procédures, William avait eu le courage de lui poser des questions par rapport à leur avenir commun. Le fixant d'un regard qu'elle souhaitait dur, elle lui avait répondu qu'elle avait déjà emballé ses affaires et que tout serait en place pour qu'il puisse quitter les lieux rapidement après sa libération. Quant à la séparation des biens, dont la maison, ils verraient ça devant un médiateur aussitôt qu'il en aurait l'énergie.

William inspira profondément et ouvrit l'album, tout à coup curieux de voir à quels souvenirs Claudia avait accordé le plus d'importance. Son coeur bondit dans sa poitrine lorsqu'il vit cette magnifique photo de leur mariage. À cette époque, il était convaincu que Claudia était la femme de sa vie. Pourquoi avait-il tout gâché ? Il était certes amoureux d'Emma, mais il avait jugé, dès le départ, qu'il y avait peu d'espoir que leur relation aboutisse à quelque chose de sérieux.

À la seconde page, Claudia avait glissé un article de journal racontant le sauvetage héroïque d'une jeune avocate par les pompiers de Sherbrooke. William ne s'était jamais senti « héroïque » d'être parvenu à sortir Claudia des flammes : il avait fait son boulot, un point c'est tout. Cet appel avait pourtant transformé sa vie pour le meilleur.

La page suivante montrait le couple en voyage au Venezuela. William s'efforça de se remémorer la date exacte. Oui, il avait déjà commencé à voir Emma en dehors des heures de travail... Il se frappa durement la tête contre le mur de sa cellule. Une fois, deux fois, trois fois... Il grimaça de douleur. Ce voyage avait été l'un des plus beaux du couple. Claudia n'avait pas parlé de boulot, et lui non plus, ils s'étaient contentés de profiter du beau temps et de s'occuper d'eux. Il se hâta de tourner la page parce que ces souvenirs lui donnaient la nausée et augmentaient la culpabilité qui l'étouffait et le tuait à petit feu.

Dans les pages suivantes, plusieurs photos de leur couple. Le cœur de William s'emballa tandis qu'il se questionnait sur la signification de ces choix. Claudia pourrait-elle être assez généreuse pour essayer de reprendre la vie commune avec lui ? Tout à coup, il souhaitait qu'elle vienne le visiter pendant la journée. Il avait envie de lui parler en tant qu'épouse, elle qui l'avait toujours épaulé dans les moments les plus difficiles de sa carrière. Il avait besoin de poser sa tête sur son épaule et de se laisser bercer l'espace d'un court instant. Dès l'ouverture de la porte de sa cellule, il lui téléphonerait.

Il regarda l'album de nouveau. Il y avait quatre photos d'Emma. William fronça les sourcils en se demandant où sa femme avait bien pu se procurer ces clichés qui provenaient visiblement de la collection privée de la pompière. Claudia avait-elle poussé le culot jusqu'à lui demander des photos ? William avait appris que Claudia avait elle-même convaincu Emma de lui rendre visite lors de son passage à l'hôpital ! Délicieuse ironie : sur la dernière photo, Emma était posée bras dessus, bras dessous avec Raphaël sur une plage espagnole.

Les photos suivantes montraient l'enfance de William dans sa campagne natale, où il avait passé tellement de temps à travailler à la ferme avec son père. William avait été secoué de perdre ses parents en même temps, dans un accident de la route, mais il se réjouissait qu'ils ne soient pas là pour voir dans quelle triste situation se trouvait aujourd'hui leur fils unique. Claudia avait encore fait preuve d'ironie en plaçant une photo du père et du fils en train de travailler sur leur terrain de Mont-Laurier !

Thomas et William, au fil de leurs années d'amitié, étaient illustrés dans les dernières pages de l'album. C'en était trop ! Le pompier bondit et lança l'album de toutes ses forces contre le mur. Son voisin de cellule hurla des injures auxquelles il demeura sourd, occupé à chercher une solution de grande urgence.

Dans son plan A, William parvenait à se faire acquitter, réglait ses comptes, trouvait le responsable de sa déchéance et après... Il ne savait pas encore. Maintenant, il comprenait que sa vie n'avait plus de sens. Claudia devait aussi s'en douter, non ? Elle avait rempli un album de photos montrant les personnes les plus importantes dans la vie de son mari et il n'aurait plus de relations avec aucune de ces personnes. Dans le plan B, il planifiait sa mort, conscient qu'il devait tout d'abord dénicher la meilleure manière de passer à l'acte. Constamment surveillé par les gardiens, il n'aurait pas la chance de recommencer s'il ratait son coup.

Vers huit heures, William se précipita sur le téléphone public et téléphona au bureau de Claudia, se doutant qu'elle devait déjà travailler. La secrétaire lui passa rapidement sa femme, qui s'étonna de l'entendre. Il ne lui avait jamais téléphoné depuis qu'Esther avait pris sa défense en main.

– J'ai besoin de te voir, Claudia. Ça presse !

– Esther doit passer te voir en début d'avant-midi..., répondit-elle aussitôt, sur la défensive.

– J'ai besoin de toi. Pas comme avocate.

— William, notre entente est pourtant claire ! bafouilla-t-elle. Je ne suis pas capable de...

— J'ai besoin de toi, l'interrompit-il d'un ton pressant. Je t'en prie.

Elle sentait très bien l'urgence et la détresse dans sa voix. Claudia s'arrêta au bureau d'Esther, qui était aussi plongée dans la paperasse, et l'informa de sa visite à la prison.

— Je suis soulagée qu'il réclame enfin de l'aide, avoua doucement Esther. Tout ça est difficile pour toi, Claudia, mais je m'inquiète beaucoup pour William. Il y a eu trop de morts dans cette histoire, à commencer par le seul homme que j'ai aimé. Je ne pourrais pas accepter que William parte aussi.

Esther glissa la main dans un de ses tiroirs avant de la tendre vers Claudia.

— Non ! s'exclama-t-elle en apercevant ce que sa consœur lui offrait.

— C'est à ton tour de lui sauver la vie.

Claudia baissa la tête en s'avançant pour prendre son alliance dans la main tendue de sa collègue. Elle n'oublierait jamais que William l'avait sortie des flammes et, à l'intérieur d'elle, elle avait toujours eu le sentiment qu'elle lui devait quelque chose. Esther avait peut-être raison. Si elle pouvait lui sauver la vie, elle devait le faire. Quand il irait mieux, il serait toujours temps de réorganiser les choses.

L'avocate se présenta à la prison vers neuf heures trente et patienta une demi-heure avant de rappeler sa présence au gardien. Il s'informa des raisons du retard et lui expliqua que le médecin de la prison examinait William.

Comme il s'agissait d'une rencontre entre un avocat et un client, ils avaient droit à une salle privée et Claudia en remercia le ciel. Elle n'aurait pas eu la force de patienter devant les gardiens et les détenus dans la salle des visites communes. Quand William arriva enfin, elle poussa un soupir de soulagement. Elle attendit que le gardien soit sorti pour lui prendre la main. Totalement inexpressif, il semblait habiter une autre planète avec son regard vague et brumeux. Elle l'invita à s'asseoir, ce qu'il fit sans attendre. Claudia déplaça sa chaise pour se rapprocher de lui. Leurs genoux se frôlaient.

Depuis sa conversation avec Esther, Claudia avait eu le temps de réfléchir. Elle aimait toujours son mari, mais elle ressentait beaucoup de colère et de tristesse quand elle pensait qu'il l'avait trompée pendant si longtemps. Lentement, elle comprenait que son calvaire, depuis cinq semaines, suffisait comme châtiment : elle n'avait pas besoin d'en rajouter, il souffrait déjà assez. Maintenant, elle essaierait d'adoucir sa vie sans toutefois lui donner l'illusion d'un possible retour ensemble. De toute façon, elle avait bien compris qu'Emma éprouvait encore des sentiments pour William... et elle se doutait que cela devait être réciproque. En tant qu'avocate, elle se réjouissait qu'Emma le croie innocent et qu'elle se situe du côté de la défense ; en tant que femme, ça lui brisait le cœur de devoir faire appel à celle qui portait l'enfant de son mari.

– Qu'est-ce que voulait le médecin ?

– Me faire une prise de sang et me secouer un peu. Les gardiens ont remarqué que je me nourris seulement de bouts de pain depuis une semaine.

– J'ai pensé que tu ne devais pas bien manger. Je me suis arrêtée à la pâtisserie avant de venir ici.

Elle se leva pour ouvrir sa mallette. Elle sortit une petite boîte contenant une pointe de gâteau au chocolat.

234

– Je sais qu'il ne battra pas le mien, mais j'ai manqué de temps après ton coup de téléphone !

Il sourit enfin, ce qui soulagea sa femme. Elle lui tendit la fourchette, mais il ne fit aucun geste pour la saisir.

– Tu as remis ton alliance..., murmura-t-il d'une voix à peine perceptible.

– Aux dernières nouvelles, je suis encore mariée ! répondit-elle d'un ton léger en espérant le détendre.

Elle fit une pause et déposa le gâteau sur la table quand elle comprit qu'il n'y toucherait pas. Elle mit sa main sur son genou.

– Je voulais te dire quelque chose depuis plusieurs jours, mais je n'arrivais pas à faire taire mon orgueil. C'est maintenant le moment !

William la dévisageait sans esquisser le moindre geste vers elle.

– Je t'ai dit que j'avais déjà rangé toutes tes affaires et que tu ne remettrais pas les pieds à la maison quand tu sortirais d'ici... La première partie est vraie : j'ai fait tes valises quand j'avais le cœur débordant de chagrin et de colère. La seconde partie est devenue fausse. Quand tu sortiras de prison, tu pourras demeurer à la maison tout le temps qu'il faudra pour te remettre sur pied et trouver des solutions. La seconde chambre sera prête pour t'accueillir.

Le pompier ressentit un immense soulagement et il se pencha aussitôt pour prendre sa femme dans ses bras. Très vite, ce fut elle qui le tenait. Pour la première fois depuis son arrestation, William pouvait profiter d'un peu de chaleur humaine. Malgré lui, il serra la blouse de sa femme dans ses poings, comme s'il voulait la retenir sans oser la toucher directement. Elle lui caressa doucement les cheveux en chantonnant une chanson douce. Il pleura, le front appuyé contre son épaule. Savait-elle le bien qu'elle lui faisait ? Il aurait aimé profiter de ses bras pendant des heures, pendant des jours entiers, mais la trêve prit fin trop vite : il se raidit quand elle le repoussa.

– Merci, dit-il sans oser la regarder.

– Mange un peu et on recommencera, rétorqua-t-elle avec un clin d'œil.

Contre toute attente, il prit le gâteau.

– J'ai des nouvelles pour toi, William. De bonnes nouvelles !

Il la regardait, sceptique : les bonnes nouvelles ne pleuvaient pas depuis son arrestation.

– Nous avons la date de ton procès : dans quatre semaines, jour pour jour. Quatorze journées de cour ont été réservées, ce qui devrait être amplement suffisant. Ton calvaire achève. L'autre bonne nouvelle, c'est qu'Emma ne sera alors plus très loin de son accouchement. Esther a signé une bonne entente avec elle, si bien que tu pourras profiter de l'enfant dès ta libération. Elle a même accepté que tu assistes à l'accouchement si tu le désires !

William ignorait quoi dire, quoi ressentir. Claudia devina la confusion sur son visage et chercha à le rassurer.

– Tu devrais te réjouir de tout ça, William. J'ai autre chose pour toi.

Elle fouilla dans un dossier et tendit une photo à son mari. Il sursauta en reconnaissant une échographie dont le nom de la mère, en haut à droite, indiquait « Emmanuella Sanchez ».

– Emma a officiellement choisi de la prénommer Maxime Émilie Maria Aimée. Sais-tu pourquoi elle a choisi Maxime alors que tout le monde s'entête à lui répéter que c'est un prénom bien plus masculin que féminin ?

– Non.

Mais elle avait ajouté Émilie pour lui. Un long frisson parcourut sa colonne vertébrale ; pour la première fois, il sentait son influence par rapport à cette fillette à naître.

– Quand Lucie était enceinte, Thomas lui avait dit qu'il prénommerait son enfant de cette façon, qu'il s'agisse d'un garçon ou d'une fille. Bien que les circonstances l'aient poussé à changer ses plans, il aimait toujours ce prénom... Voilà. Elle le fait à la mémoire de votre partenaire.

William déposa l'image et le gâteau sur la table et dévisagea encore sa femme, impressionné par la force qu'elle dégageait. Elle parvenait à se montrer chaleureuse et généreuse envers lui, avant de lui parler de sa maîtresse et de son enfant comme si tout ça était parfaitement naturel !

– Est-ce qu'il t'arrive de penser que je ne sortirai peut-être jamais d'ici, Claudia ? Moi, j'y pense tous les jours, presque à chaque seconde qui passe !

– Pour le moment, je refuse de croire à la défaite. Tu me connais, je suis une combative, je ne me laisse pas décourager facilement. Les policiers n'ont retrouvé tes empreintes nulle part, sauf sur le pot qui contenait le fœtus. Ils n'ont aucun témoin visuel. Tu n'as aucun antécédent de violence, même pendant ton enfance. Le doute raisonnable, William ! Nous réussirons à l'implanter dans la tête des jurés, ce sera notre stratégie, du premier jusqu'au dernier jour du procès !

– Oui, mais si le véritable tueur n'est pas arrêté, je ne vivrai plus jamais en paix, tout le monde continuera de douter de moi !

– L'assassin finira par frapper à nouveau.

Il ne pouvait s'empêcher de penser que la vie d'Emma était peut-être menacée et il avait peur pour elle. Étrangement, Claudia sembla lire dans ses pensées :

– Ne t'inquiète pas pour Emma. Avec l'accord de sa fiancée, Raphaël emménagera chez elle jusqu'à l'accouche-ment. Comme il est toujours en congé de maladie, il peut suivre Emma à la trace. Elle ne risque rien. Elle a très hâte d'être maman. Esther et moi sommes allées lui poser quelques questions, hier, et elle nous a rapidement montré la chambre de bébé : c'est joli et elle a très bien organisé son appartement.

– Comment fais-tu pour réagir aussi sereinement ? Tu es incroyable !

– Puisque je suis exceptionnellement ici en tant qu'épouse, je peux te dire toute la vérité. Je l'envie beaucoup. Elle me place face à mon échec de femme, elle me rappelle cruelle-ment mon choix de ne pas devenir mère pour laisser toute la place à ma carrière. Je ne me réjouis pas de mes défaites... de mes erreurs, mais je suis contente d'au moins pouvoir com-prendre pourquoi je t'ai perdu.

Depuis qu'elle connaissait toute la vérité, Claudia avait beaucoup réfléchi. Peu à peu, elle parvenait à départager ses torts de ceux de son mari. Elle acceptait son échec avec davantage de sérénité même si la trahison de William continuait de la faire souffrir. À son avis, la rancune ne servait qu'à coincer les gens, à entraver leurs mouvements et même à les tirer vers l'arrière. Elle ne connaissait qu'une direction, en avant !

— Est-ce qu'il est vraiment trop tard pour revenir au point de départ, ma chérie ?

William s'anima parce qu'une graine d'espoir venait d'être semée dans son esprit. Claudia, elle, fit entendre un rire triste, désabusé.

— Oui, beaucoup trop tard. D'autant plus qu'il est évident qu'Emma t'aime toujours... et que tu l'aimes aussi.

— Claudia...

Son téléphone cellulaire se mit à sonner au moment où William s'apprêtait à présenter ses excuses les plus sincères. Déçu, il baissa les yeux. Il les releva pour suivre la conversation quand il constata que sa femme semblait recevoir une mauvaise nouvelle. Pâle, elle raccrocha rapidement. Ses gestes étaient plus nerveux.

— Cette information ne te concerne pas. Esther me parlait d'un de mes clients, que j'ai plutôt délaissé ces dernières semaines. Je dois aller le voir tout de suite. Est-ce que tu finis ton gâteau ?

Il secoua la tête en l'observant. Claudia mentait effrontément.

— Dis-moi la vérité.

Elle hésita un moment, mais comme il avait compris...

– J'aurais préféré apprendre cette nouvelle ailleurs qu'en ta compagnie.

– Dis-moi tout !

La nervosité avait aussi gagné William ; une boule s'était rapidement formée dans sa gorge.

– Le procureur de la Couronne a oublié de nous signaler une « petite » preuve... Dans la voiture d'Elizabeth Hannon, les policiers ont retrouvé trois cheveux qui ne lui appartenaient pas. Et ils correspondent à ton ADN.

Le regard qu'ils échangèrent témoigna de leur incompréhension, de leur surprise. William se doutait bien qu'il avait perdu toutes ses chances de sortir de prison un jour. Il baissa la tête, ses épaules s'affaissèrent. Claudia vint le serrer dans ses bras. Elle pleurait, mais elle croyait toujours en son innocence. William ressentit immédiatement un immense soulagement. Il était au bout de ses forces. Et mourir lui demanderait moins d'énergie que de reconstruire sa vie...

Chapitre 22

En vingt-cinq ans dans la police, dont seize années passées aux enquêtes, Adam Chrétien en avait vu de toutes les couleurs. Il avait commencé sa carrière à la lutte contre les stupéfiants, puis aux mœurs, avant d'être muté aux crimes contre la personne. Par la suite, il avait rapidement été transféré dans cette brigade spéciale chargée d'enquêter sur celui que l'on surnommait le tueur en série des Laurentides. Au cours de sa carrière à la Sûreté du Québec, il avait procédé à de nombreuses arrestations et il avait pratiquement toujours eu la conviction d'avoir arrêté la bonne personne. Cette fois, après sept ans à se pencher sur l'affaire du *serial killer*, il n'était sûr de rien. Tous les indices menaient à William Turmel, mais Chrétien doutait.

Turmel ne correspondait en rien au profil qu'avaient dressé les psychologues et les psychiatres au fil des années. Le tueur en série devait être un homme froid, organisé, méthodique, cruel. Turmel, lui, n'arrivait même pas à dompter le caractère de sa maîtresse ! Et pourquoi se serait-il embarrassé d'elle s'il éprouvait son plaisir dans le sadisme ? Pour « sauver les apparences », il avait déjà une femme magnifique qui, de toute évidence, lui laissait toute la liberté qu'il souhaitait. Avoir un élément de plus à cacher, d'autant plus qu'elle ne lui avait jamais servi d'alibi, paraissait totalement insensé. De plus, le meurtre de la fille du directeur ne cadrait pas dans l'histoire. Il y avait trop d'erreurs, trop d'invraisemblances ! Si la légende raconte que les meurtriers finissent par commettre des erreurs dans le but ultime d'être arrêtés, les psychologues assurent que ce n'est pourtant pas le cas : leur confiance en eux augmente et favorise ainsi le risque d'erreurs, mais aucun criminel ne désire vraiment être arrêté. Tout ça dérangeait beaucoup l'enquêteur, même s'il ressentait un profond soulagement à l'idée qu'enfin l'homme qu'il traquait depuis sept ans se trouvait peut-être derrière les barreaux.

Cette arrestation avait été possible grâce à la confession d'Emmanuella Sanchez. Lorsque les policiers de Mont-Laurier l'avaient contacté, Chrétien s'était montré à la fois surpris et ravi. Il avait rencontré une jeune femme perturbée qui s'était efforcée de livrer des preuves... sans trahir son amant. Au total, il avait dû l'interroger trois fois. Honnête, elle demeurait cependant partagée entre ses sentiments et la réalité et elle protégeait Turmel chaque fois davantage. Chrétien se doutait qu'elle avait beaucoup enquêté avant d'aller voir les policiers. Son complice, Sansoucy, avait dû faire de même.

Chrétien se retourna vers Yves Dubois, l'enquêteur de la sûreté municipale avec qui il collaborait depuis le début de l'enquête à Sherbrooke.

— En diagonale, j'ai lu tous les dossiers des employés et tous les articles de presse des dernières années sur le travail des pompiers de Sherbrooke. J'ai aussi discuté avec plusieurs d'entre eux pour me forger une idée plus précise sur Turmel. Voici la seule chose que j'ai pu constater : William Turmel était un homme et un supérieur très respecté et apprécié.

Chrétien marchait de long en large, complètement obnubilé par les hypothèses qu'il tentait d'élaborer.

242

– Tous les spécialistes du service sont confondus par le portait psychosocial de Turmel, et je doute de sa culpabilité comme tous mes confrères. Toutefois, on doit reconnaître que tous les indices nous mènent à lui, ajouta l'enquêteur Dubois en ouvrant un carnet de notes.

– Oui, on se répète ça cent fois par jour ! Mais c'est trop beau, Dubois. On a cherché pendant des années, et voilà que les preuves se mettent à pleuvoir avec une étonnante concordance. Bizarre, non ?

– Peut-être, mais il faudrait un homme intelligent, bien au-delà de la moyenne, pour parvenir à tisser un filet aussi serré autour d'un suspect.

– Pas nécessaire d'être intelligent, il suffit d'être menteur et méthodique ! lança Chrétien. En raison de leurs horaires atypiques, ma seule quasi certitude est que le meurtrier doit être un pompier du groupe 2 ou 3. Tous les meurtres ont été commis en dehors de leurs heures de travail !

– Vous voyez bien que tout concorde avec Turmel...

Les arguments de Chrétien manquaient de poids et de crédibilité, mais Yves Dubois le comprenait de douter autant.

Chrétien regarda son carnet de notes. Sans la dénonciation de Sanchez, jamais il n'aurait été amené à enquêter au service des incendies. Elle était au cœur de tout ça. Elle ne disait pas tout.

– Qu'est-ce que Turmel a dit quand vous lui avez montré le pot dans lequel on a retrouvé le fœtus ? demanda Chrétien en se grattant la tête.

Il s'en souvenait très bien, mais il aimait parfois réentendre les réponses, comme si une graine de vérité lui avait échappé ou qu'un infime détail allait soudainement se révéler à lui.

– Que sa femme doit avoir deux cents pots Mason au sous-sol et qu'il lui arrive régulièrement d'offrir ses marinades ou ses sauces à spaghetti. Bref, il peut avoir touché à ce pot ailleurs que sur les lieux du meurtre !

– Bon, bon, bon... Il y a peut-être quelque chose, là. Qui peut avoir accès aux pots Mason de la femme et au garage du mari ?

– Le garage étant rarement fermé à clé, n'importe qui peut s'y introduire. Pour les pots Mason, il faudrait voir...

– Oui. Appelons Claudia Arnold. Elle doit chercher à se souvenir de toutes les personnes qu'elle a reçues chez elle depuis... disons six mois. Je vais m'en occuper.

Adam Chrétien se frotta les mains, soulagé de peut-être ouvrir une nouvelle piste d'enquête. Il ne voulait pas d'un innocent en prison. Une seule chose le dérangeait encore.

– Emmanuella Sanchez devrait être placée sous protection policière. Elle est peut-être en danger.

Dubois secoua la tête en lui disant que les effectifs s'avéraient plus utiles à enquêter sur le terrain qu'à surveiller une femme qui avait été avisée d'être prudente et de ne pas se déplacer seule.

– Si nous découvrons le moindre indice qu'il puisse y avoir un autre tueur, nous ferons protéger Sanchez pour éviter qu'il s'en prenne à elle. Sans cela, comment justifierons-nous une telle mesure ? Sinon, l'énigme est résolue : notre homme a déjà les menottes aux poings.

Chrétien hocha la tête. Quelque chose clochait. Il n'avait pas l'esprit tranquille lorsqu'il regagna son bureau. Un élément leur échappait. Pendant que l'ordinateur s'allumait à une vitesse désespérément lente, l'enquêteur appela Claudia Arnold. Il voulait la voir au plus vite. Des gens mentaient pour protéger quelqu'un ou quelque chose. Il devait comprendre avant qu'il ne soit trop tard.

Chapitre 23

Il *est midi. Autour, plein de monde. Je suis assis, le café est*
imbuvable. Étrange, pourtant : on m'avait dit que ce restaurant
servait d'excellents cappuccinos. J'ai mal aux côtes.

Jeune. Moins de vingt ans. De longs cheveux roux. Teints. Au
naturel, noirs. Quelques kilos en trop. De belles jambes malgré tout.
Une petite poitrine. Une jupe jusqu'aux genoux, mais un chandail
court qui dévoile un anneau au nombril. Elle me sourit, me
demande si j'ai besoin d'autre chose. Non. Elle s'éloigne. Je regarde
son ventre pendant qu'elle retourne essuyer des tasses et des assiettes.
Il est rond. Mais elle n'est pas enceinte. Dommage ! Elle me plaît.
Je me lève. Partir. Ça vaut mieux. Tranquille, tranquille !

Le temps est à la pluie. J'aime ça. J'espère un orage. La fureur
du ciel me rappelle ma propre fureur. Ça m'excite. Il y a déjà trop
longtemps que je n'ai rien pu faire. L'étau se resserre. Ma colère,
elle, grandit. Je frappe le trottoir du pied. Ça devait arriver un jour
ou l'autre, comment faire autrement ?

Une boutique de meubles pour bébés. Je ne l'avais jamais vue,
je suis surpris. Je m'arrête. Je réfléchis. Et si... ma colère montera
encore plus. Et mon excitation. Je ne pourrai pas me contrôler
longtemps. Je devrai recommencer. Je ne peux pas me le permettre !

J'entre. J'en ai trop envie. Les poings fermés dans mes poches. Une vendeuse discute avec une cliente, une vieille grand-mère. La commis est enceinte. Et tellement belle ! Elle a environ vingt-cinq ans. L'âge parfait. Beaucoup d'énergie, elles se débattent, elles crient, elles essaient de griffer... J'adore. Cheveux blonds. Dodue mais à peine, juste ce qui me plaît. Elle ne porte aucun maquillage, c'est encore mieux. Et son ventre est immense ! Elle accouchera bientôt.

Je perds la tête. Je ne dois rien faire. Me contrôler. J'ai des photos, j'ai... Sortir de cette boutique. Il le faut.

Je me suis retourné pour que la grand-mère ne voie pas mon visage. Je regarde les vêtements pour enfants en suivant tant bien que mal la conversation des deux femmes. La fille de la vieille accouchera dans quatre mois. Et la vendeuse dans trois semaines. Je prends mon portefeuille pour voir combien j'ai d'argent papier. Je veux acheter des vêtements. Sans carte de crédit.

La vendeuse vient finalement vers moi. J'ai déjà choisi une robe rouge, mais je lui demande conseil pour d'autres vêtements.

– Un petit cadeau pour votre bébé ? me demande-t-elle.

Son sourire est superbe.

– Non, c'est une de mes amies qui accouchera bientôt. Dans trois semaines, en fait !

Enthousiasmée par le sujet, elle me pose des questions sur la grossesse de mon amie, puis me parle d'elle. Je réponds, mais surtout, j'écoute. Elle me fascine. M'excite. Pleine d'énergie, de joie, d'entrain. Quand elle sera à ma merci, un moment... extraordinaire ! Douze heures maximum. Dommage de passer si peu de temps en sa compagnie. Reste à savoir comment je l'enlèverai. Et où je pourrai

248

la tuer. Je dois m'organiser. Vite. Je ne pourrai pas résister trop longtemps. Elle s'appelle Maggie. Bon, elle parle moins. À moi de relancer la discussion.

– Avez-vous choisi un prénom pour votre bébé ?

– Nous aimons bien Raphaëlle. Moi, je préfère peut-être Lucie. C'est plus doux. J'aimerais avoir une petite fille douce.

Je souris. Quel hasard ! Maggie m'est certainement destinée.

– Tout dépend des goûts, mais moi, j'aime les femmes avec un caractère fort. J'opterais pour Raphaëlle.

– Et votre amie ?

– Elle a choisi un prénom plus masculin que féminin : Maxime. Ça me plaît.

– J'aime bien aussi.

Je paie. Sa main touche la mienne quand elle me remet quelques billets. Je frissonne. Sa peau est douce et chaude. Elle me rappelle celle de ma mère.

Maggie sourit, me tend le sac contenant mes achats. Je lui rends son sourire et jette un regard circulaire autour de moi. La boutique est toujours vide. Étirer ma chance de mieux la connaître. Je dois le faire. Mon impatience m'a joué de sales tours, ces derniers temps. Un mensonge, vite ! Je lui dis que mon employeur a l'intention d'acheter un cadeau à la future maman et que j'aimerais lui conseiller un meuble utile. Maggie acquiesce, me fait faire le tour, tout en me parlant de mille et une choses. Elle ne me demande pas ce que je fais dans la vie. J'avais pourtant trouvé le mensonge parfait ! Je la questionne beaucoup, du ton le plus innocent possible.

J'apprends son nom de famille, le quartier dans lequel elle réside, j'apprends aussi que son père est le propriétaire de la boutique. Je jubile. Je l'aurai ! La chasse est ouverte. J'ai tout ce qu'il faut pour la traquer.

Je me donne six jours, pas un de plus, pour la kidnapper. Le défi m'enchante. Enfin, une femme à mon goût ! Les dernières ne m'ont pas conquis. J'étais pressé, traqué. Maintenant, tout est plus calme. J'en profiterai pleinement.

Pendant deux jours, je la suis, je la cherche, je la regarde. Je note tout, mais je jette tout aussi, pressé de me débarrasser de preuves éventuelles. Le mari de Maggie ne me plaît pas. Un colosse, comme l'autre... Mais plus souriant. Il travaille pour une usine de chocolat. Maggie le dépose au travail le matin, puis va à la boutique. Le soir, il rentre directement chez eux avec un collègue.

Je note et j'observe. J'ai décelé le meilleur moment et le meilleur endroit pour la kidnapper. Il me faut un jour de plus pour dénicher l'endroit où je la tuerai. C'est presque trop facile, mais j'ai de l'expérience. Beaucoup d'expérience.

Jeudi soir, vingt heures. Je me tiens derrière le conteneur à déchets, à l'arrière de la boutique. Lorsqu'elle travaille seule, personne ne s'y rend, sauf ma jolie Maggie. Accroupi, je l'attends depuis deux heures. Elle devrait bientôt venir. Je n'en peux plus d'attendre. Par le bruit dans le stationnement, je me doute qu'il y a beaucoup de monde dans sa boutique. Elle ne vient pas et je m'impatiente. Quand on dérange mes plans, je deviens beaucoup plus agressif. Mais toujours aussi prudent. Tant pis pour elle. À la fermeture, elle devra vider les poubelles. Je serai là. Encore là. Prêt à bondir. Je jubile à l'idée de l'avoir toute à moi.

J'appuie ma tête contre le conteneur. Emma. Je pense à elle. Depuis le début de sa grossesse, je me répète que c'est impossible entre nous. Rien ne serait pareil. On se connaît trop bien. Quand elle me regardera, juste avant de mourir, elle ne m'implorera pas comme les autres ; quand j'essaierai de la faire hurler ou supplier, elle s'entêtera à faire le contraire. Elle a une force de caractère hors du commun. Non, rien ne serait bon avec elle. Et c'est mon amie. Oublier ça. Non, non. Je m'égare.

Voilà. Voilà ! La belle Maggie approche. À la lumière du réverbère, je vois son visage fatigué s'approcher de moi. Puis elle me tourne le dos pour jeter ses déchets. Je bondis. Elle gémit quand je la frappe derrière la tête. Elle s'écroule et je la retiens tant bien que mal. Je l'étends par terre, la regarde. Elle ne saigne pas, elle est toujours aussi belle. Je sors les menottes de ma poche, lui attache les mains derrière le dos. Je la bâillonne. Je la relève, la porte jusqu'à la voiture. Je l'enferme dans le coffre. Pas de temps à perdre, mais je m'accorde dix secondes pour caresser son visage. Je reprends mon souffle. Malgré sa petite taille, elle est lourde avec ses huit mois de grossesse. Je n'aime pas cette partie du travail. Plus stressante, plus dangereuse. J'essuie la sueur sur mon front. Vite, me sauver. Le plaisir commencera lors de mon arrivée sur les lieux que j'ai choisis pour la tuer.

Je conduis une heure en respectant les limites de vitesse. Plus de vingt-deux heures à mon arrivée là-bas. Vingt-quatre heures, c'est le temps que je m'offre en sa compagnie. Vingt-quatre heures à vivre, Maggie !

J'ouvre le coffre de la voiture. Les yeux grands ouverts, le visage crispé par la douleur et la stupéfaction, elle me dévisage. J'enlève son bâillon. Ici, personne ne pourra l'entendre. Sauf moi. L'excitation monte. La prochaine journée sera la plus belle. Le plus fort. Le pouvoir. Le contrôle. Elle m'appartient. En faire ce que je veux. Elle n'a rien à dire, rien à refuser. À moi. Mes mains s'engourdissent, j'ai l'impression de mourir. Mais au contraire, mes forces se décuplent. Je l'observe. Mon souffle est court. Ses yeux sont remplis de panique.

251

— Qu'est-ce que je fais ici ? hurle-t-elle quand je lui arrache son bâillon.

— Une nuit de rêve. Avec moi. Allez, viens !

Je la sors du coffre. Elle gémit mais ne hurle pas, ne se débat pas. Elle me déçoit. Hé ! je veux m'amuser. Je la frappe dans les côtes, et elle s'écroule en criant enfin. Elle pleure et me supplie de la laisser partir. Je la regarde.

Ça me plaît, maintenant. Passer aux choses sérieuses. Je suis prêt. Le pouvoir m'appartient !

Maggie se relève tant bien que mal pour me faire face. Je la domine.

— Pourquoi faites-vous ça ? bredouille-t-elle. Vous êtes si beau, vous n'avez pas besoin de faire ça !

J'éclate de rire. Une remarque pareille me surprend ! Jamais entendue avant. Elle est lucide, non ? Et prête à toutes les bassesses pour m'amadouer. Elle tente déjà une stratégie pour sauver sa vie. Maggie ne me décevra peut-être pas, finalement. Du feu dans ses yeux. Remise de sa surprise initiale. Prête pour la guerre. Je m'en réjouis. Prêt aussi.

* *
*

Son corps en bordure de la route. Belle, belle Maggie ! On en a vu de toutes les couleurs en vingt-huit heures. Si belle ! Maintenant, elle n'est plus rien. Molle, sans vie, bleutée. Ensanglantée. Aucun remords. J'avais besoin d'elle. De son énergie. Je mets le bébé dans ses bras. Grande surprise pour Maggie : c'était un garçon. On a choisi Raphaël. Trop drôle !

Un dernier regard. Maggie fixe le vide. J'ai envie de la frapper du pied, mais non. Fini. Passer à la suivante. Avant, petite période de calme. J'ai besoin d'observer. Le procès. Emma. Son bébé. Non. Mais... Vite, partir. J'entends un bruit de voiture au loin. Partir ! Vite ! Maggie, c'est fini. Bébé Raphaël, c'est fini.

Je remonte dans ma voiture, et je fais beaucoup de route. Le jour s'est levé sans que je le voie naître. Encore une fois, c'est terminé. Je ne compte plus. J'ouvre la radio dans ma voiture. J'ai du sang sur la main droite. Une alliance dans ma poche. Maggie a déjà été retrouvée. Je secoue la tête. Je dois aller me laver. Jouer serré. Ça recommencera encore. Je le sais. Je n'ai pas envie de m'arrêter.

Chapitre 24

Rivée à mon écran d'ordinateur, je regarde avec émotion les images que m'a envoyées mon père par courrier électronique. Il a beaucoup travaillé et il a fait de véritables folies ! Je me sens presque coupable de l'avoir tiré brusquement du repos bien mérité de sa retraite pour le lancer dans des travaux aussi importants.

J'ouvre le second courriel, dont le seul commentaire est le suivant : « J'ai réservé tout ça, mais j'ai besoin de ton approbation et de ta décision définitive avant d'aller conclure la vente. Papa » Il a photographié les meubles qu'il a réservés, des meubles pour le bébé et pour moi aussi. Je suis bouleversée. Mon père est beaucoup plus heureux de mon retour que je n'aurais pu le croire.

J'appelle Raphaël, qui s'approche. Il est grognon depuis quelques jours. Je n'ai pas deviné ce qui le tourmente et je refuse de le questionner parce que je me bute à un mur depuis notre visite à l'hôpital. Il a probablement jugé qu'il s'était alors trop ouvert à moi. Je ne cherche même pas à deviner, trop de préoccupations me hantent déjà sans que j'en invente de nouvelles.

– Que penses-tu des couleurs ? Et des meubles ? Papa a vraiment fait un boulot fantastique !

– Oui, c'est bien..., répond Raphaël sans aucun enthousiasme. Lui donneras-tu ton approbation définitive ?

– Non. Je lui demanderai de patienter jusqu'au verdict. Après la naissance, j'ai l'intention de demeurer ici deux ou trois mois pour éviter le voyage en avion à un bébé naissant : je ne veux pas que Maxime ait mal aux oreilles ! Ça lui laissera le temps d'acheter et d'installer les meubles.

– Pourquoi attends-tu jusqu'au procès pour te décider ? Je pensais que plus rien ne pouvait te faire changer d'avis !

– Si William est libéré et qu'il a besoin de nous pour surmonter l'épreuve, je suis prête à lui accorder du temps auprès de sa petite fille...

– Plus il s'attachera à cette enfant, plus il souffrira quand vous partirez. Si tu veux le tuer, voilà la bonne méthode !

L'agressivité de Raphaël m'étonne chaque fois, lui qui est d'un naturel si calme ! Je réagirais d'habitude avec violence, mais plus maintenant. Je me sens dans une sorte d'état léthargique depuis quelque temps, comme si je voulais m'effacer pour que ma fille baigne dans un calme qu'elle a bien mérité.

– Alors William m'imitera et viendra continuer sa vie en Espagne avec moi. Tu as appris l'espagnol et tu t'es bien adapté à la vie dans mon pays, il pourra certainement en faire autant !

Raphaël hoche la tête et s'éloigne. Je ne le comprends pas. Je garde le silence avant d'aller finalement le rejoindre au salon. Assis par terre, il assemble la chaise berçante que j'ai finalement décidé d'acheter.

— Tu sais bien que je m'ennuierai beaucoup, alors je viendrai visiter mes amis chaque année. S'il le faut, je ne mangerai que du pain et de l'eau pour m'offrir le billet d'avion !

Il sourit à peine.

— Et tu seras toujours le bienvenu en Espagne. Tu la verras, ta filleule !

Il hoche la tête comme s'il voulait clore le sujet, mais je sens que je n'ai pas atteint ses véritables préoccupations. Je pense à Caroline. Elle a téléphoné hier, et nous avons discuté une dizaine de minutes en toute amitié. Elle s'est informée de ma grossesse et de l'enquête, puis je lui ai posé des questions sur son séjour au pays du soleil levant. Ensuite, Raphaël et elle ont discuté et il ne semblait y avoir aucune animosité entre eux. Peut-être me cache-t-il quelque chose.

— Est-ce que Caroline était vraiment d'accord à l'idée que tu habites avec moi jusqu'à la fin de ma grossesse ?

— Oui. Elle m'a dit qu'elle ne voulait pas qu'il y ait un meurtre de plus pour une bête question de jalousie !

— Tu as de la chance d'avoir une femme aussi mûre.

— Oui, une chance que je ne suis pas certain de mériter !

— Pourquoi ?

— Parce que je pense beaucoup à une autre par les temps qui courent...

Quelle invraisemblance ! Le moment est si mal choisi !

— Une fois ou deux, il m'est arrivé de souhaiter que William soit déclaré coupable et que Caroline décide de passer sa vie au Japon... Depuis ce moment-là, je ne suis pas très en paix avec moi-même..., lance-t-il du bout des lèvres.

J'ai le souffle coupé.

— Mais... et le bébé ?

— Je l'aime déjà parce que c'est ton enfant.

J'ai toujours été forte, mais les événements des dernières semaines m'ont beaucoup fatiguée et j'aurais bien besoin de poser ma tête sur une épaule réconfortante. Ça serait si facile – et agréable – d'aller me réfugier dans les bras de Raphaël, la personne dont je suis le plus proche ! Il me regarde intensément, droit dans les yeux. Je frissonne. J'ai envie de l'embrasser et ses lèvres sont juste là, à quelques centimètres. Malgré moi, ma main se déplace vers lui. Il la prend. Ses doigts caressent mon poignet. La réalité me rattrape brusquement. Et je refuse de continuer. J'ai déjà brisé un couple, je ne le ferai pas une deuxième fois ! Je retire sèchement ma main. Je rougis. J'ai honte. Raphaël se concentre à nouveau sur son assemblage, aussi sombre qu'une nuit d'hiver. Est-il peiné ou en colère, blessé ou souffrant ? La tension me paraît intenable. Pauvre petite Maxime, je voudrais tellement la protéger de ces violentes émotions qui m'assaillent !

— Je sais que tu étais prête à te marier, à fonder une famille. À moi d'avoir des regrets, pas à toi !

Même si je ressens autant de nostalgie que lui, je sais que nous ne pouvons pas revenir en arrière. La vie nous a amenés ailleurs. Je pense à Samuel, qui m'a proposé d'habiter avec moi jusqu'à l'accouchement. Peut-être serait-il plus sage de faire appel à lui, maintenant que se sont dévoilés nos véritables sentiments. J'en glisse un mot à Raphaël, qui se crispe davantage encore.

– Laisse-moi la chance de profiter de ta grossesse, me demande-t-il en me regardant droit dans les yeux. Et toi, Emma ? J'ai besoin de savoir...

Je ne lui dirai pas que je l'ai longtemps aimé, il le sait... Quand il m'a quittée, je me suis effondrée. Ç'a duré deux semaines, puis mon orgueil m'a incitée à sécher mes larmes. À la caserne, je lui parlais comme je l'avais toujours fait, souriante et détachée. Je camouflais ma souffrance, mais il connaissait mes sentiments profonds parce que nous avons rarement réussi à nous cacher quoi que ce soit. Simplement, trop de temps a passé et trop d'événements nous ont séparés.

S'il avait fait le ménage dans sa vie avant de me tendre la main, peut-être que j'aurais pu me laisser tenter parce que je n'aurais pas eu à vivre avec la responsabilité de sa séparation. Non. Je dois tourner la page une fois pour toutes.

– Je ne te répondrai pas. Ça ne changera rien. Tout de suite après mon accouchement – ou même avant ! –, tu devrais te rendre au Japon. Retrouver Caroline te permettra de « replacer » tes sentiments.

On frappe à la porte, mais je ne fais aucun geste pour me lever. Je n'ai pas envie d'être dérangée. Raphaël y va à ma place et revient en compagnie d'Esther. Son visage est rouge, ses yeux enflés, ses cheveux ébouriffés. Elle s'excuse de nous déranger et accepte un verre avec plaisir. Raphaël lui sert du cognac.

– William a été hospitalisé dans un état lamentable. Il passera quarante-huit heures à l'hôpital, puis il retournera à la prison où il recevra des soins spéciaux.

– Qu'est-ce qu'il a ?

Je ressens autant de tristesse qu'elle et ne cherche pas à m'en cacher.

– Il court droit au suicide. Il n'a presque rien mangé pendant une semaine, puis il a cessé d'avaler quoi que ce soit. Depuis trente-six heures, il n'a même pas bu une goutte d'eau... Je le vois se tuer peu à peu, et ça me brise le cœur. Ça ravive mon deuil. Je ne veux pas qu'il meure !

– Il ne reste plus que quelques semaines avant son procès... Pourquoi ne pas faire l'effort de tenir jusque-là ?

– Parce qu'il a peur.

Je caresse mon ventre. La réalité m'est inacceptable. Et dire que tout ça est ma faute ! Si j'avais tu l'existence du chalet des Laurentides, William ne serait pas dans une position aussi épouvantable. D'un autre côté, d'autres meurtres auraient peut-être eu lieu. Je n'avais pas le choix d'agir comme je l'ai fait ! Raphaël croit aussi avoir bien agi en se rendant au chalet, puis à la police, mais les remords le dévorent autant que moi. Comment aurions-nous pu penser que William serait entraîné dans une descente aux enfers aussi dégradante ?

– J'ai remis notre entente à ton avocate : William a finalement accepté de la signer.

Je hoche la tête, incertaine d'être satisfaite. Si William est déclaré coupable, mon enfant ne connaîtra pas son père, ce qui me désolerait et me blesserait profondément.

– William m'a demandé de changer son testament. Tu ne seras pas lésée, quoi qu'il advienne.

Je ne suis pas riche, mais je suis une grande fille qui gagne sa vie depuis longtemps. Je n'ai pas besoin de son argent pour assurer une belle existence à mon enfant !

— Est-ce que je peux lui rendre visite ?

— Bonne question. Difficile de savoir ce qui lui fait le plus de bien. Je l'observe beaucoup et je crois que c'est Claudia qui arrive à le calmer le mieux, comme si elle représentait une stabilité, un point de repère qu'il refuse de lâcher.

— Pourtant, elle semble très agressive !

Je tente de cacher la jalousie qui me dévore, mais elle ne passe pas inaperçue à Raphaël. De plus en plus, je me rends compte que Claudia recommence à prendre de la place, *sa* place, dans la vie de son mari. J'aimerais savoir si elle a l'intention de retourner avec lui, mais je me retiens de poser la question. Ce serait la meilleure chose qui pourrait arriver, non ? Malgré les apparences, je crois encore aux liens sacrés du mariage.

— Elle l'a été, mais plus maintenant. William lui a lancé un cri d'alarme qu'elle a su entendre.

Esther cale son verre et observe Raphaël. Elle remarque la tristesse qui assombrit ses traits, mais elle ne l'interroge pas sur les sources, elle les suppose.

— Caroline te manque ?

Il hoche la tête sans répondre plus précisément. Il se lève et remplit à nouveau son verre ainsi que celui de notre invitée, dont le moral semble vraiment au plus bas. Ses yeux s'arrêtent sur la photo du groupe 2 qui trône encore sur ma bibliothèque. Je ressens un pincement au cœur à l'idée que

261

cette équipe n'existera plus jamais. Thomas et sa sagesse me manquent. Je me suis souvent confiée à cet homme qui parlait peu, mais qui écoutait à merveille.

– Est-ce que tes coéquipiers connaissent maintenant la paternité de William ?

J'hésite. J'ai tout tenté pour la cacher, mais des amis proches l'ont certainement devinée. Samuel D'Arcy et Julie Gaudette ont probablement compris que j'avais eu une relation avec le lieutenant, bien que je n'en sois pas absolument certaine. Cela m'amène à penser à Samuel... Il me manque. Depuis que j'ai habité chez lui, dans les premiers temps de ma grossesse, nous ne nous voyons presque plus. Je devrais lui téléphoner dès ce soir. Sait-il à quel point je lui suis reconnaissante de m'avoir incitée à réfléchir aux conséquences d'un avortement ? Ma petite fille est le plus beau cadeau que la vie m'ait offert.

Je réponds à la question d'Esther, puis lance la conversation vers elle. Comment s'en sort-elle depuis la disparition de Thomas ? Cette femme, que je connais somme toute assez peu, me paraît solitaire et repliée sur elle-même. Elle se noie dans le travail, mais j'espère qu'elle a d'autres buts, d'autres rêves qui lui permettent d'avancer.

– Pour le moment, je me consacre entièrement à la défense de William. C'est tout ce qui compte pour moi. Je le crois innocent.

– S'il est jugé coupable et condamné...

Esther cale son second verre et ses yeux s'embrouillent. Je paierais cher pour me déplacer dans sa tête et découvrir ce qui la trouble. Mon instinct m'avertit tout à coup de me méfier. Je ne crois pas qu'elle soit contre nous, mais... un doute s'est insinué dans mon esprit. Bon, je ne devrais pas m'alarmer. Raphaël a raison quand il dit que nous devenons peu à peu paranoïaques.

– Je ne suis jamais parvenue à consoler Thomas de la perte de sa première femme. Si son meilleur ami est condamné injustement... un échec de plus à ma collection !

Esther prend l'affaire à titre personnel et veut venger la mort de Thomas. Jusque-là, je la comprends.

– Les enquêteurs ne se sont pas encore rendu compte que certaines personnes mentent, ajoute-t-elle.

Malgré moi, je souris. À mon avis, plusieurs personnes, Adam Chrétien et Yves Dubois inclus, ont compris que des mensonges circulent partout. La toile d'araignée présente de plus en plus de ramifications et plus personne n'arrive à la démêler.

– À mon avis, poursuit Esther, le tueur est un proche de William qui s'attend maintenant à être pris. S'il veut faire une dernière victime, il n'aura rien à perdre et il jouera le tout pour le tout... Tu le sais peut-être déjà, Emma, mais tu corresponds au profil type de ses victimes antérieures : autour de la trentaine, professionnelle, mince, jolie, beaucoup de caractère. Et enceinte de plusieurs mois. Il doit tourner autour de toi. À ta place, je disparaîtrais de la province sans laisser d'adresse à personne. Personne.

Chapitre 25

Un nouveau jour se levait. Toujours aussi gris, triste, déprimant. William s'assit sur son lit encore plus inconfortable que celui qui avait meublé son premier appartement en ville. Il étira le bras et prit le cahier qui lui servait de journal depuis quelques jours. Il devait jeter quelque part les idées qui lui martelaient les tempes et il avait choisi de le faire sur papier. Avant la fin, il pourrait tout détruire.

« C'est aujourd'hui le premier jour du procès. Même si chaque journée me paraît interminable, le temps a quand même passé vite. Emma accouchera dans quelques semaines. Je ne l'ai pas revue depuis ma première hospitalisation. Je la verrai tantôt. La hâte se mêle à la peur. D'un côté, j'aimerais connaître ce bambin, mais je me sens désolé de lui léguer un tel héritage psychologique : j'espère de tout mon cœur qu'Emma saura l'aider à vivre avec la perception d'un père condamné pour des crimes ignobles qu'il n'a pas commis... (Condamné ? Peut-être pas. Mais je meurs de peur.) D'un autre côté, je serai soulagé si je ne le vois pas. Ça vaudra sans doute mieux pour lui et je présume que Claudia ressentira aussi un certain soulagement.

« D'ailleurs, ma femme me fascine quand elle parle de "ma fille" ou de "votre bébé". Si Esther affirme que l'entente qu'Emma et moi avons signée est "parfaite", Claudia ne se montre pas aussi catégorique qu'elle à ce sujet. Ma femme prétend que j'ai le droit de connaître "ma fille" même si je suis déclaré coupable des meurtres et que je dois m'efforcer d'être un bon père. Penserait-elle la même chose s'il s'agissait de son enfant ? Moi, je ne sais qu'en dire. Si je suis libéré... Je n'ai pas envie de supplier Emma, de la déranger chaque fois que je voudrai passer du temps avec le bébé. Je ne veux pas non plus me battre contre Raphaël ou les voir, Emma et lui, bras dessus, bras dessous. Non ! Je suis jaloux. Emma l'a toujours su, je n'ai jamais pu le cacher. Comment faisait-elle pour ne pas se montrer jalouse de ma femme ? C'est simple, elle ne m'a jamais aimé. Avec le recul, je comprends tout.

« Ça fait mal de le constater. J'ai trompé Claudia parce que je me sentais seul, oublié et même rejeté par cette femme qui consacrait toutes ses énergies à sa carrière. J'ai voulu aimer et être aimé. J'avais l'impression que ça ne m'était pas arrivé depuis longtemps. Emma n'était pas prête à vivre ça. D'ailleurs, je me demande encore ce qu'elle recherchait dans notre relation...

« J'avoue avoir un long frisson lorsque je pense qu'un enfant naîtra bientôt et que ce bébé sera de mon sang et de ma chair. Le "miracle de la vie" dont me parlaient mes amis et mes collègues se pointe chez moi, mais je suis absent pour l'accueillir. Quelle tristesse ! J'aurais aimé être là dès l'accouchement pour serrer la petite dans mes bras. Pour la regarder et me demander à qui elle ressemble, de qui elle tient son petit nez ou ses longs doigts... J'aurais aimé serrer la main de sa maman et lui dire que je l'aime. Puis l'embrasser pour la remercier de m'avoir donné cette enfant. Les choses devraient normalement se passer comme ça, non ? Mais pas pour moi. Lors de sa naissance, Raphaël Sansoucy sera la première personne que verra Maxime Sanchez. Il la prendra très vite dans ses bras. Et elle finira par l'appeler papa. Moi, je jouerai les seconds violons.

« Depuis mon arrestation, il n'y a plus eu aucun meurtre. Mon patron a renvoyé mes affaires. Autrement dit, je n'ai plus d'emploi. C'est normal que la colère guide ses actes, je suis accusé d'avoir violé et assassiné sa propre fille ! (Esther continue d'affirmer que, grâce à la présomption d'innocence, il ne peut me suspendre sans solde ni me congédier avant que je sois condamné.) Raphaël habite chez Emma. Même si je l'ai souhaité pour sa sécurité, je ressens quand même un vilain pincement au cœur quand j'y pense.

« Claudia a beaucoup changé depuis que je lui ai lancé un appel à l'aide désespéré. Elle m'a dit que sa réflexion avait commencé longtemps avant, mais depuis, elle n'est plus seulement une avocate distante et efficace, mais aussi une épouse attentionnée qui m'offre un soutien personnel. Je lui ai causé beaucoup de souffrance en n'étant pas le mari qu'elle méritait d'avoir. Plutôt que de m'engager dans notre relation et de chercher à l'améliorer quand les choses se sont mises à déraper, je me suis désinvesti et j'ai regardé ailleurs. Pauvre idiot ! Ça m'a mené à quoi ? À un échec sur toute la ligne. Pourtant, quand elle me regarde droit dans les yeux, je la trouve toujours aussi magnifique et elle me manque. Elle est trop bien pour moi, c'est sans doute pour ça que je n'ai pas pu être digne d'elle.

« Grâce à Esther, je suis toujours au parfum des dernières nouvelles. Raphaël habite chez Emma avec l'accord de sa fiancée partie au Japon. Elle est toute jeune, Caroline...

« Quelques semaines avant mon arrestation, mon équipe et moi nous sommes rendus dans un vieil édifice pour un "feu de cuisinière". On s'en doutait, mais on ne pouvait rien faire : le feu s'était caché dans les conduits d'aération et, deux heures après notre départ, on a dû retourner sur les lieux pour éteindre les flammes qui s'étaient propagées à l'appartement au-dessus. On savait que ça arriverait, mais on ne pouvait pas agir avant que les flammes ne se pointent au deuxième étage...

« Caroline, elle, savait ce qui allait inévitablement se produire entre les deux anciens amants en les laissant à nouveau vivre ensemble. Elle avait le pouvoir d'empêcher les choses de dégénérer, mais elle a préféré "faire confiance". Croire aux contes de fées peut encore arriver lorsqu'on a son âge ! Même si Esther affirme toujours le contraire, je crois fermement qu'Emma et Ralph ont recommencé à dormir ensemble...

« Bon. J'ai toujours aussi froid, ce matin. Dans une heure, je devrai m'efforcer d'avaler une ou deux rôties, puis j'enfilerai le complet-cravate que m'a fait parvenir Claudia. Qui viendra à mon procès ? Emma, puisqu'elle doit témoigner dès la première ou la deuxième journée. Raphaël sera là pour les mêmes raisons. Les médias ne rateront pas le rendez-vous. Mon armée d'avocats sera au poste : maîtres Arnold, Venne et Vézina, en plus de deux ou trois assistantes. Qui d'autre ? Mon directeur, certains collègues peut-être. De quel côté seront-ils ?

« Je pense à Esther. Cette femme m'impressionne beaucoup par sa très grande force. Elle ne ressemble pas du tout à la première épouse de Thomas. Pourquoi a-t-il choisi Esther après plus de cinq ans de veuvage ? Nos collègues ont pourtant été nombreux à lui présenter des femmes dont plusieurs rappelaient la douceur de Lucie. Aujourd'hui, j'espère qu'il a sincèrement aimé Esther. Mais j'en doute. Bon, j'exagère peut-être. Je vois tout en noir. Cette personne cache des mers de secrets, et l'amour qu'elle croit avoir partagé avec Thomas est le dernier point d'attache qui la retienne à l'espoir. Elle a peu d'amis à part Claudia et moi. Si elle perd la lutte énergique qu'elle a entreprise pour me sauver, je ne sais pas ce qu'il adviendra d'elle. Elle s'écroulera. J'aurais aimé l'aider à se relever, mais je ferai partie intégrante du problème et je m'envolerai ailleurs, loin de tous ces problèmes.

« Les gardiens ouvrent maintenant les cellules, je les entends venir vers la mienne. Dans deux heures, je m'assoirai dans le box des accusés. Mes pensées divagueront sans doute autant que maintenant. Depuis un certain temps, je n'arrive pas à fixer mon esprit sur quelque chose, il saute d'un endroit à un autre comme s'il cherchait un îlot confortable où se loger... Esther m'a dit que les problèmes de concentration étaient un signe de dépression. Mais je ne suis pas dépressif... »

Le prisonnier déposa son crayon.

Vers huit heures cinquante, William Turmel fut face à face avec son avocate principale qui portait la toge. Elle s'efforçait de sourire, mais il remarqua qu'elle avait les yeux vides pendant qu'elle ajustait sa cravate.

– J'ai mal aux épaules, lui dit-il après un long silence. Sans doute parce que mon matelas n'est pas confortable !

Esther lui fit un clin d'œil. Il avait les mains attachées dans le dos depuis presque une heure.

– Comment te sens-tu, ce matin ?

– Déprimé.

– Tu n'es pas coupable, William. Tu dois rester confiant. La vérité triomphera.

« Cliché ! » pensa-t-il en réprimant un sourire désabusé.

– Merci, Esther. Tu es peut-être la seule personne à véritablement me croire innocent. Ça me soulage de penser à toi.

Puis il demanda à son avocate de lui parler de ce qui l'attendait pendant sa journée au banc des accusés. Elle le prépara au pire. Les témoignages contre soi n'étaient jamais faciles à entendre. Et que dire du regard du public, des amis qui ont tourné le dos, de ceux qui vous croient coupable de ces atrocités inimaginables !

— Emma ?

— Son témoignage sera plutôt neutre, elle se contentera de décrire comment elle a découvert le petit chalet...

— Dis-moi... Est-ce que Raphaël et Emma...

William s'interrompit, mais Esther avait tout de suite compris.

— Non. Il ne se passe rien entre eux.

— Et Claudia ?

— Qu'est-ce que tu veux savoir ?

— Est-ce qu'elle a rencontré un autre homme ? Elle porte à nouveau son alliance, mais je n'arrive pas à voir si elle est sincère ou non, si elle croit toujours en notre couple ou si elle me soutient par pure bonté d'âme. Ou par intérêt personnel...

— Tu la connais bien, rétorqua vivement Esther, je ne devrais pas avoir à répondre à ce type de question !

Esther marqua une pause pour constater que William semblait fort préoccupé par ces questions.

— Concentre-toi et écoute tout ce qui se dira pendant le procès. À la pause ou à l'heure du repas, tu pourras me signaler tous les détails que tu auras remarqués, par exemple si tu notes des incohérences dans un témoignage.

Il acquiesça, mais l'avocate sentait une grande nervosité chez lui. Elle lui serra le bras une dernière fois afin de l'encourager.

– Garde la tête froide.

Le pompier fut amené au box des accusés. Il n'osait pas lever la tête vers la salle bondée. Il ne se sentait pas prêt à affronter une vérité qui lui paraissait trop difficile. Un gardien lui enleva enfin ses menottes, mais il ne frotta pas ses poignets qui le démangeaient parce qu'il avait trop honte de s'être présenté détenu devant une telle assistance. Même s'il avait envie de voir Emma et son ventre rond, il ne pouvait se résoudre à tourner la tête. Il avait mal au cœur. Il avait froid.

Le juge se présenta dans la salle et tout le monde dut se lever. William en profita pour tourner rapidement et discrètement les yeux vers la foule. Emma le fixait d'un regard noyé de larmes. Elle était belle, vraiment belle.

Un sentiment d'espoir naquit tout à coup dans son cœur et lui redonna un peu de courage. Il désirait connaître son enfant ! Il devait s'en sortir en commençant par affronter le regard de ses collègues, de ses proches. En prison, il avait reçu fort peu de visite. Cinq pompiers seulement étaient venus vers lui : Emma, Raphaël, Samuel et Antoine, les quatre membres de son groupe de travail depuis de nombreuses années, ainsi que Julie Gaudette, qui accompagnait Samuel. De toute évidence, comme Esther, cette jeune femme ne croyait pas en sa culpabilité. Elle se tenait à côté d'Emma et le scrutait intensément.

Pendant presque toute la journée, le procureur de la Couronne et les enquêteurs exposèrent les nombreuses preuves accumulées contre Turmel. Il n'écoutait presque pas, connaissant chacun des éléments pour les avoir étudiés pendant des heures, pour avoir cherché n'importe quel élément qui aurait pu jouer en sa faveur, voire l'innocenter. Il n'y en avait pas et il le savait.

Vers quinze heures trente, Emma fut le premier témoin appelé à la barre.

Le procureur de la Couronne l'interrogea longuement quant aux raisons qui l'avait amenée à retourner dans les bois pour explorer ce chalet. Emma se montra évasive, tellement que le juge la ramena à l'ordre à deux reprises. La pompière suivait les conseils d'Esther et regardait souvent dans la direction de William. Jusque-là, peu de gens connaissaient la relation qui avait uni les deux collègues.

Esther avait longuement réfléchi à la stratégie à adopter avec ce témoin de la Couronne qui, heureusement, leur était favorable. Plus le procès approchait et plus les preuves s'accumulaient contre son client : elle avait donc décidé de jouer le jeu de la dernière chance, de prendre tous les risques. Emma avait tout de suite accepté ce stratagème, même si elle s'exposait à salir sa réputation.

– Madame Sanchez, depuis combien d'années connaissez-vous William Turmel ?

– Je l'ai rencontré pour la première fois lors de mon arrivée au Service de protection contre les incendies de la Ville de Sherbrooke, il y a huit ans. Nous avons toujours travaillé ensemble, d'abord comme coéquipiers, puis il a été promu lieutenant.

– Pouvez-vous nous parler de vos relations avec lui ?

– Oui. Grâce à nos nombreuses affinités et à nos intérêts communs, nous avons toujours été en bons termes. Il y a deux ans, après ma séparation, nous nous sommes rapprochés...

Elle inspira profondément. Ses doigts serrèrent sa robe.

— Nous sommes même devenus amants.

La pompière marqua une pause alors qu'un murmure s'élevait dans l'assistance. Elle regarda l'avocate, qui hocha discrètement la tête pour lui montrer que tout allait bien. William dévisagea son ancienne maîtresse, fort mal à l'aise qu'elle se voie contrainte d'exposer publiquement leur histoire personnelle. Elle lui sourit maladroitement.

— William est le père de l'enfant que je porte. Lorsqu'il l'a appris, nous nous trouvions dans le bois, à une demi-heure de marche de son chalet et tout près de la cabane où j'ai plus tard trouvé le fœtus. Je présentais plusieurs symptômes d'une fausse couche.

— Comment a-t-il réagi alors ?

— Il m'a soutenue et conduite à l'hôpital le plus rapidement possible.

Esther s'aperçut que son confrère de la Couronne bougeait sur sa chaise, comme s'il hésitait à soulever une objection. Le juge semblait aussi se demander à quoi rimait tout ça. Elle devait faire vite.

— Qu'est-ce qui s'est passé ensuite ?

— Les médecins m'ont traitée et je porte toujours ce bébé. Grâce à William.

Un nouveau murmure s'anima dans la foule. Esther lança une dernière question :

— Croyez-vous que William Turmel puisse être l'auteur d'une quinzaine de meurtres de femmes et de bébés à naître ?

– Non, absolument pas. Je lui confierais même mon enfant sans la moindre inquiétude !

L'avocat de la Couronne bondit et hurla ses objections tandis que la salle d'audience fourmillait de paroles chuchotées et d'exclamations retenues. Deux jurés s'étaient même penchés pour se glisser un mot à l'oreille. Touché ! Avec sa question illégale, Esther avait joué le tout pour le tout.

Le juge accepta volontiers les objections et expliqua aux jurés qu'ils ne devaient pas tenir compte de ce qu'ils venaient d'entendre parce que la Cour n'était pas l'endroit où les témoins pouvaient donner leur avis personnel : ils devaient rapporter des faits et les jurés devaient eux-mêmes se forger une opinion à partir de ce qu'ils venaient d'entendre. Un témoin ne devait jamais essayer de les influencer d'une quelconque manière.

Le juge reconnut la stratégie de la défense et roula de gros yeux à l'intention de maître Venne, qui fit mine de rien. Tous deux étaient pleinement conscients que les jurés, même s'ils se voyaient demander d'oublier l'avis personnel offert par le témoin, n'y parviendraient pas. Ces informations, surtout lorsqu'elles soulevaient un pareil tollé, resteraient présentes dans un recoin de leur mémoire, et ils y repenseraient quand viendrait le temps de délibérer.

Maître Venne remercia son témoin qui, aussi fatiguée que soulagée, se leva pour quitter son siège. Au passage, elle regarda William. Il lui souriait. Un beau sourire, un sourire... reconnaissant qui n'échappa ni à Esther ni à Claudia.

Emma s'installa près de Raphaël. Elle sentait que Brian Hannon la scrutait, mais elle n'osait pas se tourner, consciente qu'il devait rager qu'elle ait témoigné en faveur de l'homme accusé du meurtre crapuleux de sa fille chérie. Emma s'attendait d'ailleurs à ce que son aveu lui fasse perdre de nombreux amis. « Bien fait pour moi ! s'était-elle dit au moment d'accepter la proposition d'Esther. Je dois payer pour mes erreurs de jugement. »

Samuel, qui était assis derrière elle, se pencha et serra doucement son épaule. Emma se retourna vers lui. Ses yeux brillaient comme s'il admirait son courage. Ses lèvres bougèrent légèrement : « Tu peux compter sur moi. Je suis là. » Elle le remercia d'un signe de tête.

Raphaël répondit à très peu de questions concernant la découverte du petit chalet, mais les deux avocats le questionnèrent beaucoup plus longuement à propos de l'incendie où Thomas avait trouvé la mort. Esther parvint à l'écouter et à l'interroger sans sourciller.

Raphaël offrait un témoignage sans grande surprise. Vers la toute fin, l'accusé et le témoin se regardèrent. William reconnut la pitié et la lassitude dans le regard épuisé de son confrère. Une décharge d'adrénaline le traversa. Il comprit soudainement qu'il n'avait aucune raison de s'effondrer ni de s'apitoyer sur son sort comme il avait trop tendance à le faire depuis son arrestation. Pourquoi avoir honte ? C'était au système de rougir de son inefficacité, pas à lui !

Une immense colère naquit tout à coup en lui. Raphaël quittait la barre des témoins. Ami ou ennemi ? « Un rival, pas un ennemi. Dans la vie, il faut savoir passer par-dessus certaines choses si on veut arriver à ses fins », se dit William en serrant les dents. Il se jura de ne plus jamais baisser la tête devant qui que ce soit.

Enfin, William se tourna vers la foule. Il avait besoin de savoir qui le jugeait et qui le soutenait. Il scruta tous les visages un à la fois. Une douzaine de ses confrères étaient assis sur les chaises de bois. Seuls les membres de son équipe lui adressèrent des signes de tête gênés. Brian Hannon s'efforçait de montrer un visage impassible, mais le lieutenant devinait la colère qui l'habitait puisqu'il ressentait la même révolte. Plusieurs veufs se tenaient ensemble dans la dernière rangée, le visage fermé, parfois ravagé. La veille, un reportage avait été diffusé à propos de certains membres des familles des victimes qui avaient pris un long congé afin d'assister au procès. Si Thomas avait survécu à l'explosion dans le vieil édifice, aurait-il été là, lui aussi, pour épier le présumé meurtrier de sa femme ?

Debout dans un coin de la salle, l'enquêteur Adam Chrétien observait le tableau d'un air détaché. Un carnet de notes était posé devant lui et il griffonnait. Que recherchait-il ? Un suspect. Il avait posé plusieurs questions à Claudia concernant leurs fréquentations, leurs amis, leurs visiteurs. Depuis l'arrestation de Turmel, Chrétien n'avait cessé d'enquêter, mais sans trouver la moindre preuve qu'une autre personne ait pu être impliquée dans cette longue série de crimes. Son instinct, qui ne l'avait jamais trompé en seize années aux enquêtes, lui hurlait que Turmel était trop doux, trop amoureux, trop *normal* quoi, pour être le psychopathe tant recherché. Le véritable criminel se trouvait probablement dans la salle. Tout près de la belle Emmanuella, enceinte de plusieurs semaines...

Le juge ajourna le procès jusqu'au lendemain matin. Un gardien remit les menottes à William. Plus indulgent cette fois, il lui laissa les bras devant lui.

– Ça va aller, William ? demanda Claudia, une pointe d'inquiétude dans la voix.

Elle ne reconnaissait plus l'homme devant elle. Apathique quelques instants plus tôt, il paraissait maintenant furieux.

– Je ne suis pas coupable !

– Je le sais très bien.

Le gardien s'impatienta et tira son bras. William résista, il voulait quelques secondes supplémentaires. Claudia avait blêmi.

– Si Emma se fait agresser, je tuerai de mes propres mains le salaud qui se sera acharné à détruire ma vie, celle de Thomas et celle d'Emma ! Je vous le jure !

– Ne répète jamais des paroles comme celles-là ! s'exclama Esther à voix basse, craignant que ces menaces ne nuisent à la crédibilité de son client.

Occupé à parler dans son radio émetteur, le gardien de prison n'avait pas entendu les menaces proférées par le prévenu. William le suivit docilement dès que son avocate lui eut affirmé que Claudia et elle continueraient de se battre pour découvrir toute la vérité. La salle se vida rapidement. Adam Chrétien écrivait toujours dans son petit calepin noir.

Chapitre 26

Vers sept heures, malgré ses cauchemars répétés, William Turmel se réveilla dans un état qu'il qualifiait de « positif ». Trois journées avaient passé depuis le début de son procès. Il le suivait avec attention, à la recherche du moindre détail qui pourrait l'aider à semer le doute dans l'esprit des jurés. Enfin, il retrouvait le goût de vivre et un peu d'énergie. Il était plus déterminé que jamais à se battre, il se démenait d'ailleurs beaucoup pour préparer sa défense.

Selon les analystes, les tactiques de maître Venne portaient leurs fruits : le jury semblait perplexe et avait à plusieurs reprises demandé des explications au juge concernant les procédures ou la qualité des témoignages qu'il venait d'entendre. Maintes fois rappelée à l'ordre, Esther jouait sa réputation pour parvenir à la libération de son client. Elle posait ses questions à un rythme endiablé et plaçait souvent les témoins de la Couronne en position de protection, ce qui était excellent pour nuire à leur crédibilité. Tranquillement, elle implantait le doute dans la tête des quatre femmes et des huit hommes qui devraient se prononcer sur le sort du lieutenant Turmel.

William jubilait en pensant qu'il quitterait peut-être bientôt cette aile froide et triste de la prison de Sherbrooke. Maintenant, il comprenait pourquoi le temps passé en détention préventive, en attente de procès, comptait pour le double du temps une fois la sentence prononcée : les prisonniers n'avaient droit à aucun privilège, pouvaient très peu sortir de leurs cellules, n'avaient accès ni aux gymnases ni aux autres salles communes et marchaient dehors moins d'une vingtaine de minutes chaque jour. Il fantasmait maintenant à l'idée de retrouver son lit, ses livres et peut-être aussi les petits plats et les bras de sa femme... Et comme il serait bon de pouvoir se balader à l'extérieur, tondre la pelouse ou faire un saut dans l'eau fraîche de la piscine !

Mais s'il devait sortir de prison, sa vie aurait changé. Être acquitté pour « doute raisonnable » n'était pas synonyme d'acquittement, mais simplement que douze hommes et femmes n'étaient pas parvenus à s'entendre sur la culpabilité du suspect, point à la ligne. Tant que l'assassin ne frapperait pas à nouveau, il serait constamment épié, surveillé, craint. Il ne pourrait pas demeurer seul, de crainte de n'avoir aucun alibi au moment où surviendrait le prochain meurtre. Il craignait le véritable tueur des Laurentides, dont l'intelligence et la finesse dépassaient l'entendement. Cet être immonde resterait-il longtemps inactif ? William souhaitait parfois qu'il tue à nouveau pour qu'on cesse de le soupçonner au plus vite. Un immense sentiment de culpabilité le serrait à la gorge quand il se rendait compte qu'il espérait la mort d'une autre femme, même si sa propre survie en dépendait.

Et puis, il y avait Emma... Depuis qu'il l'avait revue au procès, William se rendait vraiment compte qu'il serait bientôt père. Quel choc ! Il avait envie de vivre sa paternité, de prendre dans ses bras cette petite qui ressemblerait sans doute à sa mère avec ses cheveux bouclés et ses yeux bruns. Il ressentait un certain trouble lorsqu'il s'imaginait, dans quelques années, marcher main dans la main avec elle dans un parc d'attractions ou sur une plage de sable chaud. Enfant, il adorait la mer. Emma en raffolait aussi. Leur fille ne ferait pas exception, non ?

Toutefois, contrairement à son père qui ne voyait la mer qu'une fois l'an pendant les vacances, la petite pourrait chaque jour la contempler puisqu'elle vivrait constamment au bord de la mer, chez son grand-père ou dans la nouvelle maison de sa mère... En effet, Maxime habiterait l'Espagne. Emma lui apprendrait le français, mais la langue maternelle de sa fille serait toujours l'espagnol. Pour communiquer avec elle, William devrait l'apprendre à son tour.

Un sentiment de colère et de frustration mêlées naissait en lui lorsqu'il pensait à tous les inconvénients de la situation. S'il avait été le moindrement sensé, cette fillette aurait été celle de sa femme. Le bébé aurait dormi dans la chambre voisine de la leur, aurait parlé français et aurait grandi auprès d'un père fasciné par elle et déterminé à se faire pardonner tout le mal qu'il avait fait autour de lui.

William entendit un gardien s'approcher. Un voile noir s'abattit subitement sur lui. À quoi bon penser à tout ça ? Il serait peut-être déclaré coupable et sa vie se résumerait à ces murs blancs et sales de la prison de Sherbrooke. Pire encore, il serait sans doute transféré dans un pénitencier montréalais à sécurité super maximale, loin des siens...

La colère explosa en lui et se mêla au désespoir qu'il cachait sous une mince carapace. Du pied, il frappa son lit à plusieurs reprises.

*   *
*

J'entends la télévision ou la radio que mon nouveau colocataire a allumée. J'ai mal dormi et je suis soulagée qu'il soit enfin sept heures. Ma copine Isabelle m'avait pourtant prévenue que les fins de grossesse n'étaient pas de tout repos. Je commence à ressentir tous les maux dont elle m'avait parlé en pleine connaissance de cause : les maux de dos, de jambes, la sensation de lourdeur dans tout le corps, la vessie qui joue des tours... J'ai très hâte d'accoucher !

Hier après-midi, j'ai rendu visite à mon gynécologue, qui m'a sagement conseillé de me reposer au maximum et de marcher le moins possible. Le travail pourrait se déclencher n'importe quand, et Maxime a encore besoin de ces quelques semaines de gestation pour prendre des forces supplémentaires. La pauvre naîtra minuscule, mais néanmoins en forme. Les jours passant, ma nervosité grimpe en flèche : je m'impatiente de la prendre dans mes bras et de constater que, malgré des circonstances pénibles, j'ai pu donner naissance à un petit bout de fille en santé.

Je ne sors plus sans avoir les numéros de téléphone d'Isabelle et de Julie Gaudette bien rangés dans mon portefeuille. Je ne veux pas être seule au moment où je mettrai ma fille au monde. Même Mélanie Sansoucy, mon ancienne belle-sœur, a offert de venir me tenir la main, puis elle a vite été imitée par son frère.

D'ailleurs, hier, Raphaël et moi avons tous les deux vidé nos comptes bancaires... Dans les derniers jours de janvier, je partirai pour l'Espagne, mon bébé dans les bras. Le surlendemain, il s'envolera pour le Japon comme il l'avait planifié avant même que Caroline ne signe son contrat.

Armée de ma double nationalité, j'avais le privilège de pouvoir acheter un billet d'avion en aller simple. Raphaël a cependant exploré le réseau Internet jusqu'à ce qu'il déniche une offre que je ne pouvais pas refuser : un billet aller-retour en solde avec la possibilité d'utiliser le second billet dans les douze mois suivant le départ. Excellente idée, puisque je pourrai ainsi revenir quand bon me semblera pour permettre au poupon de passer du temps avec son papa et son parrain.

Je pleurais à chaudes larmes lorsque j'ai cliqué sur le bouton « Acheter ». Raphaël a pris ma main et l'a serrée fort. Je n'ai pas osé le regarder. À ce moment-là, j'aurais pu me jeter dans ses bras. J'en mourais d'envie. Pourtant, nous venions tous les deux de sceller notre avenir, et j'aurais dû m'en réjouir. Il s'est levé pour nous préparer des tisanes. J'ai soupiré de soulagement quand il s'est enfin éloigné.

Peu après, nous nous sommes couchés sans nous être regardés dans les yeux. Les bonnes décisions m'ont rarement semblé aussi cruelles que celles que j'ai prises dans les dernières semaines.

Ce matin, comme tous les jours depuis qu'il habite avec moi, un déjeuner quatre étoiles doit m'attendre à la cuisine. Ses efforts m'étonnent chaque fois. J'ai de temps en temps l'impression qu'il s'efforce inconsciemment d'être l'homme de mes rêves afin de m'attirer à nouveau vers lui.

J'ai du mal à décider de sortir de ma chambre, puis je m'attarde dans la salle de bain avant de trouver une assiette colorée sur la table de cuisine. On dirait que la scène d'hier soir n'a jamais eu lieu puisque Raphaël se montre d'excellente humeur. Peut-être s'est-il aperçu que son avenir s'annonçait plus agréable s'il le passait loin de moi. Mes yeux picotent, mais je parviens à le cacher sans difficulté.

– J'aimerais te poser une question personnelle, Emma.

Longue hésitation de ma part. Il attend sagement.

– J'ai peur de l'entendre !

– Perdu dans les décalages horaires, ton père a téléphoné vers cinq heures, ce matin. Je l'ai interrogé, mais je l'ai visiblement embarrassé et il m'a conseillé de t'en parler.

– Qu'est-ce que c'est ?

Je suis sur mes gardes. Mon père adore Raphaël. En temps normal, il lui aurait tout dit.

– Quand je t'ai connue, tu m'as dit que tu avais émigré au Canada pour « vivre une nouvelle expérience ». Je ne t'ai jamais crue, mais je savais que tu ne me confierais pas la vérité si je revenais sur le sujet. Aujourd'hui, après tout ce que nous avons vécu, je pense que j'ai le droit de savoir. Emmanuella, pourquoi as-tu quitté l'Espagne ?

Sa réponse, il ne l'aura pas encore aujourd'hui ! Comme un bambin, j'éclate en sanglots et je m'enfuis dans ma chambre.

*   *
*

Vers sept heures, maître Esther Venne acheta un café à la distributrice automatique, juste derrière le procureur de la Couronne, maître Dominic Béchard. Bien qu'il soit un peu plus jeune qu'elle, Esther le considérait comme le meilleur avocat de la poursuite en Estrie et était consciente que ses patrons ne lui avaient certainement pas confié cette cause délicate au hasard.

– Comment allez-vous, maître ? demanda-t-il lorsqu'il l'aperçut.

– En pleine forme !

Pas question de lui avouer qu'elle souffrait d'anxiété et qu'elle comptait les jours qui la séparaient de la fin du procès !

– Et vous, ça va ?

284

– Je vais bien, quoique je manque un peu de sommeil par les temps qui courent. Vous êtes aussi très matinale, aujourd'hui !

En fait, Esther n'avait pas fermé l'œil de la nuit, et un vilain mal de tête menaçait de la pourchasser toute la journée. Quand elle était passée à la salle de bain, elle s'était rendu compte qu'elle transpirait abondamment même si elle grelottait.

– Bon, au boulot. Je vous souhaite une bonne journée, mais je ne vous souhaite pas bonne chance, maître Venne, dit-il avec un sourire malicieux qu'Esther jugea tout à fait charmant.

– Je vous souhaite la même chose, maître Béchard.

Esther monta à la salle de travail où elle s'était installée, surprise que son adversaire puisse encore se montrer sympathique envers elle après tous les coups bas qu'elle avait assénés à ses témoins. Elle s'en réjouissait, car le milieu judiciaire estrien ne comptait qu'une poignée de criminalistes, avocats de la poursuite et de la défense confondus. Les altercations entre collègues, aussi insignifiantes soient-elles, risquaient toujours de s'amplifier dans un milieu professionnel fortement influencé par les rumeurs.

Un doute assaillit Esther. Peut-être l'avocat était-il aussi cordial parce qu'il cachait un lapin dans son chapeau. Elle se promit de garder cette idée en tête, même si elle osait se croire assez bien préparée pour réussir à affronter son adversaire quoi qu'il advienne.

Depuis l'arrestation de William, elle avait effectué de nombreuses recherches sur les cas d'acquittement pour « doute raisonnable » dans les procès pour meurtre. La jurisprudence s'était avérée rare, mais il y en avait. Depuis l'ajournement du procès, la veille, elle avait encore cherché dans Internet des articles ou des sites consacrés à ces rescapés de la justice. Elle avait trouvé peu d'information intéressante, ce qu'elle considérait comme une excellente nouvelle. La plupart de ces gens avaient disparu de l'actualité et aucun des accusés, dans tous les dossiers qu'elle avait étudiés, n'avait été arrêté pour un autre meurtre.

Certaines personnes avaient été libérées alors que leur culpabilité crevait les yeux, mais aucune d'entre elles n'avait fait l'objet d'accusations multiples aussi graves que celles qui pesaient contre William.

L'un des grands principes de la loi canadienne exigeait que tout individu soit relâché si un doute raisonnable subsistait dans l'esprit du juge ou des jurés. Dans un cas aussi grave, le magistrat demanderait-il au jury, à mots couverts, de « taire » le doute qui pourrait tenailler certains de ses membres ? Malgré la jurisprudence favorable, Esther se méfiait et s'efforçait tant bien que mal de le cacher à ses collaborateurs. Avaient-ils été trop optimistes lorsqu'ils avaient envisagé une possible victoire ? Elle continuerait néanmoins de se battre. À moins qu'un nouveau meurtre ne survienne, leur seule et unique chance d'acquittement se situait dans cette stratégie : insuffler le doute raisonnable coûte que coûte !

La veille, d'ailleurs, son assistante avait entendu Adam Chrétien parler à Yves Dubois :

« Mettez Emmanuella Sanchez sous protection policière. Je veux qu'un homme soit constamment devant chez elle et qu'il surveille toutes les allées et venues. Discrètement. »

L'enquêteur sherbrookois avait hoché la tête.

Elle aurait aimé pouvoir fouiller à sa guise dans la tête des enquêteurs. Quelque chose se jouait en coulisses alors que William Turmel subissait l'un des procès les plus médiatisés de l'histoire canadienne. En attendant, malgré ses espoirs les plus fous, elle craignait que les jurés ne prononcent « coupable » à la kyrielle d'accusations portées contre son client.

*　　*
*

Vers sept heures, un insomniaque se servit un quatrième café de suite. Ses mains tremblaient. Sur sa table de cuisine était posée la photo d'une femme qui le faisait rêver depuis longtemps. Il la regardait en buvant le liquide chaud qui lui brûla les lèvres sans qu'il s'en rende compte.

La radio allumée avait toute la nuit diffusé de vieilles chansons que sa mère écoutait avant de devenir une autre personne, beaucoup moins belle, beaucoup moins agréable que la première. Il ferma l'appareil aussitôt que débuta le bulletin d'information.

Comme s'il avait besoin de prononcer des phrases pour bien comprendre les idées qui se bousculaient dans sa tête, il se parlait à voix haute :

Le cirque doit s'arrêter très vite. Je suis vidé, exténué. Tout tourne trop vite. Une partie de moi résiste, mais l'autre partie n'en peut plus. Emma est de plus en plus belle. Quand nous avons soupé ensemble, l'autre jour, j'ai failli l'embrasser. Elle m'aurait repoussé, et je ne sais pas comment j'aurais pu tenir le coup.

Partir en Espagne... Elle devrait se hâter de monter dans l'avion. Ce serait mieux pour elle et pour moi. J'ai un certain contrôle. Maggie m'a comblé, même si bousculer mes habitudes m'a beaucoup stressé.

Belle, belle Maggie ! Pendant nos quelques heures de jeu, elle et son bébé m'ont donné une force que je n'aurais pas eue sans cette aventure. Quand je l'ai étranglée, j'imaginais Emma.

Même si j'ai travaillé fort pour faire condamner William, ça ne résistera pas au procès. Le public doute, les médias doutent, mes collègues doutent. Turmel s'en sortira. Ça me révolte ! Je devrais peut-être quitter le pays. J'en ai déjà parlé, je l'ai déjà fait. Personne ne s'est inquiété de moi.

Turmel est trop intelligent et trop bien entouré. J'aurais dû choisir une autre victime, mais ses infidélités, ses mensonges, son chalet éloigné et sa vie sociale active m'ont rendu les choses plus faciles. Il pourrait se reprocher d'être naïf. Et surtout d'être un bien mauvais cachottier.

J'ai une idée. Une idée salutaire, en fait. Je me sens mieux maintenant. Encore une fois, j'ai tout le pouvoir. Des choix délicieux s'offrent à moi.

Je peux quitter le pays pour toujours. Turmel ne comprendra jamais par qui et pourquoi il aura été piégé. Les soupçons planeront au-dessus de sa tête jusqu'à la fin de ses jours. Le « doute raisonnable » n'est pas suffisant pour qu'il refasse sa vie. Le tueur des Laurentides ne sera jamais arrêté. Le mystère hantera mes collègues et mes amis. Le doute en torturera encore plusieurs, surtout la belle Emma. William n'apprendra jamais pourquoi une violente explosion a causé la mort d'un des membres de son équipe. Il ne saura jamais qui a tué l'épouse de son meilleur ami. Les femmes enceintes continueront d'avoir peur puisque, avant ma séquence accélérée des derniers mois, je ne frappais qu'une à deux fois par année. Elles craindront que je ressurgisse un jour ou l'autre dans un petit coin tranquille de la belle province... Et ça pourrait peut-être même arriver...

J'ai un deuxième choix. Pour punir William d'être parvenu à se sortir de la toile d'araignée que j'avais patiemment (très patiemment !) tissée autour de lui, je pourrais tuer sa maîtresse et son seul enfant. Emma m'est accessible. Elle me fait confiance. Il suffit qu'elle monte dans ma voiture. Ensuite, c'est gagné. Elle sera à moi !

Mais c'est une illusion. Emma ne me suppliera pas. Le plaisir que j'éprouverais serait très mitigé. Et du même coup, je blanchirais complètement William. Je le sais. Je me le répète cent fois par jour.

Et si je renonçais à la tuer comme j'aime vraiment tuer, si je me contentais d'un meurtre rapide et bien fait, je la supprimerais sans me faire coincer. Je cacherais son corps un peu mieux que les autres. Je quitterais le pays sur le prochain vol. Le tueur en série des Laurentides deviendra un mythe, une légende. Quelle idée aussi extravagante que formidable !

Le temps presse. Le procès tire à sa fin. Je serai prêt d'ici là. Quelle solution plaira le plus à William ?

Chapitre 27

Une longue journée au tribunal s'achevait. Les preuves circonstancielles continuaient d'être exposées par des témoins et des experts qu'Esther Venne, au moment du contre-interrogatoire, martelait de questions difficiles.

Dans les premiers temps de son incarcération, William Turmel avait passé quatre jours à l'Institut Philippe-Pinel de Montréal, où une équipe de psychiatres avait évalué le quotient intellectuel et la personnalité du lieutenant, alors qu'une autre petite équipe dressait son portrait psychosocial. Le psychiatre en chef se nommait Daniel Thibault et il travaillait depuis plusieurs années pour la Gendarmerie royale du Canada à titre de profileur. Avant l'arrestation de Turmel, le médecin expert se penchait sur le cas du tueur en série des Laurentides depuis six ans, ce qui le rendait extrêmement crédible aux yeux de la Couronne... mais pas à ceux d'Esther. Elle avait lu cent fois les différents rapports rédigés par le groupe de médecins et elle avait déniché des failles qu'elle jugeait importantes.

Le docteur Thibault avait longuement expliqué au procureur de la Couronne que Turmel avait une intelligence au-dessus de la moyenne et qu'il avait très bien pu planifier tous ces meurtres sans jamais se faire coincer. Maître Venne secoua la tête en réprimant un sourire lorsque son confrère de la poursuite lui céda sa place. Encore une fois, elle souhaitait ébranler la confiance des jurés, les faire douter de la validité des hypothèses et des constatations émises par cet éminent psychiatre.

— Docteur Thibault, vous venez d'affirmer que mon client possède un Q. I. qui se situe aux environs de 150, ce qui représente 40 points au-dessus de la moyenne québécoise.

— C'est bien cela, confirma le médecin d'un air fort professionnel.

— Vous concluez que William Turmel avait la capacité de planifier des meurtres presque parfaits.

— Intellectuellement, oui. Monsieur Turmel peut être considéré comme un homme rusé et intelligent, doté d'un fort charisme.

— Le tueur des Laurentides est donc un homme particulièrement astucieux et perspicace, qui a réussi des crimes quasi parfaits. Jusque-là, je vous suis. Pourquoi une personne aussi brillante aurait-elle conservé un « souvenir » de chacune de ses victimes ?

— De nombreux tueurs conservent un souvenir de leurs victimes, la plupart du temps dans le but de se procurer une excitation sexuelle ultérieurement.

— D'accord. Mais comment expliquez-vous que cet homme intelligent ait « caché » les bagues dans ses boîtes d'outils, qu'il prêtait régulièrement à ses collègues ? De plus, sa femme utilisait régulièrement le coffre à outils dans lequel était cachée la bague de la seconde victime, Lucie Gallant.

Un lourd silence s'installa dans la salle alors que l'avocate fixait le médecin avec une insistance qui le désarçonna pendant un court moment.

— Avant de répondre à votre question, maître Venne, je tiens à préciser deux éléments importants... Premièrement, l'évaluation que mes collègues et moi avons menée visait seulement à déterminer si Turmel possédait les capacités intellectuelles nécessaires pour procéder à une telle série de meurtres. Deuxièmement, une autre équipe a cherché à savoir si son profil psychosocial correspondait à celui d'un assassin.

— Je vous remercie pour la précision, rétorqua Esther sur un ton agressif. Dois-je maintenant vous répéter ma question ?

— Non. Plusieurs études ont démontré que les criminels qui ne se font pas coincer finissent par trouver excitant de prendre des risques, de repousser au maximum les limites de leur chance ou de leur intelligence. Ils finissent par avoir l'impression d'être des surhommes, que rien ni personne ne pourra les arrêter. La recherche de pouvoir représente la quête ultime de certains de ces meurtriers, et ils ont l'impression d'en gagner un peu plus chaque jour.

L'avocate sourit et regarda les membres du jury, qui paraissaient tout à coup fort perplexes. Gagné ! Elle avait trouvé une façon efficace de leur faire entendre les constatations qui avaient frappé tous les proches de William : un homme aussi machiavélique n'aurait pas laissé derrière lui des indices aussi accessibles.

— Encore une fois, docteur, comment expliquez-vous que cet homme ait amené sa maîtresse à son chalet de Mont-Laurier, alors qu'ils avaient l'habitude de se voir tranquillement à l'appartement de celle-ci ?

– Je répéterais les mêmes éléments que précédemment.

– Et pourquoi l'aurait-il conduite à côté de la petite cabane contenant l'une des deux seules preuves ADN retenues contre lui ?

– J'émets encore la même hypothèse : tester sa chance, vérifier toutes les possibilités, voir jusqu'où il pouvait aller avant de se faire arrêter.

« Foutaises ! » pensait l'avocate, mais elle le cacha parfaitement. Les jurés, qu'Esther avait à nouveau regardés, n'étaient pas convaincus par les arguments du psychiatre, tout simplement parce qu'ils sortaient tout droit d'un manuel de psychiatrie et qu'ils ne collaient absolument pas à la réalité mise en évidence dans ce procès.

– Emmanuella Sanchez a présenté tous les signes d'un avortement spontané alors qu'elle se tenait tout près de cet endroit. Turmel s'en est rendu compte. Une femme enceinte était avec lui, sur les lieux présumés où tous les meurtres auraient été commis. Comment expliquez-vous que cet homme ait pu résister, et je cite vos propres écrits dans le rapport que vous avez déposé en preuve sur le profil psychologique du tueur, « aux pulsions qui l'habitent en permanence » ?

– Des centaines de raisons peuvent l'expliquer, mais je dois vous signaler que l'expertise que nous avons menée ne cherchait pas à expliquer ce genre de détails. Toutefois, je peux vous dire que mes collègues et moi avons supposé que le lien sentimental a pu l'aider à refouler ses idées meurtrières.

– En général, les assassins sont-ils capables d'attachement, de sentimentalité ?

– La majorité des personnalités criminelles s'attachent à leur famille, à leurs femme et enfants, mais ils ne ressentent aucun sentiment, aucune empathie envers leurs victimes.

L'avocate jeta un rapide coup d'œil vers les jurés, satisfaite que le médecin refuse de s'aventurer trop loin sur ce terrain. Dans son rapport, il précisait que le tueur ressentait de très fortes pulsions, mais qu'il parvenait à exercer un certain contrôle sur lui-même puisqu'il tuait au même rythme depuis plusieurs années.

– Docteur, vous dites que la colère de William Turmel peut rapidement monter en flèche, comme s'il maîtrisait mal ses émotions. Avez-vous trouvé des exemples qui démontrent des comportements violents ?

– Non, mais l'investigation de mes collègues s'est avérée brève à ce sujet : ils ont simplement interrogé sa femme, qui a confirmé qu'il n'a jamais eu le moindre geste agressif envers elle au cours de leurs huit années de mariage. Ils ont aussi posé des questions à quelques proches, comme les pompiers qui travaillaient sous ses ordres. Si son portrait psychosocial devait être refait aujourd'hui, sa maîtresse serait certainement interviewée.

Dans la salle, Emma se crispa involontairement, se souvenant de la marque sur son bras que l'urgentologue avait notée dans son dossier médical même si elle lui avait demandé de ne pas le faire.

– Mon client n'a donc aucun antécédent judiciaire et vous ne possédez aucune preuve tangible de sa violence…, répéta lentement Esther en regardant vers le jury. J'aimerais savoir quels tests vous avez effectués pour conclure que mon client peut s'avérer agressif.

Le médecin se lança dans une longue explication des tests de personnalité qu'avait subis William pendant son séjour à l'Institut Pinel. L'avocate l'écouta attentivement tout en regardant ses notes. Elle avait relevé quelques failles dans son rapport final et elle avait hâte de les exposer au juge et aux jurés.

— Vous lui avez donc fait subir des tests psychologiques quelques jours après une arrestation qui, selon ses propos, l'a beaucoup troublé. Je lis cet extrait d'une de vos entrevues avec William Turmel, qui se trouve dans votre rapport : « Cette arrestation surprise m'a beaucoup stressé : en plus d'être accusé de crimes d'une horreur inqualifiable, on m'a forcé à abandonner mes responsabilités de lieutenant alors qu'une attente de dix minutes aurait suffi à assurer la sécurité de la population. »

— Je me souviens très bien de cette déclaration. Il en voulait aux enquêteurs de ne pas avoir attendu l'arrivée d'un remplaçant.

— Voilà. Dans les jours qui ont suivi son arrestation, j'ai rencontré cet homme à plusieurs reprises. Il était stressé, fatigué, effrayé. Je n'ai vu cela noté nulle part dans vos rapports. Pourquoi ?

— Lors de nos rencontres et à la suite des nombreux tests que nous lui avons fait subir, M. Turmel nous a paru dans un état tout à fait acceptable de stress, de fatigue et de crainte.

— Pourtant, quelques semaines plus tard, il a été placé sous la protection du programme antisuicide de la prison de Sherbrooke. Que pouvez-vous nous dire à ce sujet ?

— La santé psychologique d'une personne n'est pas un état stable, maître Venne : de nombreux facteurs ont pu entrer en ligne de compte pour provoquer ce désespoir. Lors de nos rencontres, monsieur Turmel n'était pas suicidaire.

L'avocate hocha la tête, sincèrement surprise que les psychiatres n'aient rien vu d'une détresse qu'elle considérait pourtant comme évidente.

– Le 25 septembre, William Turmel a été accusé de meurtres et d'agressions sexuelles multiples. D'autres chefs d'accusation le rendent responsable d'avoir placé des explosifs qui ont provoqué la mort de son collègue Thomas Devost, en plus de blesser Raphaël Sansoucy et Emmanuella Sanchez. Turmel se défend avec véhémence de toutes ces accusations, ce que spécifient d'ailleurs vos propres rapports. Il s'est donc retrouvé en cellule après avoir été arraché à ses responsabilités professionnelles en pleine nuit. Le 10 octobre, soit seize jours après son arrestation, sa souffrance l'a poussé à provoquer un groupe de détenus contre lequel les gardiens l'avaient pourtant mis en garde. Il a été blessé, aurait pu mourir sous leurs coups et il a affirmé au médecin de la prison, à mots couverts, que c'était le but recherché. Lors de vos évaluations, qui ont eu lieu du 27 au 30 septembre, vous aviez pourtant déclaré qu'il était en bonne santé mentale et qu'il ne présentait aucun signe de désespoir, de stress et de peur ?

– Oui, mais...

– Merci beaucoup, docteur Thibault. J'ai terminé, Votre Honneur.

Esther Venne se rassit à côté de son client. Elle était parvenue à détruire une partie de la belle assurance du témoin de la Couronne en l'attaquant sur trois fronts différents. Elle avait commencé par l'interroger sur les motivations qui auraient poussé son client à semer des indices gros comme le ciel après avoir commis des crimes impeccables avec un surprenant doigté. Ensuite, elle avait attaqué l'évaluation qualifiant Turmel de « personne violente » puisque, à son avis, cela ne se démontrait d'aucune façon. Finalement, elle avait mis un bémol sur les examens psychologiques qui étaient passés à côté de l'accablement évident du pompier après son arrestation. Par ailleurs, l'avocate se réjouissait que le psychiatre ait avoué, pendant son interrogatoire par maître Béchard, qu'il ne pouvait pas prouver hors de tout doute que Turmel possédait des traits de personnalité et des comportements psychopathiques.

Après une telle épreuve, l'avocate ressentait beaucoup de confiance. William, lui, semblait fort préoccupé. Pendant l'heure du dîner, il expliqua à Esther qu'il réfléchissait sans arrêt et qu'il avait l'impression de toucher quelque chose d'important, sans toutefois parvenir à saisir quoi exactement.

— Pourquoi Chrétien n'est pas ici, aujourd'hui ? demanda-t-il.

— Je ne sais pas, répondit Claudia, mais je présume qu'il poursuit son enquête... Il montre beaucoup de fébrilité depuis un jour ou deux. En tout cas, William, c'est de bon augure.

Claudia hésita une seconde avant de prendre la main que son mari lui tendait. Il avait de plus en plus de gestes affectueux envers elle, et elle ignorait chaque fois comment réagir. Elle hésitait à le rejeter et cachait sa souffrance sous une apparence purement professionnelle.

— Pourquoi les jurés sont-ils séquestrés depuis le début des procédures ? Je l'ai appris hier soir par un détenu qui avait écouté le bulletin de nouvelles !

Esther lui lança un regard surpris.

— Discutes-tu avec les autres détenus ? demanda Esther.

— Non, pas vraiment...

Mais il aurait dû avouer honnêtement que sans Bob, son voisin de cellule, il ne tiendrait sans doute pas le coup...

– Les jurés sont parfois séquestrés dans les procès aussi médiatisés. Ça évite qu'ils soient influencés par les différentes analyses et tous les commentaires qu'on entend à la télévision et qu'on lit dans les journaux. Ça nuit à notre cause puisque les gens interrogés dans la rue expriment leurs doutes quant à ta culpabilité. Personne n'est convaincu de ta responsabilité, même certains membres des familles des victimes. Esther parvient même à perturber les certitudes que les jurés pourraient avoir.

Il retira sa main et se replia sur lui-même comme il le faisait depuis la veille, puis repoussa le repas que sa femme lui avait commandé après avoir grignoté quelques frites.

Le procès fut ajourné vers seize heures trente et, avant de se lever pour suivre les gardiens, William regarda Emma. Il se demanda une seconde de quoi aurait l'air sa fille, leur fille, avant de penser qu'il n'avait plus l'impression de connaître cette femme aux traits tirés. Cette longue période de détention l'avait changé à jamais, mais les gens autour de lui avaient aussi subi d'irréversibles transformations. Qui reconnaîtra-t-il lorsqu'il retrouvera l'air libre ?

Exténué, William s'endormit tôt. Il se réveilla en sursaut vers trois heures. En sueur, le cœur battant à cent à l'heure, il ressentait une oppression à la poitrine, une douleur qu'il ne parvenait pas à identifier. Il se demanda d'abord s'il faisait une crise cardiaque, puis il comprit que son malaise n'était pas physique mais bel et bien psychique.

Vers quatre heures, un éclair le traversa ; il savait enfin ce qui le troublait avec autant d'intensité ! Un détail lui avait échappé pendant trop longtemps et ses efforts venaient enfin de le récompenser en le ramenant à sa mémoire. Il devait parler à Emma !

Pendant les heures suivantes, un lion en cage n'aurait pas fait davantage de bruit que William : il criait sans cesse aux gardiens qu'il devait téléphoner de toute urgence. Ses voisins de cellule l'injurièrent et les gardiens l'avertirent plusieurs fois de se taire et d'attendre le petit matin, comme tous les autres. Le temps pressait toutefois, et William ne parvenait pas à se calmer.

À l'ouverture des cellules, il bondit et se jeta sur le téléphone public. Aucune réponse chez lui ni chez Esther ni à leur bureau. Emma ne répondait pas non plus. Il rappela sans cesse, puis soupira quand son ancienne maîtresse décrocha finalement le combiné, à bout de souffle.

— Emma ! Où étais-tu ?

— Je sors de la douche.

— Est-ce que Raphaël a dormi chez toi ?

Dès qu'elle eut reconnu la voix de son ancien amant, Emma avait filé dans sa chambre pour bénéficier d'un maximum d'intimité.

— Oui, mais je lui ai demandé de ne pas répondre au téléphone. Pourquoi m'appelles-tu aussi tôt ?

— Pars au plus vite. Il ment.

Le sang d'Emma se glaça dans ses veines.

— Te souviens-tu de ma visite chez lui, le soir où tu t'es évanouie dans son couloir ? enchaîna William.

– Bien sûr.

– La bague en or sur la table de salon... Celle avec les quatre petits papillons en argent... J'ai cru qu'il s'agissait de la bague de fiançailles de Caroline, mais c'était en réalité l'alliance de Jacinthe Brunet, que j'ai vue en photo depuis que je prépare ma défense. Qu'est-ce que Ralph t'a raconté pour expliquer la présence de cet objet chez lui ?

– Heu... C'est une histoire compliquée et...

– Arrête et écoute-moi ! Cette bague est la seule que les policiers n'ont pas récupérée dans mon garage. Raphaël est venu chez moi et à mon chalet à maintes reprises, il connaissait les lieux et nos horaires. En plus, il avait très bien pu deviner notre liaison dès le départ parce que vous étiez encore proches l'un de l'autre.

À travers le combiné, William ressentit toute la surprise et l'effroi de son ancienne maîtresse.

– Non, tu te trompes ! Tout ça...

– Emma, arrête de te mentir et de chercher à protéger ceux que tu aimes. Déballe enfin tout ce que tu sais aux policiers. Protège ta vie et celle du bébé. Si tu ne le fais pas pour moi, fais-le pour Maxime.

La pompière garda le silence un long moment, cherchant à se remémorer les explications que lui avait données Raphaël par rapport à la présence de cette bague dans son appartement. Elle s'efforçait de conserver son calme, mais idées et émotions se bousculaient à toute allure.

– Mon arrestation a été déclenchée par tes trouvailles, Emma... Mais toi, qu'est-ce qui t'a vraiment mise sur la piste ? Est-ce cette preuve que Raphaël cache toujours, je suppose, puisqu'elle n'est jamais réapparue au cours de l'enquête ? Quand on y pense, Raphaël avait plusieurs éléments en main pour parvenir à détourner l'attention de tout le monde. Le premier élément, c'est peut-être ta confiance aveugle !

Emma déglutit avec une certaine difficulté. La bague, la clé et la petite note avaient réveillé cette histoire avant même la découverte du chalet. Et si Raphaël avait tout manigancé pour la conduire à soupçonner son amant ?

— Raphaël ignorait que tu m'inviterais à ton chalet. Il a même tout tenté pour me dissuader de m'y rendre !

— Il souhaitait peut-être justement éviter que tu aperçoives cette cabane. En tout cas, j'ignore la nature de ses plans et son implication exacte dans cette histoire, mais je sais avec quasi-certitude qu'il cache une preuve essentielle aux enquêteurs. Emma, tu dois agir !

Elle inspira profondément. Sa voix chevrotait lorsqu'elle reprit :

— Qu'est-ce que je dois faire ? J'ai déjà gâché ta vie, je refuse de saboter celle de Raphaël en plus ! Je crois certes au coup monté, mais pas par lui !

— C'est le moment ou jamais de tout dire. L'attention des médias est concentrée sur le procès. Pendant ce temps-là, Adam Chrétien cherche une autre piste, d'autres solutions, des détails qui nous auraient échappé. S'il enquête sur Raphaël, les médias ne verront rien, ils sont obnubilés par ce qui se passe au procès. Fonce ! Si tu attends que je sois inculpé, les policiers risquent d'être beaucoup moins zélés, beaucoup moins prêts à tout recommencer à zéro. Si, au contraire, je suis libéré, la pression explosera autour des enquêteurs, ils montreront beaucoup plus d'agressivité.

Elle ravala sa salive.

— Tu as raison.

— Alors rencontre Adam Chrétien le plus tôt possible. Ce matin. Tout de suite !

— William, concentre-toi sur ton procès, n'essaie pas de trouver le responsable. Ça rend complètement fou, ça nous fait développer une incroyable paranoïa et...

— Si tu te trouvais dans ma situation, tu n'aurais pas peur de frôler la folie encore un peu plus. Laisse-moi me battre pour sauver ma peau. C'est ça ou la mort, de toute façon.

— O. K., rétorqua Emma, attristée et effrayée. Je ferai ce qu'il faut pour t'aider. Compte sur moi.

Il faillit lui avouer qu'il avait hâte de voir sa fille, mais il se retint. Le moment ne se prêtait pas au sentimentalisme, même père-fille.

— Merci, Emma.

Il raccrocha sans un au revoir. Déstabilisée, Emma réfléchit au comportement de Raphaël pendant les derniers mois. Non, impossible ! Elle le connaissait trop bien et depuis trop longtemps. Leur histoire d'amour débutait au moment du premier meurtre, et elle habitait avec lui lorsque Lucie Gallant avait été tuée. Mais elle avait effectivement oublié la présence de cette bague compromettante... Les alibis se succéderaient sans doute lorsque Raphaël aurait réussi à fouiller suffisamment loin dans sa mémoire pour retrouver des traces des activités qu'il avait faites les jours des enlèvements, puis des meurtres.

Depuis l'incendie de la rue Wellington, elle avait commis trop d'erreurs pour risquer d'en faire une de plus. Elle ne pouvait pas non plus se permettre de détruire Raphaël. De toute façon, elle ne le croirait jamais coupable. N'importe qui sauf lui !

Des coups furent frappés à la porte.

– Emma ? Ça va ? Qu'est-ce que William voulait ?

Elle remarqua l'inquiétude qui teintait la voix de son colocataire, puis elle songea à quelques-uns des mille soins qu'il lui portait depuis qu'il habitait chez elle.

– J'ai besoin d'être seule deux minutes. J'irai te voir bientôt.

Elle s'habilla tout en cherchant une solution. Elle eut tout à coup une idée et elle téléphona à Julie Gaudette, qui assistait tous les jours au procès. Elle lui demanda si elle avait envie de prendre le déjeuner au restaurant avant d'aller au palais de justice. Julie accepta, et Emma soupira de soulagement. De cette façon, elle pourrait discuter de ses doutes avec Raphaël tout en sachant que quelqu'un l'attendait sous peu. Si Raphaël était le..., il manquerait de temps pour la supprimer. Non ! Elle se répéta que les probabilités étaient nulles et ses hypothèses, farfelues.

Au téléphone, la pompière s'étonna d'entendre un aboiement retentir derrière la voix de son amie.

– Samuel a amené son gros Érickson..., expliqua maladroitement Julie.

Devant le malaise évident de sa consœur, Emma préféra ne pas poser davantage de questions. Samuel et Julie ! Elle les imaginait mal ensemble, mais pourquoi pas ? Après tout, une relation entre ces deux célibataires s'avérait moins étonnante que sa propre liaison avec un collègue marié !

– On vous retrouve au restaurant dans une heure, conclut Julie avant de raccrocher.

Raphaël buvait un café en lisant le journal quand Emma réapparut dans la cuisine. Elle l'avisa de leur rendez-vous, qui l'étonna un brin.

– Raphaël..., je dois te parler d'un sujet très important avant que nous partions.

Il hocha la tête. En la regardant attentivement, il devina de quoi elle voulait traiter. Il attendait cette discussion depuis plusieurs semaines.

À l'ouverture de la séance, trois heures plus tard, Emma et Raphaël n'étaient pas assis dans la salle. Même si Julie Gaudette lui adressa un signe qui ressemblait à un « Tout va bien ! », William transpirait à grosses gouttes.

Chapitre 28

Caroline Hélie téléphona au moment précis où Raphaël et Emma s'apprêtaient à quitter l'appartement de la pompière. Il répondit avec un certain recul, convaincu qu'il ne parviendrait pas à lui cacher l'inquiétude qui le dévorait. Comme elle éprouvait de plus en plus de difficulté à s'adapter à son nouveau pays, il souhaitait la préserver de sources de stress supplémentaires.

— J'ai bien reçu ton courriel et je suis heureuse que tu aies réservé ton billet d'avion, Ralph. Tu me manques tellement !

— À moi aussi, Caroline... Comment se sont déroulées tes dernières répétitions ?

— Assez bien, mais je me sens triste. J'ai demandé quelques jours de congé dans deux semaines. J'ai besoin de m'aérer l'esprit.

— Bonne idée. En profiteras-tu pour te promener un peu à travers le pays ? Ça doit être fantastique de découvrir le Japon ! J'ai très hâte d'avoir cette chance.

— Non, pas moi.

Sa voix méconnaissable alerta Raphaël. Caroline se tut pendant plusieurs secondes.

– Je vais plutôt me prévaloir d'un des billets aller-retour auxquels mon contrat me donne droit. Je passerai donc six jours au Québec, dont au moins la moitié chez toi si tu en as envie...

Raphaël garda le silence, partagé entre l'incertitude et la surprise, entre la joie et la peur.

– Ne montre pas ton bonheur avec autant d'enthousiasme ! ironisa Caroline avec un accent de colère dans la voix. Je ne te demande pas d'abandonner la protection rapprochée que tu offres si généreusement à ton ex, mais seulement de garder quelques minutes ici et là pour voir ta fiancée !

– Caroline, je suis content que tu reviennes, si tu savais ! J'ai simplement la tête ailleurs, aujourd'hui, pardonne-moi.

Paradoxalement, il disait la vérité et mentait en même temps. Il voulait vraiment la voir, mais pas avant qu'Emma ait accouché et qu'elle soit hors d'atteinte. Il ne pourrait pas connaître la tranquillité d'esprit si Emma se trouvait loin de lui.

– Quand arrives-tu ? demanda-t-il le plus gaiement possible. Je veux aller te chercher à l'aéroport !

– Non, merci. Je passerai les deux premiers jours à la maison.

– Ici ?

Elle avait vendu son appartement montréalais, décidée à emménager chez son fiancé dès son retour. À l'époque où la décision avait été prise, Raphaël s'était montré ravi.

– Non. Chez mes parents...

— Ah..., répondit-il avec un soupçon de déception dans la voix.

Même si tout était sa faute, il ressentait beaucoup de tristesse devant d'aussi flagrantes preuves du lent naufrage de son couple.

— Alors je me rendrai aussi chez tes parents, je veux profiter de toi au maximum ! Nous nous arrangerons autrement pour assurer la sécurité d'Emma. Ça ne me tracasse pas.

Une étrange douleur assaillait Raphaël, qui ne se sentait pas du tout honnête envers la belle musicienne. De toute façon, elle ne le croyait pas.

— Nous devrons beaucoup discuter, toi et moi, reprit Caroline. Tu as tellement changé depuis mon départ !

— Ce qui se passe ici est pénible, Caroline. Le procès, les menaces, mes deux accidents... Je ne vis pas une période de tout repos, chérie...

— Bien sûr, mais...

Elle choisit le silence, et Raphaël n'eut aucune envie d'insister. Lorsqu'il raccrocha, il avait compris que Caroline imaginait maintenant les pires scénarios, probablement une aventure entre Emma et lui. Il n'avait pas besoin que ça lui tombe dessus, surtout aujourd'hui, mais il devait régler certains problèmes plus urgents avant de s'attarder à ses conflits conjugaux.

Emma et lui prirent la route. Adam Chrétien téléphona sur le cellulaire d'Emma juste avant leur arrivée et les avisa qu'il devait s'absenter une demi-heure. Ils furent néanmoins installés dans un petit bureau du poste de police de Sherbrooke.

Assise sur sa chaise droite, Emma affichait une tristesse qui désolait Raphaël. Depuis leur conversation du déjeuner, elle ne cessait de lui répéter qu'elle ne croirait jamais en sa culpabilité, même si... Et elle n'osait pas terminer ses phrases, comme si elle risquait des affirmations terrifiantes pour tous les deux.

Le pompier marchait de long en large comme chaque fois qu'il était tourmenté par des problèmes importants.

Tout le ramenait vers Emma. Raphaël avait commencé à prendre conscience de ses sentiments avant qu'elle ne tombe enceinte, mais les événements s'étaient bousculés après l'incendie où elle lui avait sauvé la vie. Depuis qu'ils avaient compris que les bombes avaient été posées dans le but de tuer un ou plusieurs pompiers, ils ne parlaient pratiquement plus de ce qui s'était passé à l'intérieur. Ils avaient pourtant frôlé la mort.

— Ralph...

Il tourna la tête vers Emma. Elle avait les larmes aux yeux, le teint blême, les traits tirés. Raphaël ne l'avait jamais connue aussi fragile, aussi fatiguée.

— Nous ne devrions pas être ici. Je te demande pardon ! Je ne veux pas que tu aies des ennuis !

Il avait envie de la serrer contre lui, mais il ne bougea pas, maudissant la lâcheté qui l'habitait, qui l'avait toujours habité.

— Tu as fait exactement ce que tu devais faire, ma belle, et William aussi.

Elle réagit à peine, nullement convaincue.

Adam Chrétien entra alors dans la pièce. Comme tous ceux qui gravitaient autour de l'enquête et du procès, il paraissait exténué même s'il conservait son sourire et sa bonne humeur.

– Alors, vous vouliez me voir ? demanda-t-il sans détours.

Raphaël prit sa mallette et la déposa sur la table devant lui, intriguant du même coup l'enquêteur. Très rapidement, il sortit la bague, la clé et la petite note qu'il avait retrouvées chez Thomas quelques jours après sa mort. Stupéfait, l'enquêteur saisit la bague protégée dans un sac et l'examina longuement.

– Qu'est-ce qui vous a pris de nous cacher ça ? rugit le policier. Tous les détails peuvent s'avérer d'une importance capitale, alors imaginez des preuves de la sorte !

Raphaël expliqua tout ce qui s'était passé pendant que Thomas et lui étaient coincés sous les débris, des soupçons de son coéquipier à l'endroit de William, de la panique qui s'était emparée de lui alors qu'il était convaincu de mourir d'une seconde à l'autre, puis de son profond désarroi quand il s'était réveillé à l'hôpital. L'enquêteur secouait la tête avec fermeté. Son visage s'était durci et Raphaël, tout à coup, pouvait imaginer le pire.

– Vous prétendez donc avoir pris ces trois éléments chez Devost, alors que toutes les autres bagues ont été découvertes chez Turmel.

– Exactement.

Chrétien paraissait aussi déconcerté que les deux personnes devant lui.

– Vous savez que cette histoire vous rend suspect, monsieur Sansoucy ?

La voix de Chrétien tremblait d'un mélange de colère, d'anxiété et d'incompréhension.

– Je l'ai compris il y a longtemps, voilà pourquoi j'hésitais à venir vous voir. Je n'avais pas du tout envie de vivre la situation désastreuse de Turmel. J'ai donc eu le temps de fouiller dans mes souvenirs pour me procurer quelques alibis. Voulez-vous les voir ?

– Oui, mais ça ne m'explique toujours pas pourquoi vous avez menti au point de départ !

Concentré, l'enquêteur écouta Sansoucy lui expliquer chacun des dix alibis qu'il avait retrouvés. Raphaël avait soigneusement classé ses preuves et avait aussi apporté les agendas qu'il écrivait année après année depuis son entrée au cégep. Par exemple, il détenait un billet de spectacle pour l'OSM, où jouait sa fiancée. Ce soir-là, la douzième victime avait été enlevée. Son beau-frère pompier et ses beaux-parents pourraient témoigner de sa présence à ce concert. L'enquêteur nota le soulagement qui se dessinait sur les traits de la pompière.

– Nous devrons tout vérifier, merci de nous laisser ce que vous avez apporté, trancha le policier. Je dois vous demander de ne pas vous éloigner de votre résidence pendant les prochains jours, le temps que nous fassions le point sur toute cette affaire. Nous risquons de vouloir réentendre l'histoire de votre propre bouche. Même chose pour vous, madame Sanchez.

Chrétien ne tentait plus de camoufler sa colère.

– Vous nous avez menti tous les deux.

312

Derrière la simple affirmation, les deux pompiers comprirent aussitôt la menace. De multiples accusations pouvaient être portées contre eux... Emma se doutait que la clémence de l'enquêteur dépendrait beaucoup de l'importance que prendraient ces renseignements pendant la suite de l'enquête.

Emma inspira profondément avant de raconter le coup de téléphone que lui avait passé William au petit matin. Chrétien réfléchit longuement.

– Vous devriez peut-être suivre les conseils de Turmel. Puisque la ruse de ce tueur semble sans limite, je choisirais la prudence absolue si je chaussais vos souliers.

La pompière se leva, plaça son sac à main sur son épaule.

– Vous savez où me joindre si vous avez besoin d'autres renseignements. Bonne journée !

Raphaël la suivit dès qu'il eut compris que l'enquêteur n'avait pas l'intention de le retenir. Il ajusta son pas à celui étonnamment rapide de la femme enceinte.

– J'ai eu une idée, dit Raphaël alors qu'ils approchaient de la voiture. Tu pourrais habiter chez ma sœur ou chez Isabelle. En tout cas, tu ne resteras pas seule !

– Tu continueras de vivre chez moi, Ralph. Si l'enquêteur avait cru une seule seconde à ton éventuelle culpabilité, jamais il ne t'aurait laissé partir et encore moins avec moi ! Cet homme a du flair et beaucoup trop à perdre pour laisser filer un éventuel suspect.

Raphaël poussa un profond soupir de soulagement. Arrivée près de la voiture de son compagnon, Emma serra les poings en continuant de marcher de long en large. Elle serrait les dents très fort.

– Qu'est-ce que tu as ?

– Je n'en peux plus de ne pas connaître la vérité ! J'ai douté de la personne la plus proche de moi. Le père de mon enfant, que j'ai aussi choisi comme amant pendant plusieurs mois, est accusé de meurtres abjects. Ça devient plus en plus insoutenable !

– Je me rappelle tes paroles, quelque temps après la mort de Thomas : « Le cerveau a besoin de savoir pour composer un comportement, pour cicatriser une blessure, pour permettre de passer à une étape suivante. »

Emma hocha la tête en terminant sa théorie :

– « S'il n'a pas toutes les données nécessaires, le cerveau nous maintient dans une sorte de latence ou de torpeur interminable. »

– En conséquence, une partie de toi se trouve figée, alors que l'autre partie a besoin d'avancer parce qu'une étape importante t'attend et que tu ne t'y es pas suffisamment préparée.

– Exactement ! Ma fille naîtra sans que j'aie eu la chance de profiter de ma grossesse. Je ne me suis jamais arrêtée pour m'extasier devant ce merveilleux phénomène, me dire par exemple : « Hé ! c'est ton bébé qui te donne des coups de pied ! » C'est tellement désolant !

– Tu vis une situation paradoxale. Comme moi...

Emma l'observa de l'autre côté de la voiture, comme si elle n'osait s'approcher de lui. Un mastodonte passa derrière eux, et Raphaël attendit qu'il se soit éloigné pour continuer.

– Caroline...

Il se tut brutalement. Il avait déjà compris qu'Emma ne voulait plus de lui. S'acharner à lui glisser des messages sous-entendus devenait aussi inutile que ridicule.

— Laisse tomber, ça n'a pas d'importance. D'ici, on se rend au palais de justice en cinq minutes. Veux-tu y aller tout de suite ?

Emma accepta, et ils marchèrent en silence. Un camion de pompiers était garé devant l'immense immeuble.

— Qu'est-ce que le 401 peut bien faire ici ? s'étonna Emma. Les gars sont drôlement loin de leur territoire !

Ils approchèrent du camion et constatèrent que le conducteur était assis à l'intérieur du véhicule. Lorsqu'il les aperçut, Gabriel Lavoie les rejoignit sur le trottoir, une radio dans la main.

— On a dû passer par ici pour aller chercher de l'équipement au poste 2. Jonathan a voulu arrêter deux minutes pour voir où c'en était. Simon Hélie et Éric Gagné l'ont suivi. Vers neuf heures trente, le procès a dû être interrompu parce que William a ressenti un malaise.

Le cœur d'Emma bondit dans sa poitrine. L'heure exacte où Chrétien l'avait avisée qu'il devait quitter le poste de police pour une « petite urgence » !

— À la demande de la défense, le procès a repris une heure plus tard.

— Quel genre de malaise ?

— À la radio, ils ont parlé d'un évanouissement.

Emma se retourna sans un mot de plus et marcha le plus rapidement possible jusqu'à la salle d'audience, où elle se faufila aussi discrètement que possible. Sur sa gauche, ses trois confrères se tenaient debout contre le mur. Emma s'approcha d'eux. Jonathan Beaupré se pencha pour murmurer à son oreille :

— William semble plus en forme que tout à l'heure.

Emma hocha la tête. Guettant la porte depuis l'ouverture du procès, William l'avait aperçue dès son arrivée et il la dévisageait avec une intensité troublante. Il ferma les yeux, et sa tête s'affaissa contre sa poitrine lorsque Raphaël, à son tour, se glissa aux côtés de ses collègues de travail.

Chapitre 29

Pour les avocats, le juge, les jurés et le prévenu, six autres journées s'étaient écoulées à un rythme endiablé. La défense avait présenté son douzième témoin, puis avait enchaîné avec un long plaidoyer de seize heures. Le procureur de la Couronne était quant à lui parvenu à synthétiser le procès en moins de sept heures.

En l'écoutant, Esther Venne avait compris pourquoi son confrère de la partie adverse avait conservé sa bonne humeur tout au long du procès. Après avoir exposé les très nombreuses preuves circonstancielles qui accablaient l'accusé, il avait finalement amené les jurés à se poser une très sérieuse question : comment se sentiraient-ils si l'accusé, une fois libéré, commettait d'autres délits ? Cette question primordiale les inciterait-elle à enfouir au plus profond de leur âme la notion fondamentale de « doute raisonnable » ?

Le prévenu ferma les yeux quand le juge indiqua que la cause était maintenant entendue et que les jurés devaient désormais délibérer pour en arriver à un verdict. Déjà séquestrés, les quatre femmes et les huit hommes seraient dorénavant enfermés dans une salle du palais de justice de six à huit heures par jour afin de réfléchir à tout ce qu'ils avaient entendu. S'ils le désiraient, ils seraient en mesure de poser des questions au juge ou de revoir certains interrogatoires sur vidéo. Les délibérations pouvaient durer une heure comme plusieurs jours, ce qui s'avérait plus probable étant donné le nombre élevé et la gravité des accusations qui pesaient sur Turmel.

Au même moment, Esther Venne soupira de soulagement. Pendant toute la durée du procès, l'avocate et son équipe avaient écrit des centaines de pages de notes, ils s'étaient battus pour démolir tous les arguments de la poursuite, ils avaient même passé des nuits entières à chercher la moindre faille dans les interventions de leurs adversaires. La fatigue se faisait toutefois sentir de plus en plus et, malgré leur anxiété, tous avaient hâte que le verdict soit enfin connu.

Au fil des jours, William avait cessé de se tourner vers la foule, sinon pour des coups d'œil furtifs, parce qu'il enviait chaque jour davantage la liberté de ceux qui s'y trouvaient. De plus, il se doutait que le tueur hantait la salle, il sentait le danger qui rôdait autour de son bébé. Son impuissance l'accablait.

Quand le juge quitta son siège, l'audience se dispersa rapidement. William regarda enfin en direction de la salle. Il aperçut les mêmes visages qu'à l'habitude : les enquêteurs Dubois et Chrétien, le directeur Hannon, Emma, Raphaël, Samuel, Julie.

— Je viendrai à la prison en fin de journée, je veux que nous discutions de la suite des procédures, dit Claudia à son mari.

— Si je suis déclaré coupable, est-ce que je pourrai quand même recevoir des visiteurs ?

L'avocate chercha à comprendre le sens de sa question. Sa profonde inspiration lui donna le temps de bien choisir ses mots.

– Si ça devait se produire, tu serais presque immédiatement transféré dans un pénitencier pour une évaluation. Nous pourrons te visiter après quelques jours, mais beaucoup moins facilement que maintenant.

– Dans ce cas, j'aimerais qu'Emma vienne me voir à Sherbrooke le plus tôt possible !

– Pourquoi ?

William remarqua sans peine que sa demande ne plaisait pas à son épouse légitime.

– Si je *déménage* à Montréal, elle ne pourra pas faire le trajet avant son accouchement. Ensuite, rien ne l'obligera à me présenter son bébé à cause du contrat que m'a fait signer Esther. Je dois donc lui parler avant le verdict.

– D'accord, je lui transmettrai le message.

Il hocha la tête pour la remercier et laissa docilement le gardien lui remettre les menottes aux poings.

Claudia demanda à son assistante d'emmener Emma dans une salle de consultation. Elle prendrait du temps pour réfléchir avant de la rencontrer puisqu'elles n'avaient jamais été seules depuis l'arrestation de William. S'apercevant rapidement du trouble de sa consœur, Esther lui offrit de voir Emma à sa place.

– Non. Je désire discuter avec elle.

Claudia confirma le rendez-vous de la soirée avec son équipe, puis trouva aisément une autre salle libre. Elle s'assit et enfouit son visage entre ses mains ouvertes. Le procès terminé, elle ne pouvait plus rien faire pour sortir son mari de sa délicate situation. Elle devait maintenant composer avec l'avenir. Même si elle préférait qu'Emma fasse partie de l'histoire ancienne, Claudia savait que cela s'avérerait impossible. Quoi qu'il advienne, cette femme ferait toujours une ombre entre elle et son mari.

Elle rassembla ses forces en une dizaine de minutes. Elle rentra dans la salle d'un pas assuré avant de tendre une main qu'Emma serra tout en gardant la tête baissée, beaucoup trop honteuse pour se permettre de regarder la femme de son amant. Claudia, tout au contraire, affichait un grand calme.

— Comment va votre grossesse ? demanda l'avocate pour briser la glace.

— Plutôt bien...

— Avez-vous hâte à l'accouchement ?

— Oh oui ! Les médecins se font rassurants, mais je suis impatiente de constater l'état de santé du bébé. La tenir dans mes bras représentera un véritable cadeau du ciel.

— En tout cas, je vous souhaite que tout se déroule bien.

Emma sourit vaguement, mais elle s'impatientait que l'avocate en vienne aux faits : malgré sa bonne volonté, ses efforts pour s'intéresser à sa grossesse sonnaient faux.

— Bon... Je ne vous retiendrai pas longtemps, je voulais seulement vous poser deux questions et vous transmettre un message de William.

La maîtresse leva enfin les yeux vers l'épouse légitime. Claudia décela une grande souffrance chez Emma. Comme William, elle avait passé de très difficiles moments au cours

des derniers mois. Cela ne rachetait pas ses erreurs, mais...
À qui était vraiment la faute ? L'avocate tourna la tête suffisamment longtemps pour retrouver son équilibre.

Malgré elle, son ton marqua une certaine agressivité lorsqu'elle reprit la parole :

– Pourquoi William ? Il y a une bonne dizaine de beaux et jeunes célibataires au service des incendies. Pourquoi a-t-il fallu que tu choisisses mon mari ?

Claudia avait soudainement laissé tombé le vouvoiement, comme si Emma ne méritait plus son respect froid et distant. Emma avait à nouveau baissé la tête. Sa voix tremblait lorsqu'elle trouva la force de répondre :

– J'aimerais pouvoir te répondre et, surtout, le savoir, mais mes idées et mes sentiments sont complètement embrouillés. Je suppose que j'avais besoin que quelqu'un prenne soin de moi, et il avait aussi besoin que quelqu'un s'occupe de lui. Je l'ai aimé, à ma façon...

Claudia aurait préféré recevoir une gifle au visage plutôt que d'entendre tout cela, mais elle tint bon. William s'était déjà excusé d'avoir abandonné leur couple plutôt que de tenter de le sauver, mais elle avait très bien compris que le problème, au point de départ, était l'importance qu'elle accordait à sa carrière.

– Si William est libéré..., est-ce que tu envisages de retourner avec lui ? lança Claudia du bout des lèvres.

– Non ! C'est fini entre nous ! Je resterai dans sa vie uniquement à cause de Maxime, mais je ne veux plus travailler avec lui ni le revoir de façon personnelle. C'est fini, fini, complètement terminé !

Un immense soulagement s'empara de l'avocate, même si elle se demandait si Emma répétait inlassablement ces mots pour se convaincre de ce qu'elle affirmait. Claudia s'efforça de cacher son émotion en enchaînant rapidement sur la demande de William. Emma ne cacha pas sa surprise.

– Pourquoi veut-il me voir ? Il ne m'a pas fait signe depuis longtemps, sauf un matin pour me mettre en garde contre Raphaël !

– Lui seul pourra te répondre. Cependant, je crois qu'il souhaite que certains éléments soient clairs pour tout le monde, au cas où il serait jugé coupable.

– Claudia, nous savons toutes les deux qu'il est innocent !

Elle se regardèrent dans les yeux pendant quelques courtes secondes.

– En effet, rétorqua l'avocate. Si tu veux mon avis, même le juge en est convaincu. J'ai travaillé avec cet homme dans plusieurs causes et j'ai appris à comprendre son comportement non verbal. Comme nous, il doute.

– Qu'est-ce qui arrivera si...

– Il sera acquitté, rétorqua fermement Claudia, qui avait très vite deviné la question. Iras-tu lui rendre visite ?

– Bien sûr.

Claudia serra la main de la pompière, lui souhaita bonne chance et quitta rapidement la salle où elle commençait à étouffer. Quand elle cesserait d'être confrontée à sa rivale tous les jours, elle pourrait enfin cicatriser ses blessures encore à vif.

*　　*

*

Emma se présenta à la prison l'après-midi même.

Après une longue attente, William s'assit dans la salle des visites communes en fixant son ventre. Du bout des lèvres, il exposa ses craintes :

– Emma, as-tu finalement rencontré Chrétien à propos de l'alliance que possédait Raphaël ?

– Oui, tout de suite après ton coup de fil, comme tu me l'avais demandé. Raphaël est venu au poste avec moi. Chrétien lui a posé mille questions, puis nous a laissés partir ensemble. Ça m'a complètement rassurée. Toi aussi, j'espère !

William hocha la tête.

– Il n'y avait aucun risque à prendre, ajouta-t-il avec tristesse.

– Je suis d'accord.

Puis, en soupirant, il reporta son attention sur le ventre d'Emma.

– Est-ce que... je peux toucher ?

Incapable de parler, Emma hocha la tête. Même si elle venait tout juste d'affirmer à Claudia qu'elle ne voulait garder aucun contact avec William, elle attachait énormément d'importance à sa paternité. Cette rencontre entre Maxime et lui, si courte soit-elle, lui faisait plaisir.

– Ça bouge !

– « Ça », c'est ta fille, William.

Il sourit, touché lui aussi à l'idée d'avoir son premier contact physique avec sa petite.

– Lorsque j'étais hospitalisé, tu as placé ma main sur ton ventre, mais je n'étais évidemment pas prêt à en profiter.

– Le temps passe...

– Et on évolue ! La prison est un excellent laboratoire pour permettre à une personne de changer ses valeurs. Ça ramène à l'essentiel.

– Qu'est-ce que tu entends par là ?

– Pendant que je suis enfermé ici, je ne me demande pas combien je paierai de pension alimentaire comme l'auraient fait bon nombre d'infidèles, je me soucie seulement de savoir si je verrai ma fille grandir. Être privé de liberté équivaut à être privé de tout.

Emma ne dit rien parce qu'elle ne trouvait rien à répondre.

– Est-ce qu'elle bouge toujours comme ça ?

– Non, elle est généralement beaucoup plus calme. En Espagne, tu sais, toute l'existence tourne autour de la famille. Par conséquent, je crois beaucoup à ton importance dans la vie de cette petite. Je lui parle souvent de toi. J'ai même placé quelques photos de son père dans sa chambre. Peu importe ce qui arrivera, Maxime est et demeurera ta fille. J'aimerais que tu ne l'oublies jamais.

– Merci, Emma.

À regret, il retira sa main et offrit une enveloppe cachetée à son ancienne maîtresse.

— Peu importe ce qui arrivera, dit-il tout simplement.

Emma lut les quelques lettres griffonnées sur l'enveloppe blanche : *À ma petite fille.*

— Peut-être que je ne connaîtrai pas cette enfant. Je crois donc que ça pourrait s'avérer important pour elle d'être au courant de l'histoire de son père et de savoir qu'il aurait aimé prendre soin d'elle... Sur une dizaine de pages, je lui explique ma version des faits, etc. J'ignorais vers quel âge elle aurait intérêt à en prendre connaissance, mais je crois m'adresser à une adolescente. Bien entendu, tu pourras la lire avant de la lui donner, mais ne le fais pas tout de suite. Attends au moins que le verdict soit prononcé et que la poussière soit retombée un peu.

— Si tu devais être déclaré coupable, je viendrais réguliè-rement te rendre visite avec ta fille, William. Tu pourras tout lui expliquer de vive voix.

— C'est contraire à l'entente que nous avons signée !

— Les avocats sont payés pour nous faire signer n'importe quel contrat !

William sourit piteusement, ses yeux bleus remplis d'une tristesse et d'un désarroi profondément sincères. Emma com-prit brusquement ce qu'il avait en tête : il ne la croyait pas et n'avait pas l'intention de reconnaître sa paternité s'il restait entre ces murs. Au moment de signer l'entente concernant ses droits et ses obligations par rapport à l'enfant, il avait clairement spécifié ne vouloir aucun lien avec elle en cas de culpabilité.

— William ! Ne prive pas Maxime de son père ! Il y a déjà eu trop de vies brisées et trop de morts dans cette histoire ! lança Emma, la gorge nouée par l'émotion.

– N'ajoute rien, Emma. J'assume mes choix.

– Tes choix impliquent d'autres personnes, l'as-tu oublié ? Ta femme, ta petite fille, tes amis, ta famille...

– Si tu étais enfermée dans une cellule sans le moindre espoir d'en sortir avant vingt-cinq ans, crois-moi, tu penserais exactement comme moi et tu veillerais à éliminer toutes les sources de souffrance potentielles !

Elle observa un silence embarrassé, ne sachant comment traiter une information aussi désolante qu'insupportable. Elle comprenait son abattement... mais l'idée qu'une petite fille l'attende dehors ne pouvait-elle pas devenir sa principale source de motivation ? D'un autre côté, elle comprenait parfaitement qu'il ne partage pas cet avis ; son enfant lui avait été imposé, il ne suivait pas l'évolution de la grossesse, il n'avait jamais participé aux démarches pour préparer la venue de l'enfant, et il avait la conviction que la mère et la fille s'établiraient bientôt de l'autre côté de l'Atlantique.

William redéposa sa main sur le ventre d'Emma.

– Montrons-nous optimistes, William. Tu assisteras à l'accouchement.

– Si je suis libre, oui, avec plaisir. Mais je ne saurai pas quoi faire pour te soutenir...

– Tu trouveras bien, tout comme moi... Je n'ai même pas pu suivre les cours prénataux comme le font toutes les femmes ! Je fonce vers un univers totalement inconnu.

– Tu seras une mère fantastique, je ne m'inquiète ni pour toi ni pour Maxime. Je t'admire, Emma, je t'ai toujours admirée.

Il se tut pendant qu'elle absorbait ses paroles.

– Et je te remercie de ne pas avoir témoigné contre moi. Mon amour et ma jalousie m'ont fait faire les pires folies ; tu étais par conséquent la seule personne à pouvoir témoigner d'une violence dont les psychiatres m'accusent d'être capable.

– L'incendie t'a changé, mais je ne t'avais jamais connu violent auparavant. Nous avons passé des moments fantastiques avant que je tire Raphaël du brasier. À partir de cette minute, tout a basculé.

– L'incendie... Veux-tu qu'on en parle enfin ? Ton attitude m'a profondément blessé, Emma.

Elle hocha la tête, bien qu'elle s'inquiétât de ce qu'ils pourraient se dire. William ne connaissait pas toute la vérité, même si Raphaël et elle s'étaient enfin libéré la conscience en avouant tout aux enquêteurs de la Sûreté du Québec. D'ailleurs, la pompière s'étonnait qu'ils n'aient pas encore reçu de nouvelles d'Adam Chrétien.

– Tu as lu les rapports d'enquête ? demanda-t-il en la fixant intensément.

– William...

Elle lui prit la main et ferma les yeux.

– J'ai été cruelle avec toi et je le regrette sincèrement.

– ...

– Cet après-midi-là, si j'avais été le lieutenant responsable, je n'aurais interdit à personne d'entrer dans une pièce

327

embrasée. J'aurais tout tenté pour sauver mes trois hommes coincés, je serais probablement moi-même montée sans réfléchir au reste.

– Oui et...

– Laisse-moi terminer ! Voilà, je ne passerai jamais les examens pour devenir lieutenant parce que je sais très bien que je n'ai pas la rationalité – que je t'ai tant reprochée – pour remplir ce rôle. Je suis une instinctive, une fille d'action. Tu as eu raison de commander la prudence absolue étant donné les rapports que tu avais reçus des équipes à l'intérieur : tout s'écroulait, même au troisième étage, l'embrasement généralisé était à craindre, sans parler des risques d'effondrement. La pire erreur, c'est moi qui l'ai commise.

William buvait chacune des paroles de sa subalterne. Il tremblait.

– J'aurais dû t'aviser que je montais là-haut en dépit de tes ordres. Que tu le saches ou non, tu ne pouvais pas m'en empêcher de l'endroit où tu te trouvais. J'y ai pensé trop tard. J'ignore à quel moment ma radio a cessé de fonctionner, mais j'aurais certainement pu t'aviser qu'il était possible d'entrer à l'intérieur de l'appartement 406. Les gars seraient venus beaucoup plus rapidement et, à trois ou quatre personnes, nous aurions probablement pu libérer Thomas.

William avait maintes fois réfléchi à cette hypothèse.

– À quatre, vous auriez eu la force nécessaire pour dégager Thomas, mais qui te dit qu'un ou deux autres gars n'auraient pas ensuite été pris au piège ? Sans ton intervention, Raphaël ne s'en serait pas sorti, mais tu as risqué ta vie de ton propre chef. Moi, je n'avais pas l'autorité morale nécessaire pour envoyer des pères de famille sous un toit qui tenait par miracle et qui avait peut-être déjà fait deux ou trois victimes !

– Tu as parfaitement raison.

– Tout ça pour dire...

– ... que tu as pris d'excellentes décisions, et que je n'avais aucune raison de t'inonder de reproches comme je l'ai fait. Je regrette. Moi aussi, j'ai complètement changé après cette épreuve, et c'est normal que tu ne m'aies plus comprise. Ces images ont réveillé d'horribles souvenirs en moi...

Elle s'arrêta, baissa les yeux.

– Emma, raconte-moi... J'ai besoin de comprendre.

Le gardien passa à leurs côtés pour indiquer que la visite prendrait fin dans deux minutes. Emma soupira, heureuse d'éviter la suite de cette conversation.

– Je te raconterai tout ça devant un bon spaghetti. Je t'invite à la maison aussitôt que tu sortiras d'ici !

Il sourit. À bout de forces, il se sentait soulagé. Il avait au moins obtenu ce qui comptait le plus pour lui, soit la reconnaissance d'Emma pour la qualité de ses décisions. Il souhaitait préciser une dernière chose...

– Je suis tombé amoureux de toi parce qu'il y avait un vide à combler dans ma vie. Quand je me suis rendu compte que Raphaël était toujours coincé entre nous deux, ça m'a bouleversé.

– Raphaël n'a jamais été là !

– Emma...

Son sourire l'invitait à ne plus se mentir à elle-même.

— Sur Wellington, ton attitude a parlé d'elle-même. Inversons les rôles un court moment. Serais-tu montée pour me sauver ?

— Je me bats depuis des semaines pour essayer de t'aider, William ! Ne viens pas me dire que je t'aurais laissé mourir si j'avais eu la chance de te sortir du feu ! Bien sûr que je serais montée et j'aurais fait exactement la même chose pour toi ! s'écria-t-elle avec émotion.

Surpris et ému, il se tut un instant.

— Peu après l'incendie, tu m'as pourtant affirmé le contraire...

— J'assume les bêtises que j'ai dites. Je t'en voulais profondément à ce moment-là, mais tu peux sans doute mettre une part de responsabilité sur le dos du choc post-traumatique. Ça m'a pris plusieurs semaines avant de pouvoir réfléchir « calmement » au problème sous tous ses aspects.

Les pensées d'Emma voguèrent vers Thomas. Certains jours, elle n'arrivait pas à croire qu'il était mort, elle espérait toujours le voir arriver pour prendre les choses en main et redresser la situation de son équipe de travail. Elle aurait dû le sortir de là ! Même si elle avait ressassé les événements mille fois et qu'elle avait logiquement compris qu'elle n'avait rien pu faire de plus, elle ressentait toujours un profond vide émotif lorsqu'elle repensait à son impuissance d'alors. Les secrets que cachait Thomas auraient peut-être permis de dénouer l'impasse beaucoup plus rapidement.

— Tu as raison, je suis ingrat. Comme j'ai gâché mon mariage et peut-être aussi toute ma vie, j'aurais aimé que notre histoire soit exceptionnelle...

– Elle l'a été, William. Nous aurons un enfant ! Malgré ton mariage et ma longue relation avec Raphaël, c'est ensemble que nous deviendrons parents. Tu ne crois pas que ce soit extraordinaire ?

– Oui.

Le gardien approchait, et William leva la main pour lui montrer qu'il avait bientôt terminé. Il embrassa Emma sur la joue.

– Mon avocate doit soumettre un nouveau contrat à Esther aujourd'hui ou demain. Même si tu devais demeurer emprisonné, je veux à tout prix que tu reconnaisses ta paternité et que tu aies le droit de voir ta fille autant que possible.

Les yeux du lieutenant brillèrent si intensément qu'Emma, l'espace de quelques secondes, eut l'impression de retrouver son amant, l'homme qu'elle avait connu chaleureux, enjoué, attentif.

Il la quitta sans ajouter un mot, peut-être inconsciemment pour la laisser sur cette douce impression. Dehors, Emma marcha pendant quelques minutes avant d'aller vers la voiture où Raphaël l'attendait patiemment, appuyé contre le capot. Elle posa la tête sur son épaule. La lettre pour Maxime lui brûlait les doigts.

Chapitre 30

Le temps s'étirait interminablement : les jurés délibéraient depuis dix jours à raison de six heures par jour. Emma ne se rendait plus au palais de justice parce que son médecin l'avait alitée jusqu'à la fin de sa grossesse. Esther avait cependant promis de lui téléphoner lorsque le juge l'aurait avisée que le jury était prêt à rendre son verdict.

Une main timide frappa quelques coups à la porte de sa chambre.

– Je peux entrer, Emma ?

Elle acquiesça, et Raphaël vint s'asseoir sur le bord du lit où elle était étendue depuis le matin, son livre plus souvent posé sur ses genoux que tenu entre ses mains. Il caressa son visage avec une tendresse qui la gêna.

– Julie et Samuel sont arrivés depuis une heure. Moi, je dois partir.

– Vas-y ! s'exclama-t-elle avec un enthousiasme sincère. Pourquoi fais-tu cette tête-là, Ralph ? Hé ! tu vas enfin revoir ta fiancée !

Il hocha la tête sans la regarder. « Raphaël, Raphaël... Pourquoi es-tu toujours aussi secret ? » s'interrogea la pompière. Elle ignorait ce qui l'inquiétait le plus entre son état de santé à elle, le verdict qui attendait William et le tueur qui rôdait sans doute autour d'eux.

– Je reviens d'ici demain soir.

– Pourquoi ? Tu devais passer au moins trois jours avec Caroline !

– Elle ne voudra sûrement plus me voir quand je lui avouerai que j'ignore où j'en suis par rapport à elle... et surtout par rapport à toi !

– As-tu perdu la tête ?

Emma faillit s'impatienter, mais elle se ressaisit à temps. Elle lui avait déjà expliqué que rien ne la ferait changer d'avis : peu importe les événements qui surviendraient, elle monterait quand même à bord de l'avion peu après les fêtes de Noël et du Nouvel An.

– Tu te trompes sur toute la ligne, notre relation amoureuse est terminée depuis déjà belle lurette ! Tu m'oublieras dès que nous n'habiterons plus ensemble.

– Je ne peux plus mentir. Comme toi, je l'ai suffisamment fait depuis l'incendie sur Wellington.

Sa voix était étonnamment claire.

– Tu ne mentiras pas ! s'exclama Emma. Essaie plutôt de voir les choses autrement. Tu ressens beaucoup d'inquiétude pour moi, ce qui est tout à fait normal étant donné les événements qui se sont produits : tu as eu peur de mourir, je t'ai sorti d'un mauvais pas, je me suis retrouvée enceinte d'un homme inculpé pour une importante série de viols et de meurtres... À cause de tout ça, tu prends sur toi de me protéger. Caroline comprendra si tu prends le temps de t'expliquer convenablement ! Nuance tes sentiments, efforce-toi de tout mettre en perspective ; tu y verras beaucoup plus clair.

– S'il t'arrivait quelque chose, je ne me le pardonnerais pas et...

– Je déteste être infantilisée ! répliqua-t-elle d'un ton soudain agressif. Samuel, Julie et Isabelle veilleront sur moi pendant ton absence. Cesse de t'inquiéter et file à Montréal !

Il hocha la tête en comprenant tout à coup que les arguments d'Emma avaient du sens et qu'il avait encore une chance de sauver son couple. Elle avait raison de lui conseiller d'attendre qu'ils se voient moins pour prendre une décision aussi définitive. Après tout, peu de temps auparavant, il se considérait toujours amoureux et heureux avec Caroline !

Après avoir longuement réfléchi, il prit la main de celle qui le regardait attentivement et y glissa un petit bout de papier.

– Avant aujourd'hui, je ne voyais pas l'utilité d'avoir un cellulaire. Voici le numéro de mon nouvel appareil. Appelle-moi quand tu veux et pour n'importe quelle raison.

Elle le remercia avant de l'encourager à partir sans crainte. Elle trouvait de plus en plus difficile de cacher les véritables sentiments qui l'habitaient, mais elle jugeait que le jeu en valait toujours la chandelle. Elle ne voulait pas retourner avec lui après avoir péniblement réussi à tirer un trait sur leur histoire amoureuse.

Une fois la porte d'entrée claquée, elle sortit de la chambre pour rejoindre le jeune couple qui buvait un café à la cuisine. Moins engagés que Raphaël et elle dans toute cette histoire, Julie et Samuel pouvaient rire et blaguer. Leur compagnie soulagerait sans doute Emma d'un peu de tension.

Le téléphone sonna peu après, et Emma répondit après avoir étouffé un fou rire. Julie débordait d'humour.

– Emma ? fit la voix chargée d'émotion d'Esther. Le jury a tranché. D'ici une heure, nous devrions enfin connaître le verdict.

Le cœur d'Emma battait à vive allure lorsqu'elle raccrocha. Ses deux surveillants ne riaient plus, conscients comme elle que l'heure était sérieuse. Emma appela Raphaël sans tarder. Il ferait immédiatement demi-tour.

*   *

*

Le silence pouvait être coupé au couteau dans la salle bondée du palais de justice de Sherbrooke. Prostré sur sa chaise, William Turmel respirait difficilement. Il évitait de regarder ses avocates dont il ressentait toute la nervosité. Il se concentrait sur ses propres pensées et émotions qui s'agitaient à folle vitesse dans son corps et son âme meurtris.

Les derniers jours avaient été très difficiles. Pendant ces longues semaines d'incarcération, il avait tenu le coup parce qu'il avait consacré toutes ses énergies à préparer sa défense et à prévoir les « après », qu'il soit condamné ou libéré. Maintenant plongé dans l'impuissance, il avait perdu ses seuls points de repère.

Le prévenu se leva avec une certaine difficulté lorsque le juge pénétra enfin dans la salle d'audience. William n'écouta rien avant que le juge ne se tourne vers les douze jurés. Leur chef était prêt à répondre aux questions.

– Est-ce que le jury est parvenu à rendre un verdict unanime aux accusations portées contre William Turmel ?

– Oui.

– D'accord, alors allons-y dans l'ordre.

Le lieutenant observa intensément le quinquagénaire au visage sombre. Derrière lui, une des quatre femmes du groupe pleurait à chaudes larmes.

– À l'accusation de meurtre au premier degré contre Jacynthe Brunet, quel est votre verdict ?

L'homme avala sa salive. La feuille de papier qu'il tenait dans sa main tremblait. Il répondit d'une voix presque inaudible :

– Coupable.

Un murmure s'éleva dans la salle alors que William appuyait sa tête contre ses bras posés sur la table devant lui. Tout s'écroulait. Il voulait s'enfuir, partir, cesser d'être là, mourir. Il n'entendit pas l'interminable liste de « coupable » qui suivit, il ne sentait pas les mains de ses avocates qui serraient ses épaules, il ne s'intéressait pas à la réaction de la foule, il ne ressentait que sa propre douleur, son propre choc.

Coupable. Vingt-cinq ans d'incarcération au pénitencier, dans une aile à sécurité super maximale. Peu d'accès à l'extérieur, possibilités limitées de participer aux activités communes parce que les tueurs de femmes et d'enfants ne peuvent jamais quitter leur aile... Des visites rares et courtes dans une salle commune. Sa fillette en Espagne. Emma et Raphaël. Claudia continuerait sa vie ailleurs, avec quelqu'un de bien, quelqu'un de mieux que lui.

Mourir. Il voulait mourir. Son plan était prêt. Jusqu'à la fin, il crierait son innocence et demanderait à sa femme de poursuivre la bataille. Mais il ne pouvait pas en supporter davantage et plus longtemps. Ça ne traînerait pas.

Esther le secoua par l'épaule. Le juge lui avait demandé s'il avait quelque chose à déclarer. Sans se lever, sans sortir de sa torpeur, il murmura simplement :

— Je ne suis pas coupable. Je suis innocent.

La gardienne qui lui passa les menottes le regardait avec une certaine empathie. William comprit tout à coup qu'il n'était plus maintenant un prévenu mais bel et bien un détenu. Plus rien n'avait de sens. Plus rien, sauf sa propre mort.

Prison, école du crime ? William se montrait tout à fait d'accord avec ce cliché qu'il avait déjà maintes fois lu et entendu avant de lui-même se retrouver enfermé à l'intérieur des murs. En échange de la chaîne en or qu'il portait depuis des années, il avait obtenu une quantité de drogue suffisante pour s'offrir un voyage aller simple dans l'autre monde.

* *

*

— À l'accusation de meurtre au premier degré contre Jacynthe Brunet, quel est votre verdict ?

— Coupable.

Des centaines d'heures à travailler sur le cas le plus médiatisé et le plus controversé de sa carrière. Ce client, Claudia Arnold l'avait épousé huit ans plus tôt... Terminés les rêves de reprendre leur vie de couple quelque part où la vie les avait séparés, inutiles les travaux qu'elle avait fait effectuer dans la chambre d'amis...

Il restait encore l'espoir de l'appel en Cour supérieure, mais un sentiment diffus lui soufflait qu'ils avaient bien peu de chances de parvenir à faire casser un tel verdict.

À sa droite, William était effondré, face contre table. Elle avait déjà ressenti de la pitié pour certains de ses clients, mais jamais avec autant de force. Intimement convaincue qu'il n'était pas coupable, Claudia se doutait que la prochaine manche serait longue et pénible pour son mari qui avait déjà hypothéqué sa santé en dormant et en mangeant à peine.

Elle posa sa main sur son épaule et se pencha pour joindre ses paroles encourageantes à celles d'Esther. Aucune réaction. Elle le sentait déjà très loin d'elle et de la cruelle réalité qu'il devait affronter en ce jour d'hiver.

L'avocate suivit à peine la suite des procédures, obnubilée qu'elle était par ce mari fantôme que plus rien n'atteignait. Peu avant qu'il ne parte, elle se pencha vers lui et le sentit attentif à ses paroles pour la première fois. Impuissante, elle se contenta de lui glisser quelques mots à l'oreille :

– Je ne te laisserai jamais tomber, William. Je resterai à tes côtés et je me battrai pour aller en appel. Tiens le coup, je t'en supplie !

Pour toute réponse, il bougea vaguement la tête de droite à gauche. Il serra doucement la main de sa femme, comme pour lui prouver qu'il avait encore un peu de vie en lui.

Dès qu'elle le put, Claudia Arnold traversa la foule, évita les journalistes auxquels elle déclara le traditionnel « Aucun commentaire ! », puis elle s'enferma dans une salle de travail, où elle éclata en sanglots. Elle était mariée à un homme déclaré coupable de viols et de meurtres ! Elle ne comprenait plus rien...

*   *

*

– À l'accusation de meurtre au premier degré contre Jacynthe Brunet, quel est votre verdict ?

– Coupable.

Esther Venne eut l'impression de recevoir un coup derrière la tête ; elle posa ses deux mains à plat sur la table pour éviter de perdre l'équilibre. L'échec le plus cuisant de sa carrière l'affectait profondément. William serait seul derrière les barreaux, mais elle se sentait presque aussi condamnée que lui.

Pendant la demi-heure suivante, une sorte de pilote automatique lui permit d'assurer ses fonctions juridiques, alors qu'elle essayait de glisser quelques mots à cet homme pour qui elle éprouvait de plus en plus d'affection.

William ne disait rien, complètement sonné. Les gardiens de prison ne se pressaient pas pour entraîner le détenu vers les entrailles du palais de justice, peut-être parce qu'ils avaient remarqué dans quel état catatonique il se trouvait depuis le prononcé du verdict. Avant de faire un premier pas, William sortit subitement de sa torpeur et se pencha vers son avocate. Comme s'il avait la gorge sèche, il murmura d'une voix rauque :

– Je t'en prie, fais une dernière chose pour moi.

Elle hocha la tête tout en combattant ses larmes.

– Va sur la tombe de Thomas et demande-lui de m'aider. Je refusais d'y croire, mais je pense maintenant que c'est mon dernier espoir.

Pour seule réponse, elle serra son avant-bras en le fixant de son regard embrouillé.

*   *
*

– À l'accusation de meurtre au premier degré contre Jacynthe Brunet, quel est votre verdict ?

– Coupable.

Comment un seul mot peut-il à ce point ébranler autant de gens ? Les proches de Turmel n'attendaient pas ce verdict. Moi non plus. Surtout pas moi. J'avais tout prévu, sauf ça.

J'ai minutieusement calculé mon plan, mais maintenant... Mes plans sont entièrement renversés.

Délicieusement belle, Emma pleure. Si je m'en prends à elle, j'innocenterai William.

Je tremble, mais je n'ai pourtant pas froid. J'ai monté un piège diabolique autour de William. J'ai réussi. Le piège l'a avalé comme un serpent avale sa proie. D'un seul morceau, sans pardon ! Je devrais être heureux. Ma patience infinie – attendre l'heure précise, la parfaite concordance de tous les éléments... – est enfin récompensée.

Mais Emma est si près de moi...

Pourquoi n'a-t-elle pas peur de moi ? Elle se protège, mais pas beaucoup. Je devrais l'effrayer. Elle se croit forte. Elle l'est. Quelle fille extraordinaire !

Le tueur des Laurentides est emprisonné. Je peux continuer ma vie rangée, calme, ennuyante. Enfin, presque. Car je tuerai à nouveau un jour ou l'autre. Loin d'ici.

Une seconde ! Si Turmel passe sa vie au pénitencier, je ne deviendrai jamais une légende ! Terrible paradoxe, horrible paradoxe ! J'ai ce que j'ai voulu, sauf la gloire. Turmel n'a pas mon intelligence, il n'aurait jamais réussi à accomplir mes prouesses ! Il faut que la population sache !

Emma me regarde. Elle a posé une main sur son ventre. Ses yeux montrent son effroi, sa stupéfaction. J'aime ça ! En ce moment, je me sens comme le serpent, je suis un serpent ! J'ai follement envie de me jeter sur elle et de la dévorer toute crue !

Il ne faut pas, mais je peux le faire. Mon rythme cardiaque menace de faire exploser ma cage thoracique. Je dois aller me défouler. Faire du sport. N'importe quoi, mais bouger ! Toute cette énergie me grise.

Dans la salle, les choses se bousculent. Personne n'écoute le juge ; les gens se parlent entre eux. Les seuls êtres totalement silencieux sont les employés du Service de protection contre les incendies de la Ville de Sherbrooke. Hannon, devant moi, se doute-t-il que l'assassin de sa fille court toujours ? Si je tendais la main, je le toucherais. Ce serait drôle, non ? Elizabeth, une erreur de parcours. J'ai eu peur de me faire coincer, mais je m'en suis sorti, comme toujours.

Il y a eu des erreurs dans mon parcours. Emma est de celles-là. Mais qu'est-ce que je dois faire ? Elle accouchera bientôt. Le temps presse. Mes décisions, ici, changeront le cours de l'histoire. Prudence, prudence !

– Qu'est-ce que tu penses de ça ?

En guise de réponse à mon collègue, je hausse les épaules. J'aurais dû lui répondre qu'Emma est bien trop belle quand elle affiche une pareille consternation mêlée de peur et de dégoût !

William quitte la salle après un court regard pour son ancienne maîtresse. Enfermé derrière des murs barbelés, il ne connaîtra jamais son bébé.

Emma accouchera d'ici deux à trois semaines. Soudainement, tout devient clair dans mon esprit : si je me retrouve seul avec elle avant son accouchement, je ne pourrai pas résister !

*   *
*

– À l'accusation de meurtre au premier degré contre Jacynthe Brunet, quel est votre verdict ?

– Coupable.

Mon bébé réagit presque aussitôt en me lançant un vigoureux coup de pied dans le ventre. Non ! J'ai envie de me lever et de crier au juge que ça doit être une blague, une immense comédie, et qu'il doit arrêter la pièce de théâtre avant de détruire tous ces gens qui, autour de moi, ne croient pas en la culpabilité de mon ancien amant. Raphaël me serre la main à l'écraser, et le contact glacial de sa peau sur la mienne me retient de me donner en spectacle.

Esther m'a déjà dit qu'elle porterait la cause en appel si William devait être condamné. Chrétien poursuit son enquête avec énergie, mais que fera-t-il maintenant que le dossier semble clos ? Les événements ne s'arrêteront pas ici, quelque chose me dit que la partie est loin d'être finie. Mais comment la justice peut-elle penser que je porte l'enfant d'un monstre ? William et moi avons été coupables de tromper les liens sacrés du mariage, mais je n'ai quand même pas partagé la vie et le lit d'un tueur !

Dans la salle, les principaux acteurs de ce drame me paraissent tous consternés. L'enquêteur Chrétien passe devant moi pour quitter la salle. Il n'a pas l'air soulagé que devrait afficher un homme qui vient de voir condamner celui qu'il a traqué pendant des années. Même chose pour le procureur de la Couronne : il ne semble pas triomphant du tout. Les deux avocates de William sont défigurées par la stupéfaction. Esther retient ses larmes même si elle garde la tête droite et continue d'écouter le juré en chef qui fait défiler les « coupable ». William cache son visage dans ses bras. Une jurée pleure, une autre femme et un homme ont l'air fortement ébranlés. Le directeur Hannon, assis deux rangées devant moi, secoue la tête comme s'il n'y croyait pas. S'il veut légitimement que justice soit rendue par rapport à la mort violente de sa fille, j'espère qu'il n'arrive pas à croire en la culpabilité de son lieutenant.

Une violente contraction me plie en deux. Raphaël se tourne vers moi, mais il ne dit rien.

Je ferme les yeux et, la main posée sur mon ventre, je m'adresse mentalement à ma fille comme si elle pouvait m'entendre et me comprendre. Je lui assure que son père s'en sortira un jour ou l'autre, qu'il ne mettra jamais ses menaces de suicide à exécution – j'ai l'impression de trop bien le connaître pour y croire –, et qu'elle et moi devrons toujours être là pour le soutenir.

Maxime répond par d'autres coups de pied. Que veut-elle me dire ? Peut-être ne me croit-elle pas ou est-elle aussi affligée que moi ?

Le véritable tueur tourne-t-il autour de ma petite fille et moi ? Se trouve-t-il dans la salle en ce moment même ? J'aimerais pénétrer son esprit et comprendre pourquoi il a monté cette machination contre le groupe 2. Qu'avons-nous bien pu lui faire pour qu'il s'acharne contre nous de la sorte ?

Tant de questions demeurent sans réponse !

Je ferme les yeux, et Thomas m'apparaît. Il est coincé sous des débris, et le feu brûle sa jambe. Il souffre horriblement, puis il meurt. Son dernier regard aura été pour moi. Au fond de mon cœur, je sais que je ne me pardonnerai jamais réellement sa mort. J'ai une nausée.

Quand je relève enfin la tête, William quitte la salle, soutenu par deux gardiens. Il me regarde pendant une fraction de seconde. Dans le fond de ses prunelles, je reconnais le désarroi et la peur de celui qui se sait condamné. Mes mains commencent à trembler violemment. Maxime continue de me marteler de coups de pied. À nouveau, j'ai l'impression qu'un collègue meurt devant moi. Maintenant, c'est mille fois pire : William, lui, sera enterré vivant...

Chapitre 31

Sept pompiers sherbrookois étaient assis devant leur repas. Même s'ils avaient commandé de la nourriture chinoise, aucun d'eux ne mangeait avec appétit. Raphaël farfouillait dans son assiette sans grande conviction, étrangement mal à l'aise d'être assis entre Emmanuella Sanchez et son beau-frère, Simon Hélie. Emma touchait à peine à son plat de riz au poulet, luttant contre sa folle envie de se noyer dans l'une des quatre bouteilles de vin qu'avait déposées Samuel au centre de sa table de cuisine. Elle aurait aimé oublier les dernières heures, puis revenir dans un univers totalement reconstruit.

Plongé dans ses pensées, Jonathan Beaupré tournait et tournait encore les nouilles dans le bouillon de sa soupe. Antoine Patenaude réfléchissait parfois à voix haute et tapait fréquemment sa fourchette sur le bord de son assiette avant qu'Emma ne l'arrête d'un geste impatient. Quant à Julie Gaudette, elle mangeait fort lentement ses boules de pâte au poulet.

– Un peu de rouge ?

Samuel remplit toutes les coupes sans attendre de réponse, puis versa du lait à son amie enceinte à qui il massa les épaules pendant quelques minutes.

— Toi, tu dois manger ! dit-il d'une voix douce et autoritaire. Ton bébé en a besoin. J'ai concocté un bœuf Stroganoff, hier, aurais-tu envie que je t'en serve une petite assiette ?

— Non, merci. Laisse-moi me remettre de mes émotions, je mangerai un peu plus tard.

Bien qu'il n'ait que vingt-six ans, Simon Hélie avait déjà deux enfants ; il se lança dans une longue explication sur les bienfaits d'une saine alimentation sur le développement du fœtus. Jonathan Beaupré approuva son confrère, mais Emma ne voulait pas entendre ce type de discours :

— Vous rendez-vous compte de l'impact de ce verdict sur ma vie et sur celle de mon enfant ?

Un long silence embarrassé s'installa dans la pièce.

— Oui, répondit Jonathan, comme s'il comprenait tout à coup la souffrance de sa collègue. Tu sais, tu pourras au moins compter sur tes amis pour te donner un coup de main. Ma femme et moi sommes prêts à garder ton bébé aussi souvent que tu en auras besoin. Au point où nous en sommes, une quatrième petite tornade ne changera rien à l'ambiance de folie furieuse qui règne à la maison !

— Merci, Jonathan, je l'apprécie beaucoup.

Après un long silence, Simon relança la conversation d'un ton presque gai :

— Ça ne remplacera pas la présence d'un vrai père, mais tu as au moins la chance de travailler avec plus de cent vingt hommes, ce qui te permettra de donner un modèle masculin à ta petite !

Spontanément, tous les visages se tournèrent vers Raphaël qui, gêné, tenta de se concentrer sur ses crevettes. Depuis plusieurs semaines, Simon ne ratait pas une occasion de faire allusion à ses relations troubles avec Caroline et Emma.

Samuel s'efforça de désamorcer rapidement une situation qui menaçait de s'aggraver :

— À nous tous, on va certainement réussir à faire de cette fillette une meilleure pompière que sa mère !

L'éclat de rire spontané détendit l'ambiance, alors qu'Emma esquissait une grimace complice à son coéquipier.

— J'ai voulu commencer à cuisiner des petits pots de nourriture pour ton bébé, dit Julie, mais Samuel m'a convaincue qu'il était encore trop tôt... Dommage, j'ai hâte de me lancer dans les purées de carottes, de navets, de bœuf et tutti quanti !

Les deux femmes échangèrent un regard amusé.

— Quant à moi, répliqua Samuel avec un clin d'œil, je m'offre également pour donner des boires de nuit, surtout si ça me permet de dormir chez toi : je profiterai au maximum de ta télévision par satellite !

— Moi, poursuivit Simon, je t'apporterai tous les vêtements que ma cadette a à peine portés. Ma femme a aussi offert de s'organiser pour que tu aies une place dans la garderie où elle travaille. Comme ça, s'il y a des soirs où tu es coincée sur un appel, elle amènera Maxime à la maison avec Benjamin et Patricia.

— Ma femme n'a jamais compris pourquoi nous n'avons pas pensé à t'organiser une petite fête pour la naissance du bébé, lança Antoine. J'en ai parlé aux gars, et on essaie de s'excuser en se disant qu'on a appris sur le tard que le père était aussi un des nôtres ou que tu étais enceinte de plusieurs mois déjà quand tu nous l'as annoncé... En échange, ma douce épouse souhaite que tu nous fournisses rapidement une liste de choses ou de services dont tu as ou auras besoin.

Profondément émue par tant de gentillesse et de sollicitude, Emma était incapable de parler. Un grand baume venait de se répandre sur son cœur, un pansement qui ne guérissait rien, mais qui empêchait l'hémorragie de se poursuivre. Elle se sentait moins seule et moins désemparée à l'idée de donner naissance à un minuscule bébé qui, pendant quelques mois, risquait de demander plus de soins que la moyenne des nouveau-nés.

Puis ses confrères discutèrent de leurs enfants sur un ton léger pendant qu'Emma et Raphaël observaient un silence douloureux. D'ailleurs, dès qu'elle pensait à la souffrance qui devait habiter William au même moment, Emma se crispait. Quelles bêtises pouvait-il commettre en prison ?

Après s'être excusée, la pompière se dirigea vers la chambre d'amis où elle avait logé pendant quelques jours et prit le téléphone. Esther Venne avait une voix rauque et tendue.

– À la demande de William, je prie en ce moment sur la tombe de Thomas. Pour ce soir, je crois que c'est la seule chose que je puisse faire pour protéger William contre sa propre volonté.

À court de mots, Emma ne répondit rien tandis que des dizaines d'idées se bousculaient dans sa tête.

– J'ai donné le relais à Patrick Vézina, il portera la cause en appel dès demain matin. En espérant que William ait encore la force et la volonté de se battre !

— Est-ce que certains de mes confrères et moi pourrions venir te rejoindre au cimetière ?

— Si vous voulez.

Tous les pompiers se portèrent volontaires pour accompagner Emma, à l'exception de Simon, qui partait chez ses parents afin de voir sa sœur.

Raphaël parvint à s'isoler dans un coin avec son beau-frère alors que tout le monde enfilait chaussures et manteaux.

— Dis à Caroline que j'arriverai d'ici deux ou trois heures tout au plus. J'ai hâte de la revoir, je m'ennuie et...

— Si au moins c'était vrai !

— Simon, tu es bien placé pour savoir ce que je subis ici depuis la mort de Thomas. Tu es pompier, comme moi, tu peux très bien comprendre que je m'inquiète pour Emma sans que ça signifie que j'en sois amoureux : je lui dois la vie !

Hélie hocha la tête, tout à coup songeur. En quelques mots, Raphaël était parvenu à semer le doute dans son esprit, lui qui était auparavant convaincu que sa sœur était allègrement trompée. Après un silence prolongé, il confessa qu'il essaierait de lui venir en aide. Raphaël soupira, soulagé d'avoir Simon dans son camp pour le soutenir face à sa fiancée.

Mais sans l'avouer ni le montrer, Raphaël se sentait extrêmement malheureux. Il ne contrôlait plus son destin, il avait l'impression d'être balancé d'un côté et de l'autre comme un brin d'herbe se fait maltraiter par le vent. Et William derrière les barreaux ! Il n'avait pas du tout envie de partir pour

Montréal, même s'il s'impatientait de voir Caroline pour une première fois. Ensuite, il pourrait se fixer sur l'avenir de leur couple.

*   *
*

Dans la voiture, la pompière s'emmurait dans un silence fatigué. Concentrée, elle observait les gouttes de pluie qui glissaient sur la fenêtre du côté passager.

— Es-tu certaine que c'est une bonne idée de rester dehors par un temps aussi maussade ? À quelques jours de la naissance de ta fille, tu ne dois pas attraper la grippe !

— Décidément, j'ai créé un monstre ! lança Emma d'un ton colérique. Quel chevalier servant tu es devenu !

Emma s'efforça de rire pour cacher son agressivité face à cette surprotection qui agaçait la femme indépendante en elle, mais son compagnon de route devina les sentiments qu'elle tentait maladroitement de dissimuler.

— Sérieusement, Ralph, tu sais tout le respect que j'éprouvais pour Thomas. J'ai l'impression que ça me soulagera un peu de penser à lui sur les lieux de son dernier repos...

— Sur la même pierre tombale sont couchés les noms de deux victimes du tueur en série...

— Justement ! Lucie et Aimée nous aideront peut-être à démasquer le vrai du faux.

Ils arrivèrent au cimetière les derniers.

Tous les sept se recueillirent longuement malgré la température fraîche et la bruine qui les détrempait.

– Une véritable ambiance d'Halloween, vous ne trouvez pas ? demanda Julie en réprimant un frisson. Je n'aurais jamais pensé venir dans un cimetière un soir de pluie avec six autres personnes !

– Ne blague pas avec ça, Julie, rétorqua sérieusement Emma. Nous agissons peut-être de façon inhabituelle, mais j'ai l'impression que les derniers mois tout entiers ont été saugrenus !

Raphaël manifesta bientôt son intention de partir. Il offrit à Emma de la reconduire chez elle, mais elle préféra demeurer un peu plus longtemps sur la tombe de son coéquipier. Elle rejoignit néanmoins Raphaël à côté de sa voiture, à l'abri des oreilles indiscrètes.

– Allez, je te promets d'être sage et de prendre soin de ta filleule. Je mangerai bien, j'essaierai de dormir, je t'appellerai en cas de besoin. Aie l'esprit tranquille et profite au maximum de ta belle fiancée.

Il approuva d'un signe de tête. Trois journées. Trois petites journées qui passeraient vite... Il tentait de s'en convaincre par tous les moyens possibles.

– Thomas est décédé, William est emprisonné, je retournerai bientôt en Espagne... N'ajoute rien à la liste des drames qu'a provoqués cet incendie. Ne brise pas ton couple sans raison. Promets-le-moi !

Sans enthousiasme, Raphaël jura et quitta lentement le cimetière.

*   *

*

353

Complètement épuisée, Emmanuella Sanchez s'endormit dans la voiture qui la ramenait chez elle.

Elle voyait Maxime, qui avait déjà atteint l'âge de cinq ou six ans. La petite sautait à la corde en compagnie de deux autres enfants, beaucoup plus âgés qu'elle. Emma s'approcha du trio. Sa fille, magnifique, possédait tous les traits de son père. Une copie conforme – mais en plus féminin ! – de William Turmel enfant ! Comme lui, Maxime semblait détester l'inaction ; elle adorait bouger, s'amuser dehors. Sa mère l'imaginait mal assise devant une télévision ou un écran d'ordinateur. « Tant mieux ! » pensa-t-elle.

Maxime s'arrêta soudainement de bouger. Elle s'assit par terre, croisa les jambes et leva son regard triste et songeur vers ses compagnons de jeu. Emma reconnut enfin les garçons : Jérémy et Anthony, les filleuls de Raphaël !

– Mais où sont mes parents ? demanda la fillette d'une voix étonnamment adulte. Je m'ennuie ! Pourquoi ils ne sont pas là ?

– Tu le sais très bien, Maxou, répondit Anthony. Allez, viens, on rentre à la maison !

– Non ! Où sont mes parents ? Je veux voir mes parents !

Elle éclata en sanglots, mais aucun des deux garçons ne fit un geste vers elle. Scandalisée, Emma voulut se précipiter vers sa fille, mais elle heurta durement une énorme vitre qu'elle pouvait à peine distinguer tant elle était brillante. Après l'avoir explorée, elle comprit que cette fenêtre coupait le monde en deux et qu'elle n'avait pas accès à sa fille. Voilà pourquoi la petite ne la voyait ni ne la sentait près d'elle. Emma poussa un cri de colère que personne n'entendit. Elle était seule !

– Raphaël est comme ton père, dit Anthony en se penchant pour soulever la petite dans ses bras. Tu le sais. Il s'occupe de toi depuis que tu es bébé !

– Mais où est papa William ?

– Tu sais qu'il est mort...

– Mais pourquoi ? cria l'enfant dont le visage était maintenant baigné de larmes.

– Il s'est suicidé. Après avoir reconnu qu'il était le tueur des Laurentides.

– Papa !

Emma hurla une longue plainte et martela la vitre de ses poings, en vain. William ne pouvait ni s'être suicidé ni avoir reconnu ces crimes horribles ! Elle rugit et asséna une multitude de coups, mais rien ne changea au tableau qui se dessinait lentement sous ses yeux effarés.

Anthony se tourna vers son frère et lui murmura quelques mots à l'oreille. Malgré la vitre, Emma les comprit :

– Elle fait de plus en plus de crises pareilles. Elle souffre beaucoup, hein ?

– Ça ne doit pas être facile d'être orpheline. D'être seule au monde !

La petite ne les laissa pas poursuivre plus longtemps :

– Et ma maman ? Je veux voir ma maman !

– Caroline est comme ta maman, Maxou.

Insultée, stupéfaite, Emma frappa la vitre avec une hache déposée tout près d'elle. À l'aise avec cet instrument de travail, elle s'acharna encore et encore, mais toujours en vain. Pendant ce temps, les enfants avaient conservé un silence angoissé, et Maxime continuait de verser des larmes qui inondaient son beau visage.

– Mais où sont mes parents ? Maman !

Cette question incessante brisait le cœur de sa mère qui, à deux mètres de sa fille, était impuissante à la consoler et à la rassurer.

– Ta maman Emmanuella a été tuée par ton papa, Maxou. Toi, tu as été sauvée de justesse dans le ventre de ta maman.

Maxime secouait la tête avec consternation.

– Caroline est maintenant ta vraie maman. Raphaël est ton vrai papa. Arrête de penser à tes autres parents. Ce sont des gens mauvais.

– Mais moi ?

– Toi, tu es une bonne petite fille, Maxou. Profites-en. Oublie ces gens méchants qui mentaient tout le temps. Tu as de la chance d'avoir Caroline et Raphaël, maintenant. Ce sont de bons parents, tu ne trouves pas ?

Maxime avait séché ses larmes, s'était levée et elle suivait tranquillement les jumeaux Sansoucy vers une luxueuse maison de brique et de pierre. L'invisible Emma, complètement sonnée, marchait aux côtés de sa fille.

– Maman !

L'enfant courut à toute allure et se jeta dans les bras de Caroline Hélie. Toujours aussi jeune et détestablement parfaite, la violoniste ! Emma s'écroula. Elle comprit qu'elle devrait passer sa vie à suivre l'évolution de sa fille sans pouvoir la toucher, lui parler. Elle hurlait son désespoir, mais elle demeurait toujours aussi seule.

La pluie se mit à tomber. Même si elle avait l'impression de rêver et qu'elle pinçait sa peau suffisamment fort pour y laisser de vilaines marques rouges, Emma ne parvenait pas à se réveiller de son affreux cauchemar.

Chapitre 32

Emmanuella dormait depuis une trentaine de minutes et eut à peine conscience qu'ils arrivaient chez elle. Elle s'appuya contre lui pour monter les deux étages qui menaient à son appartement. Il retira son imperméable et la força à enlever ses chaussures. Elle refusa de se déshabiller ou de prendre un bain, s'étendit sur son lit, mais, toute grelottante, accepta qu'il glisse quelques chaudes couvertures sur elle.

Dans la cuisine, il chercha quelque chose à se mettre sous la dent. Par chance, le frigo était rempli à capacité, et il croqua sans plus attendre dans une pomme verte. Que faire ? Il n'avait apporté ni lecture ni musique et il n'avait pas envie de regarder la télévision. Il dénicha une pile de revues pour filles dans la salle de bain et les apporta sur la table, l'œil vissé à l'horloge murale. Il ne doutait pas une seule seconde que Raphaël appellerait.

Au bout d'une heure, la sonnerie du téléphone retentit bruyamment ; et il se précipita sur l'appareil de la cuisine.

— Salut..., dit la voix triste de Raphaël. Est-ce que je peux parler à Emma ?

– Elle dort déjà, mais elle m'a demandé de te souhaiter beaucoup de plaisir et de t'ordonner de te changer les idées au maximum !

– Ça ne me surprend pas d'elle, rétorqua amèrement Raphaël.

– As-tu fait bonne route ? Tu es parti depuis long temps !

– Je suis garé au coin de la rue depuis un long moment et j'attends d'avoir une soudaine dose de courage pour frapper chez mes beaux-parents.

– Allez, Caroline doit s'impatienter !

– Si j'en étais certain...

– Tu ne le sauras jamais si tu ne fonces pas ! En passant, c'est possible que, demain, Emma vienne passer une partie de la journée chez moi. Donc, ne t'inquiète pas s'il n'y a pas de réponse ici, O.K. ?

– Pourquoi chez toi ?

– Elle m'a dit qu'elle avait besoin de changer d'air. Question d'hormones, j'imagine...

Raphaël demeura silencieux, réfléchissant à cette décision plutôt incongrue de la part d'une femme qui devait s'aliter le plus possible et qui avait maintes fois répété, au cours des dernières semaines, qu'elle avait besoin de retrouver la sécurité bienveillante de son appartement douillet.

– Dis-lui de me téléphoner demain matin.

– Je ferai le message, mais elle refusera, tu le sais. Occupe-toi de ton couple pendant les prochains jours. Moi, je veillerai sur Emma. Tu ne peux pas faire les deux en même temps !

Raphaël acquiesça d'un grognement.

– Allez, amuse-toi bien. On te revoit dans trois jours. À bientôt !

Sansoucy raccrocha de mauvaise humeur ; à l'autre bout de la ligne, son interlocuteur souriait doucement.

Vers minuit, il retourna dans la chambre où Emma était recroquevillée sous ses couvertures.

– Viens, Emma.

– Quoi ? marmonna la jeune femme, les paupières lourdes.

– Essaie de marcher un peu. Je t'amène à l'hôpital.

– Quoi ?

– Tu es en mauvaise forme. Suis-moi.

– Non, non. Ralph...

– Raphaël passe la nuit ailleurs. Toi aussi... Allez, viens !

Jusqu'à ce qu'elle soit dans la voiture, Emma débita une série de phrases sans suite, mais le nom de Raphaël revenait constamment dans son discours. Une fois confortablement installée sur le siège du passager, la jeune femme se rendormit aussitôt.

Enfin !

Une main froide caressa son ventre un long moment avant d'introduire la clé dans le contact...

Chapitre 33

Je me réveille avec un vilain mal de tête, comme si j'avais trop bu, hier soir. Que s'est-il passé ? J'essaie de me retourner dans mon lit, mais je suis clouée sur place. Mon corps pèse tellement lourd ! Un sentiment de panique s'empare de moi, car je n'apprécie pas du tout la sensation. J'essaie de remuer dans le lit, mais j'en suis incapable.

Mon cœur bat à toute allure et, essoufflée, je tente encore de bouger. Après quelques minutes, je m'ordonne de me calmer et de réfléchir un brin. Je dois comprendre ce qui m'arrive pour réagir en conséquence. Premièrement, la pièce est plongée dans une noirceur opaque qui m'étonne : chez moi, une veilleuse dans le couloir éclaire discrètement ma chambre puisque j'entrouvre toujours ma porte. Deuxièmement, ce matelas est beaucoup plus moelleux que le mien. Troisièmement, je n'entends aucun bruit dehors, alors que j'ai l'habitude des voitures qui roulent à toute heure du jour et de la nuit. Finalement, et voilà le plus étrange, toutes les parties de mon corps sont bizarrement engourdies et douloureuses. Je parviens maintenant à remuer, mais chacun de mes mouvements est lent, laborieux.

J'en conclus que je ne suis pas dans ma chambre, encore moins dans mon lit ! Que se passe-t-il ? Où suis-je ? J'ai peur !

Ce lourd silence m'agresse infiniment, me donne froid dans le dos. J'appelle à l'aide, mais personne ne me répond. Ce n'est pas normal ! La solution à ce mystère s'avère peut-être toute simple. Il suffit de la découvrir. Et si je faisais simplement un cauchemar ? Mon instinct me signale toutefois de conserver un calme apparent.

Pendant une période qui me paraît interminable, je consacre toutes mes énergies à retrouver le contrôle de mon corps endolori. Je parviens à bouger les bras et à me retourner dans ce lit inconfortable. M'asseoir demande encore beaucoup plus de temps et d'efforts. Lorsque je réussis enfin, je soupire de soulagement. Malgré tout, je suis trempée de sueur et mes mains tremblent beaucoup.

Maxime n'est visiblement pas affectée par cette étrange paralysie, car elle s'agite vigoureusement dans mon ventre. Cela me ravit et m'étonne en même temps, car la santé de l'enfant est étroitement reliée à celle de sa maman.

Peu à peu, je regagne des forces. Combien de temps s'est-il passé depuis mon réveil ? Je l'ignore. Aucune lueur ne traverse une fenêtre ni une porte quelconque.

Subitement, je crois comprendre ce qui m'arrive et je me rends compte que des larmes glissent sur mon visage. C'est terrible, indescriptible ! Je hurle un long « Non ! », et l'écho fait résonner ma voix. Je ne me trouve ni chez moi ni dans un endroit accueillant où l'on prendra soin de ma fille sur le point de naître... Je suis dans l'antre du tueur des Laurentides !

J'essaie de me lever, mais je suis déjà à bout de souffle lorsque je parviens à m'asseoir sur le bord du lit. Comment pourrai-je me sauver d'ici si je suis figée de la sorte ? Le désespoir monte en moi, au même rythme que mon instinct de survie.

Tous les indices m'amènent à cette conclusion horrifiante. Mon dernier souvenir remonte à ma visite au cimetière avec Esther et mes collègues de travail. J'ignore ce qui a bien pu se passer depuis et pourquoi je me retrouve tout à coup à demi paralysée dans un endroit qui ne ressemble en rien à un hôpital. De toute évidence, je suis coincée dans les griffes de ce psychopathe ! Comment a-t-il pu me kidnapper ?

Je veux m'enfuir, mais je retombe lourdement sur le lit dès mon premier pas, mes jambes flageolantes ne pouvant supporter mon poids. J'ai dû être droguée. Un son rauque s'échappe de ma gorge sèche.

Ciel, mais qu'est-ce que je dois faire ?

Raphaël. Je pense à lui de toutes mes forces. Quelle idiote ! Pourquoi ai-je tout tenté pour le pousser dans les bras de Caroline ? J'ai détruit le couple de William et j'ai cherché à soulager mes remords de conscience en sauvant celui de Raphaël. J'ai seulement déplacé le problème, je n'ai rien réglé. En envoyant Ralph à Montréal, j'ai probablement contribué à signer mon arrêt de mort et celui de ma petite fille. J'aime Raphaël, et il m'a fait comprendre à plusieurs reprises qu'il m'aime toujours, lui aussi. Pourquoi, pourquoi l'ai-je laissé partir ? J'aurais dû me réfugier dans ses bras à la première occasion. Il m'aurait protégée, surveillée. Maintenant, j'ai tellement peur !

Je gémis quand je me mords la lèvre inférieure. J'ai repoussé les couvertures, et il fait extrêmement froid, ici. J'ignore ce qui se passe et qui peut bien se cacher dans l'ombre. Je dois agir, je n'ai jamais été capable de demeurer passive dans les situations d'urgence. Je dois à tout prix découvrir l'identité de mon kidnappeur. Quels sont ses plans ? Où suis-je ? Pour le moment, j'ai seulement deux certitudes : le danger me guette, et je dois me débrouiller seule. Étrange similitude avec l'incendie de la rue Wellington où j'ai dû me battre pour sauver Raphaël ! Ici, c'est pour Maxime que je me battrai.

Retrouver mes forces. Comprendre le tueur. Échafauder un plan. Agir ! Si je meurs, j'espère au moins que je vendrai chèrement ma peau ! Mais je remuerai ciel et terre pour survivre !

— Qui est là ? criai-je le plus fort possible. Montrez-vous !

Pas de réponse, évidemment. Je me rappelle les paroles du psychiatre au procès de William : « Le tueur des Laurentides répond à ses pulsions. Il est sadique, violent, manipulateur, rusé, intelligent. » Le sadisme commence par la cruauté mentale. Une vieille tactique de guerre consiste à briser le moral d'une personne avant de passer à l'étape suivante, la torture physique. La victime se montre ainsi beaucoup plus docile.

Je réfléchis à la stratégie à adopter. Avant moi, tant de femmes ont dû passer sur ce lit dégoûtant ! À quoi ont-elle pensé ? Se sont-elles effondrées ? Se sont-elles battues ? Ont-elles engagé un combat acharné contre le tueur ?

— Qu'est-ce qui t'amuse de me voir dans cet état lamentable ? Contrairement aux autres femmes que tu as amenées ici, je sais où je suis et ce qui m'attend.

Le silence me fait écho. La rage monte en moi, mais je ne bouge pas. J'ai si peu d'énergie, je préfère ne pas la gaspiller à serrer les poings ou hurler des insanités.

— Lucie Gallant te connaissait aussi. Comme elle était seulement ta deuxième victime, elle ignorait encore ce qui l'attendait. Tu as bien dû t'amuser quand tu t'es recueilli sur sa tombe, hein ?

Il n'y a plus aucune place pour le doute : mon assaillant est un de mes collègues ! Nous avons soupé ensemble, hier soir. Pourquoi, mais pourquoi ai-je laissé filer Raphaël ? Cesser de me poser ces questions. Ça ne me m'aidera pas en ce moment !

Toujours rien. Je laisse passer du temps. À quoi peut bien penser un monstre ? Qui sait ? je suis peut-être seule dans cet endroit lugubre. S'il veut brouiller les pistes, le tueur m'a peut-être enfermée à double tour et est retourné en ville pour qu'on le voie. Quand il se sera assuré que les soupçons ne retomberont pas sur lui, il reviendra vers moi et voudra en finir au plus vite pour retourner à sa vie normale.

– Qui es-tu, espèce de salaud ?

Peu de choix s'offrent à moi. Je compte sur mes doigts. Je vois quatre suspects potentiels, c'est-à-dire tous les collègues avec qui j'ai soupé hier, à l'exception de Julie. Et de Raphaël.

– Jonathan Beaupré, dis-je en premier. Beau grand gars marié à une professionnelle, père de famille, bonne réputation. Résumé de la sorte, ton portrait ressemble drôlement à celui de William, hein ? Peut-être as-tu voulu le faire tomber parce qu'il te ressemblait trop ? Non, sans doute as-tu une meilleure raison...

Silence, silence. J'ai l'impression de sentir une présence dans la pièce. Pourtant, je n'ai encore entendu aucun bruit. Une bête de la trempe de ce monstre doit exceller dans le camouflage...

J'entends enfin une respiration, non, plutôt un soupir. Je suis terrifiée, mais il vaut mieux que tout se passe très vite. Si je dois mourir, inutile que ça traîne pendant plusieurs jours. Pour avoir suivi toute l'affaire, je suis consciente à quel point le tueur peut être cruel. Je prie Dieu de m'épargner des souffrances interminables. Mes doigts serrent énergiquement la couverture. Je ne peux pas m'en empêcher malgré mes forces limitées. Sans cet exutoire, je serais en train de hurler.

– Simon Hélie... Pourquoi avoir tué Thomas et détruit William ? Raphaël aurait été une victime plus logique puisque tu es certain qu'il trompe ta sœur adorée. Je l'ai vu dans ton regard, hier soir.

Même si je ne vois déjà rien, je ferme les yeux. Les possibilités deviennent de plus en plus limitées.

Je refuse que le tueur ressente la panique dans ma voix, ça lui plairait trop ! Je m'efforce de me contrôler, mais j'ignore si j'y parviens.

– Antoine Patenaude... Discret, tranquille, bon père de famille... On te connaît assez peu, dans le fond. Ta femme a cependant la réputation d'être extrêmement jalouse. Comment pourrais-tu tromper sa vigilance et sa surveillance aussi souvent ?

Dehors, j'entends un aboiement. Je commence à pleurer alors que la réalité me frappe durement au visage. Non ! Je n'arrive pas à y croire !

– Sors de l'ombre, Samuel, dis-je à travers mes sanglots. Je sais que c'est toi ! Mon partenaire, mon ami, mon confident...

Érickson ne jappe plus. Les pièces du casse-tête se mettent soudainement en place. J'ai été tellement aveugle ! Pire, j'ai été trahie par un homme en qui j'avais placé toute ma confiance ! Après Raphaël et William, j'aurais donné n'importe quoi pour que le coupable ne soit pas mon grand ami. Pendant un an, j'ai même habité avec ce... monstre !

Je revois Thomas sous les débris... Des détails me reviennent à l'esprit et me chavirent.

– Te doutais-tu que je monterais pour venir en aide à Raphaël et à Thomas ou t'ai-je complètement surpris ? Allez, réponds-moi !

La lumière qui s'allume brusquement m'aveugle pendant quelques secondes.

Devant moi, un homme souriant, les bras croisés sur la poitrine, s'amuse beaucoup. Je n'avais jamais vu un sourire pareil. Son visage entier semble d'ailleurs transfiguré. Il n'a plus vingt-huit ans, je lui en donnerais dix ou quinze de plus. Ses yeux ne sont plus bruns, je n'aperçois que sa pupille noire. Son regard me transperce. Ses traits sont durs. Sa respiration devient tout à coup saccadée.

Il avance. Malgré moi, je hurle et trouve la force de me reculer sur le lit. Il fait deux pas et s'arrête brutalement. Comme un petit enfant effrayé, je me replie sur moi-même. Je serre un oreiller contre ma poitrine. Je sens fondre ma volonté, je suis subjuguée par cet animal qui me dévisage. Après tant de doutes et de questionnements, je fais face à la vérité. Cruelle et inadmissible vérité ! Moi qui me plaignais depuis longtemps de ne plus supporter l'incertitude, voilà que je la regrette tout à coup, car elle était beaucoup moins effrayante que l'homme qui me dévisage. Je pleure en silence, aux aguets, effrayée.

Je ne peux absorber le choc. Je n'ai plus qu'un filet de voix lorsque je murmure :

– Samuel, tu es le tueur des Laurentides...

Incapable de reconnaître mon ancien colocataire, mon partenaire depuis belle lurette, l'ami en qui j'avais naïvement placé ma confiance... Alors que tout tremble en moi, Maxime ne bouge plus du tout. La petite ressent probablement autant de désespoir que sa mère. Pauvre bébé ! À tout prix, je me dois de la protéger.

– Tu connais enfin la vérité.

Même la voix de Samuel est rendue méconnaissable, comme un sifflement.

Quelle est la meilleure image que je puisse trouver pour décrire cette bête inhumaine ? Un reptile guettant sa proie... Cette proie, c'est moi.

Chapitre 34

William savait maintenant que la pire agression possible consistait à vivre dans la plus totale absence de sens. Et sa vie, actuellement, n'en avait plus aucun. La situation devenait intenable en y rajoutant la privation de liberté.

Prostré sur son lit, William s'efforçait de faire le point sur sa situation. Peu d'avenues s'offraient maintenant à lui. Esther et Claudia avaient tout tenté pour le convaincre qu'un deuxième procès réglerait tout, mais il n'y croyait pas. Un homme derrière les barreaux, la justice pouvait maintenant se reposer, se rassurer, se féliciter. Aucun juge n'accepterait de le sortir si un autre coupable ne prenait pas sa place. Étonnamment ou pas, seules ses avocates refusaient de regarder la vérité en face.

Turmel pensa à son voisin de cellule avec qui, depuis un mois, il discutait régulièrement lors de leurs brèves sorties. Bob, de vingt ans son aîné, l'avait pris sous son aile pour l'aider à traverser l'épreuve. Le criminel purgeait une peine de dix-huit mois pour un vol par effraction, mais il avait déjà passé de nombreuses années entre les murs pour différents délits, dont plusieurs à caractère sexuel.

À quelques reprises, le vieil homme lui avait confié ses nombreuses réflexions sur la vie carcérale et sur la situation du pompier :

« Les gars comme toi survivent difficilement à une longue peine au pénitencier, avait avoué Bob. Dans l'aile à sécurité super maximale, tu seras épargné des guerres de gangs, du moins en bonne partie, mais tu seras complètement isolé, toujours coincé dans ta petite cellule ; tu ne pourras même pas aller au gymnase pour te défouler. Les psys appellent ça "l'état zéro" : tu as été un *top* et tu deviens un moins que rien, un minable, un déchet, un numéro, une bête en cage. Tout le monde a peur de se retrouver dans cet état ! »

William n'avait pas été encouragé par ses paroles, et Bob en avait rajouté encore un peu plus :

« Et si tu prends *perpet*, t'es mieux d'accepter ta thérapie pour délinquant sexuel. Sans ça, tu ne réussiras jamais à passer aux libérations conditionnelles et tu purgeras ta peine en entier. »

William avait bondi : il refuserait toute sa vie de suivre une telle thérapie. Il aurait mille fois trop honte d'accompagner des violeurs et des pédophiles dans une démarche de « guérison » alors que sa pire incartade avait été son aventure avec Emma ! Il ne présentait aucun symptôme d'une quelconque déviance sexuelle !

Le lendemain de cette conversation, William avait confié son découragement à Bob. Il avait même osé prononcer la principale question qui lui torturait l'esprit : « À quoi sert la vie dans des conditions comme celles-là ? »

Bob l'avait longuement regardé, puis il avait répondu à voix basse :

« Tu ne serais pas le premier à abandonner. Si tu veux un bon conseil, attends deux ou trois semaines après ton verdict pour passer à l'acte. Les gardiens seront beaucoup moins vigilants. »

William se rappelait ce souvenir avec acuité, tout surpris que son voisin ait pu deviner ses intentions !

Maintenant, l'heure de déclarer forfait avait sonné. Dans une semaine, il serait transféré à Rivière-des-Prairies. Il ne pouvait donc pas attendre puisque toutes ses affaires seraient fouillées avant son départ pour Montréal et à son arrivée là-bas. De toute façon, il ne tiendrait pas aussi longtemps.

– Eh ! William !

Le pompier sursauta et leva la tête. Profitant de leurs quinze minutes de sortie pendant la soirée, Bob pouvait s'approcher du détenu qui avait refusé de sortir. William ne bougea pas, mais il ressentait un certain plaisir à le voir. L'ironie de la situation lui sauta au visage : il se faisait réconforter par un véritable agresseur sexuel, un homme qu'il aurait volontiers méprisé dans son ancienne vie. Preuve indéfectible de sa déchéance...

Bob secouait la tête, comme s'il était déçu de revoir celui qu'il avait pris sous son aile.

– J'ai su pour le verdict. Ne fais rien ce soir. Les gardiens t'auront à l'œil. Si tu te rates, tu n'auras pas de deuxième chance avant longtemps !

Peut-être. Peut-être. William se leva pour s'approcher de sa porte de cellule.

– Si t'es vraiment innocent, mec, ne fais pas de conneries. Tu peux te payer une bonne défense, alors continue la bataille. Tu feras tes bêtises quand tu auras épuisé toutes les ressources.

— Même si je peux payer mes avocats, j'ai épuisé mon énergie.

— Pense à ta réputation, à ta gamine... À la Chaîne nationale d'information, ils ont montré la femme enceinte. C'est vraiment une belle fille, tu as de la chance !

Bob lui tapa l'épaule sans provoquer la moindre réaction chez William.

— Viens-tu dehors avec moi ? Ça te ferait du bien.

— Non, je reste ici.

Turmel marchait de long en large. Il se sentait complètement vidé, mais il ressentait paradoxalement un grand besoin de bouger. Prendre un grand bol d'air frais lui aurait été salutaire, mais il n'avait pas envie d'affronter le regard de qui que ce soit.

William réfléchissait aux chances que l'aide de Rémy Gaucher, journaliste aux faits divers à la Chaîne nationale d'information, puisse s'avérer d'un quelconque secours. Immédiatement après le prononcé du verdict, Gaucher s'était rendu auprès d'Esther pour lui dire qu'il avait épluché le dossier avec grande attention et qu'il ne croyait pas Turmel coupable. Précisant qu'une pression médiatique favorable ne pourrait pas leur nuire s'ils portaient la cause en appel, il avait demandé une entrevue avec son client. Se défendre haut et fort sur la place publique pourrait-il l'aider ? Après réflexion, William conclut que ça ne changerait rien. Dans ce cas, la cause était perdue d'avance.

Maxime. Dans la lettre qu'il avait remise à Emma, William expliquait longuement à sa fille pourquoi il préférait mourir plutôt que de vivre derrière les barreaux. La petite comprendrait ou lui en voudrait toute sa vie, mais elle ne pourrait nier qu'il avait eu d'excellentes raisons de s'enlever la vie. Pour se consoler, Maxime pourrait compter sur une mère fantastique et un père de remplacement tout à fait convenable. Si Raphaël ne portait pas déjà le nom de « beau-père », c'était une question de temps. William en était persuadé.

Emma. Elle n'avait aucun besoin de lui. Elle ne l'aimait pas. Et il avait planifié son testament en fonction de la naissance de la petite : elles ne connaîtraient aucune difficulté financière.

Esther. William souhaitait qu'elle se soigne, qu'elle apprenne à être heureuse et qu'elle soit enfin récompensée pour son dévouement.

Claudia. Il ne méritait pas cette femme magnifique qui s'était dévouée corps et âme pour le sortir de ce mauvais pas. Elle se remettrait rapidement de sa perte, elle tomberait facilement amoureuse d'un autre. Il eut un pincement au cœur en y réfléchissant, mais il se consola tout de suite en songeant qu'il s'agissait de la meilleure solution pour son épouse.

Sa mort passerait-elle pour un aveu de culpabilité déguisé ? Le véritable tueur des Laurentides vivrait maintenant tranquille, certain de ne jamais être coincé. S'il avait pris la peine de bâtir ce terrible piège autour de William, l'assassin ne commettrait plus aucun crime afin que le lieutenant porte éternellement son chapeau. Dès l'annonce de sa mort, Emma se retrouverait donc en sécurité. Bonne chose, non ?

Pour la première fois depuis des semaines, un grand calme envahit William. Il s'assit sur son lit, déposa son album de photos sur ses genoux. Il regarda les pages une à une. Aucune émotion négative. Que de bons souvenirs. Un seul regret pinça son cœur : en gage de respect pour Thomas, il aurait aimé que la mort de Lucie et d'Aimée soit enfin punie.

Dans sa tête, William fit rejouer les images d'un souvenir qu'il avait mille fois visité : le sauvetage *in extremis* de Claudia. Il mourrait en pensant à un des moments les plus gratifiants de son existence.

Un gardien marchait lentement dans le couloir. Il s'arrêta devant la cellule du détenu au matricule 04-XR680. Il ne pointa pas sa lampe de poche vers l'intérieur de la cellule puisqu'une lampe de chevet y était déjà allumée. Il aperçut un détenu calme, assis sur son lit, appuyé contre le mur, une tasse à la main. William regarda dans sa direction, puis hocha la tête quand l'homme s'éloigna.

Cinq heures. Le lieutenant avait réfléchi toute la nuit, si bien que les gardiens trouveraient normal qu'il dorme pendant quelques heures. Lorsqu'ils commenceraient à s'inquiéter de son immobilité, il serait trop tard.

Quand le gardien se fut éloigné, William Turmel porta la tasse à ses lèvres...

Chapitre 35

Samuel s'arrête à quelques centimètres du lit où je suis recroquevillée. Ses bras sont croisés sur sa poitrine, mais son visage est tout à coup devenu moins dur. Il sourit, de sorte que j'ai presque l'impression de reconnaître mon bon vieux Samuel. Et si tout ça n'était qu'une immense blague ?

— Tu es drôlement séduisante avec ton visage mouillé de larmes et ensanglanté, Emma !

Je touche mon visage et m'aperçois que j'ai une vilaine entaille au front. M'a-t-il battue ?

— Drôlement attirante...

Je ne suis pas victime d'un coup monté : ce fauve n'est pas l'homme que je connais ! Samuel retourne enfin s'appuyer contre le mur. Plus il se tiendra loin de moi, mieux je me porterai.

J'examine les lieux. Je suis prisonnière d'une grande pièce sans fenêtre, dans une cabane en bois rond. Non, il ne s'agit pas de l'endroit où je me suis rendue avec William, puis avec Raphaël, parce que le chalet, beaucoup plus grand, me paraît dans un piètre état. De la moisissure couvre le mur du fond, des gouttes d'eau semblent s'être échappées du toit puisqu'une chaudière pleine repose sur le sol. Peu de meubles occupent l'espace : un lit, une grande armoire fermée à clé et une table de nuit sur laquelle reposent quelques boîtes de mouchoirs. Le vert criard, le rouge vif et le jaune soleil qui décorent les draps contrastent étrangement avec la sobriété de cet endroit. La porte ouverte mène sans doute vers une autre pièce.

Où peut-on bien être ? Nous ne sommes certainement pas éloignés de toute civilisation puisque l'électricité se rend jusqu'au chalet ! Comment Samuel, grand sportif et voyageur infatigable, a-t-il pu trouver le temps de construire ces refuges sans que personne n'y voie rien de louche ? Tant de questions se bousculent dans ma tête !

Samuel a suivi tous les mouvements de mon regard et il me fixe encore intensément.

– Qu'est-ce que tu me feras, Samuel ? Tu me tueras avec autant de cruauté que tes autres victimes ?

Pour toute réponse, il ricane. Je frissonne en imaginant ce que cache ce rire endiablé. Un goût amer monte dans ma gorge et me donne la nausée.

– Comment pourras-tu oublier toutes les années d'amitié qui nous ont liés ? Parviendras-tu à mettre une croix sur tes souvenirs, sur les interventions où nous avons risqué nos vies ensemble ? Peux-tu te rappeler tous ces bons moments que nous avons vécus en couple, Anne-Marie et toi ainsi que Raphaël et moi ?

Il sourit, et son calme déconcertant m'horripile. Il réfléchit longuement, puis se décide à briser le silence :

– Après sept heures dans ma charmante demeure, les autres femmes étaient déjà bien mal en point.

Sept heures ? Nous devions quitter le cimetière entre vingt-trois heures et minuit, mais je ne me rappelle rien depuis le départ de Raphaël. Que s'est-il passé depuis ? En ce moment, personne ne doit s'inquiéter de mon sort. Cette pensée m'abat, mais je me ressaisis rapidement.

— Toi, je t'ai à peine touchée...

Il m'a touchée ? Paniquée, je baisse la tête et regarde mon corps. Je porte les mêmes vêtements qu'hier soir. M'a-t-il violée ? Non ! Je le sentirais ! Une action aussi dégradante doit marquer le corps d'une femme comme un fer rouge. Je refuse de subir ça ! Mais comment puis-je me sortir d'ici ?

— J'adore voir ta peur, Emma ! Sincèrement, je ne croyais pas que tu la montrerais autant. Je t'imaginais plus forte, plus entêtée.

Samuel se délecte, il jouit de me voir dans cet état !

— Tu m'as droguée. Comment veux-tu que je sois ton égale ?

— Tu as commencé à avaler les médicaments dans les verres de lait que je te versais pendant le souper... Quelle sensation fantastique de te manipuler devant tout le monde sans que personne ne se doute de la vérité !

Je secoue la tête en pensant avec tristesse à Raphaël, qui était alors si près de moi.

— Raphaël s'inquiétera bien vite de notre absence et...

— Non, non, rassure-toi ! Hier soir, je l'ai convaincu de ne pas te téléphoner pendant ces quelques journées auprès de sa fiancée. Les retrouvailles se sont bien déroulées, alors il a accepté. Il s'inquiétera de toi dans trois jours, peut-être même quatre. Ça nous donne suffisamment de temps ensemble, tu ne crois pas ?

Je ne peux pas dire si je suis triste, en colère ou désespérée... Raphaël tiendra-t-il vraiment trois jours sans prendre de mes nouvelles ? Peut-être ! Je l'ai moi-même persuadé de partir, de renouer avec sa fiancée, de prendre du recul face à nous deux.

– Et Julie ?

– Je l'ai avisée que je te déposais chez ta copine Isabelle, dont elle ignore le numéro de téléphone et même le nom de famille ! J'ai prétexté avoir l'occasion de travailler pendant trois jours à Urgences Santé.

Il s'arrête. Je retiens mon souffle.

– Emma, tu sais que j'adore voyager, disparaître pendant deux ou trois semaines ! Par conséquent, tu te doutes bien que je ne refuse jamais de faire quelques quarts de travail très payants... et très loin de Sherbrooke !

Je ne veux pas y croire ! A-t-il toujours menti sur ces aspects de sa vie ? Certains étés, il affirmait travailler pratiquement tous les jours pendant nos congés à la caserne ! Ce rythme de travail effréné et son train de vie modeste expliquaient qu'il puisse s'offrir autant de séjours à l'étranger. A-t-il seulement déjà quitté le Québec ?

– Les chalets... Celui chez William et celui-ci... Tu les as construits pendant tes supposés quarts de travail à Urgences Santé ? Ou pendant tes prétendus voyages à l'extérieur du pays ?

— Tu as tout compris.

— Pourtant, nous sommes allés en Thaïlande ensemble ! Raphaël et toi avez voyagé pour jouer au hockey ! Et je t'ai déjà vu dans une ambulance, à Montréal !

— En effet, j'ai aussi travaillé et voyagé : c'était essentiel pour me créer des alibis et assurer la crédibilité de mes absences ! Recevoir une paye supplémentaire m'a aussi permis d'acheter de grandes quantités de matériaux, un véhicule tout-terrain et tout le tralala.

— Mais tu ne pouvais pas être à deux endroits au même moment !

— Non, mais j'ai souvent effectué un enlèvement juste avant un quart de nuit, par exemple. Je venais reconduire ma victime ici, puis je filais à Montréal pour y soigner quelques p'tits vieux, avant de revenir « travailler » ici pendant quelques jours. Je suis pratiquement intouchable, Emma.

Je ne dis plus rien, complètement sonnée par l'intelligence de mon ravisseur.

— Lève-toi et viens avec moi, je vais te faire visiter mon antre. Es-tu intéressée à connaître quelques-uns des mille secrets du tueur des Laurentides ?

J'ai besoin de temps. Oui, j'accepte volontiers une tournée de son repaire. J'en profiterai pour examiner toutes les issues et tenter d'apercevoir l'environnement extérieur. Je veux avoir une idée de l'endroit où nous nous trouvons, mais je crains qu'il ne m'attaque subitement ou qu'il ne me drogue à nouveau. À cause de ça, je dois me tenir le plus loin possible de lui.

Profite de mon calme, Emma. Pour le moment, tu vois bien que je suis Samuel D'Arcy.

– Tu te trompes complètement : je n'ai jamais eu peur de Samuel D'Arcy !

Contrarié, sa voix grimpe d'une octave et il siffle en plissant des yeux :

– Allez, viens ici tout de suite !

Voyant qu'il s'impatiente, je me lève ; ma tête tourne à une vitesse vertigineuse. J'avance de quelques pas et le fixe dans les yeux. La peur des femmes l'excite ? De toutes mes forces, je me battrai pour éviter de m'offrir en spectacle. Je veux vivre et je veux aussi que ma petite fille connaisse les beautés – et les difficultés – de la vie. Je lutterai pour nous. Mais si Samuel doit nous tuer, je souhaite qu'il ne le fasse pas avec la cruauté et l'inhumanité qui ont caractérisé tous ses crimes. Je n'ai jamais ressenti autant de peur et d'incompréhension. Je vacille, mais l'adrénaline me maintient debout sur mes jambes.

Je suis ses ordres et franchis la porte. Samuel se colle derrière moi. Je sens son souffle chaud dans mon cou et j'ai du mal à respirer. La pièce, de la même taille que la précédente, est entièrement vide à l'exception de trois armoires situées dans le coin de la pièce.

– Cet endroit est immense !

– Oui, j'ai besoin d'espace pour accomplir mes petits rituels...

Il pose sa main sur mon épaule, ses lèvres frôlent mon cou. J'ai si froid que mes dents claquent. Il chuchote à mon oreille :

— La plupart des femmes ont péri ici, sur ce plancher rugueux. Plusieurs sont mortes sous mes coups de pied, quelques-unes ont été éventrées, d'autres ont été étranglées... Une exception : la fugueuse, que j'ai tuée dans mon petit cabanon, tout près du chat de William. La police n'a pas tout raconté de mes meurtres. J'ai souvent été déçu qu'ils taisent les détails les plus savoureux... Veux-tu connaître toute la vérité ?

Je secoue la tête, puis la tourne dans tous les sens pour trouver un endroit où vomir. Samuel rit en m'entraînant dans une troisième pièce, plus petite. Il y a ici un four au gaz, une table et des chaises, des tablettes contenant de la vaisselle et différents articles de cuisine. La porte d'entrée se situe sur ma gauche, mais il n'y a aucune fenêtre !

Samuel m'amène enfin près d'une poubelle, et je vomis avant de m'écrouler par terre, complètement épuisée.

— Ce sont les effets secondaires de la drogue, ne t'en fais pas.

Il se trompe : ce sont la peur et l'horreur qui me donnent la nausée. Je garde toutefois l'information pour moi. Tant mieux s'il me croit droguée, il prévoira moins mes réactions. Accroupie sur le sol, appuyée contre le mur moisi de sa cabane, je le regarde avec haine.

— Après avoir déployé autant d'efforts pour conduire William derrière les barreaux, pourquoi as-tu décidé de tout jeter à l'eau en m'enlevant ?

— Si on ne retrouve jamais ton corps, les preuves seront insuffisantes pour permettre l'acquittement de William. Quant à moi, j'ai tout ce qu'il faut pour partir très vite après ta mort : un faux passeport, un billet d'avion qui me mènera à l'autre bout du monde... Même si William est libéré, je ne serai jamais arrêté. Et je pourrai revenir un jour ou l'autre... Raphaël aura certainement des enfants de sa belle Caroline, non ? Ça, c'est une femme à mon goût !

Il rit et se transforme une fois de plus en un monstre horrifiant. Il semble transfiguré par la haine et la rage. Il se délecte à l'idée de blesser Raphaël à son tour. Il teste ma force, ma résistance, il veut me briser avant de me tuer. N'est-ce pas exactement le petit jeu qu'il a joué avec Thomas ? Il lui a visiblement donné la bague, la clé et la note, puis il l'a tué. La colère grimpe dans mes entrailles.

Une énergie insoupçonnée explose en moi, et je me lève en titubant. Mes yeux lancent des éclairs. Et je vois qu'il aime ça ! Il s'anime et attend impatiemment la suite. Comment réagissaient les autres femmes ? Qu'attend-il de moi ? Je dois contrecarrer ses plans, déstabiliser ses repères. « La majorité des criminels s'attachent à leur famille, à leurs femme et enfants, mais ils ne ressentent aucun sentiment, aucune empathie envers leurs victimes. » Bien que je n'aie été ni sa femme ni son enfant, j'espère avoir assez compté pour lui afin d'éveiller sa compassion, sa sentimentalité.

Une idée aussi barbare qu'insupportable traverse mon esprit. Je me sens coupable depuis plusieurs mois de la mort de Thomas, j'ai passé des nuits entières à m'en vouloir, à ressasser le problème dans tous les sens possibles. J'opte maintenant pour la stratégie de la dernière chance. De toute façon, qu'ai-je à perdre ?

– J'ai un point en commun avec toi. J'ai déjà tué. De mes propres mains !

Il semble tout à coup interdit. J'essaie de me composer un regard dur, de cacher ma terreur sous un masque d'agressivité. Je ne peux pas croire que je sois en train de raconter cela, mais je dois essayer de le rejoindre au cœur de sa folie, là où, peut-être, se trouve mon salut. Je le laisse mijoter un peu avant de poursuivre :

— Et j'ai tué grâce à toi. Plutôt ironique, non ?

— Qu'est-ce que tu veux dire ?

Je le fais patienter ; il est contrarié et trépigne. Pour le moment, Sam croit que je mens. Je rassemble tout mon courage et lance à voix haute :

— Tu n'as pas assassiné Thomas... C'est moi qui l'ai fait !

— Tu dis n'importe quoi ! rétorque-t-il aussitôt, piqué au vif.

Même s'il a tout manigancé pour que la responsabilité retombe sur les épaules de William, Samuel n'aime pas que je l'ampute de ses crimes.

— Pendant que Thomas était coincé sous les débris, j'ai tiré sur le tuyau qui le reliait à son respirateur. L'air brûlant l'a tué sur le coup. Moi, je le regardais dans les yeux et je le tenais par la main !

Samuel suit mon récit avec une attention grandissante, envahissante.

— Je connais la sensation de sentir une vie nous filer entre les doigts. J'ai aimé détenir ce pouvoir sur un être humain, saisir ce qu'il possède de plus précieux, sa propre existence !

Je suis en train de dénaturer la mort de Thomas et je me déteste de parler de lui comme d'une chose manipulée, banale, indifférente ! J'espère que, de son ciel, mon ancien coéquipier me pardonnera d'utiliser sa mort comme un bouclier contre mon assaillant.

Ma confession a secoué Samuel, qui n'arrive pas encore à y croire.

– J'ai tué le mari de ta deuxième victime. Quelle surprise, hein ? Ça m'épate ! Pas toi ?

Épaté ? Je ne suis pas convaincue que le mot soit juste : Samuel semble complètement tétanisé par ma révélation.

– Tu as vraiment eu le culot de faire ça ?

– Thomas se trouvait là, devant moi, et...

– Tu as voulu éviter qu'il souffre. Tu n'as aucun mérite !

– Peu importe les raisons qui m'ont poussée à commettre le geste, j'ai quand même pris la décision de le tuer ! Comme toi ! La vie d'une personne reposait entre mes mains et je l'ai prise...

Je tends les mains vers lui, comme pour lui montrer les outils qui m'ont été utiles pour supprimer Thomas. Maintenant songeur, impressionné, Samuel sourit. Un éclair de démence vacille dans son regard.

– Eh bien, bravo, Emma ! Tu es vraiment digne de moi ! Viens vite à table. Avant de partir, j'ai préparé un confit de canard. Quand je suis ici, mes activités me creusent l'appétit...

– Et je raffole de ta recette ! m'écriai-je, un flot de bile me montant à la gorge.

– Je sais, mais je ne croyais pas partager ce repas avec toi. Selon mon plan, tu devrais déjà être étendue sur le sol de la pièce à côté, nue, frigorifiée, affolée et en piteux état.

Guerre psychologique : il joue avec moi comme un chat avec une pauvre souris. Je ne dois pas craquer ni me mettre en colère !

– Le repas de la condamnée ?

– Qui sait ? Allez, profite de mes égards envers toi.

Est-ce bon signe ? En tout cas, je gagne du temps et ça me donne l'occasion de réfléchir et de retrouver des forces. Sam se dirige vers une armoire, prend un linge qu'il mouille avec de l'eau contenue dans un énorme bidon.

– Lave-toi, tu seras beaucoup plus... appétissante !

Faisant taire ma répulsion, j'attrape la serviette qu'il me lance. Je la déplie et j'ai un haut-le-cœur en m'apercevant que, même si elle a été lavée, elle est tachée de sang. Ne pas craquer, ne pas tomber, lui résister, garder la tête froide ! Je dois lui obéir. Je m'essuie avec un petit coin du chiffon.

– Je mets le plat au four. En attendant qu'il réchauffe, nous poursuivrons notre discussion. Ou nous pourrions faire d'autres choses passionnantes...

Son regard salace m'horrifie. Toujours sur mes gardes, j'essaie de me rassurer en pensant que quelqu'un, quelque part, finira sans doute par s'inquiéter de moi. Je dois m'organiser seule, mais l'idée qu'on puisse commencer à me rechercher me revigore un peu.

La préparation du repas ne dure pas longtemps, et Samuel vient s'asseoir sur la chaise voisine. Il prend ma main gauche dans la sienne et caresse mon poignet du bout des doigts. Sa main remonte lentement mon bras, il caresse ma nuque, mon visage. Je suis tétanisée par la peur.

– Lucie Gallant a aussi choisi cette chaise quand je lui ai offert de manger du poulet à l'orange. Elle était moins forte que toi. Je l'ai violée pour la première fois avant que le repas soit prêt...

Je ne frémis pas, je ne bouge pas, je ne vomis pas toute ma détresse. Je le fixe dans les yeux et lui répond d'une voix étonnamment calme :

– Moi, j'ai tué son mari alors que j'aurais pu appeler des secours... On forme une belle paire, non ? Savais-tu que ma radio fonctionnait ?

Comment puis-je débiter de pareilles énormités ? Je me dégoûte. Mais il ne me possédera pas ! Je résisterai le plus long-temps possible. Pour vivre, pour que ma fille vive, je suis prête aux pires bassesses. Samuel caresse maintenant ma joue du bout des doigts. Pour éviter qu'il ressente ma peur, je pose ma main sur la sienne. Je veux gagner cette guerre psycholo-gique. Je la gagnerai...

Chapitre 36

Le sergent-détective Adam Chrétien avait une solide gueule de bois. Accompagné de quelques-uns de ses confrères, il s'était rendu la veille dans un bar où les enquêteurs avaient célébré la fin d'une très longue enquête. Une bonne moitié des membres de l'équipe multidisciplinaire n'était pas encore tout à fait convaincue de la culpabilité de Turmel, et les policiers avaient convenu d'analyser le problème avant la dissolution de leur brigade. Cependant, ils avaient tous souhaité prendre une semaine de vacances, complètement exténués qu'ils étaient par les mois infernaux qu'ils venaient de traverser.

– Les vacances ont été courtes, M. Chrétien ! s'exclama sa secrétaire en le voyant apparaître dans son bureau.

Elle l'avait tiré de son sommeil pour lui apprendre qu'Yves Dubois voulait lui parler de toute urgence. Chrétien lui avait aussitôt téléphoné, mais il était tombé sur le répondeur de son collègue. Il avait donc décidé de filer au poste puisqu'il détestait traîner ses enquêtes à la maison.

Dans son bureau, l'enquêteur se laissa lourdement tomber dans son fauteuil et décrocha le combiné. Pas de réponse ! Il laissa un message vocal d'un ton impatient :

« Dubois, maintenant que vous m'avez ramené au boulot, j'apprécierais que vous me rappeliez rapidement. »

Pour patienter, Adam lut quelques-uns des articles de journal que sa secrétaire avait découpés tout au long de l'enquête et du procès. Le travail des policiers n'était ni dénigré ni félicité, si bien que Chrétien eut l'impression d'avoir fait un boulot plutôt juste, sans anicroches majeures.

Le téléphone sonna une trentaine de minutes plus tard. Dubois paraissait encore plus fatigué et tendu que son collègue :

— Je suis à l'hôpital, j'ai donc dû fermer mon cellulaire, lança-t-il en guise d'explication. On m'a appelé vers six heures et demie pour me dire que William Turmel venait d'être transporté à l'hôpital.

— Encore ? Qu'est-ce qui s'est passé, cette fois-ci ?

— Tentative de suicide.

— Quoi ? hurla Chrétien.

Dubois garda le silence. Les nerfs à fleur de peau, il n'avait pas du tout envie d'entendre les cris de son collaborateur. L'enquêteur de la Sûreté du Québec profita de ce court silence pour se calmer :

— Il ne devait pas être placé sous surveillance spéciale ?

— Oui, mais bon... Quoi qu'il en soit, il lutte actuellement pour sa vie. Les médecins ne garantissent pas qu'il tiendra le coup ni qu'il ne conservera aucune séquelle neurologique de sa surdose de drogues.

– Est-ce qu'il a laissé une lettre ou un quelconque indice ?

– Je n'ai pas encore eu le temps de faire fouiller sa cellule, mais les patrouilleurs ont retrouvé par terre un bout de papier où il a écrit, mot pour mot : « Je ne suis pas coupable. Claudia, bats-toi pour me défendre et pour protéger ma fille. Pardon pour tout. Je t'aime ! »

– Bon sang ! Je pars du bureau, je serai à Sherbrooke dans moins de deux heures.

– Emmenez le relationniste avec vous, on n'a pas fini d'avoir les médias et les avocats de Turmel sur le dos. Sa femme se maîtrise tout juste assez pour ne pas m'arracher les yeux et trois avocats de son cabinet épluchent leurs livres de droit pour trouver une action à intenter contre nous.

– Je rappellerai tout le monde pour qu'on poursuive cette enquête ; l'équipe se réunira d'ici la fin de la journée. La tentative de suicide soulèvera beaucoup de questions, et il vaut mieux que nous ayons les réponses le plus rapidement possible. Je vous rejoins à l'hôpital !

Adam Chrétien se hâta d'aviser sa femme d'une absence qui pourrait encore se prolonger pendant quelques jours, puis il lança une série d'ordres à sa secrétaire afin qu'elle renvoie en Estrie tous les membres de la brigade.

Pendant son trajet, l'enquêteur songea aux multiples significations que pouvait prendre la tentative de suicide de Turmel. Au fil des ans, il avait vu de nombreux criminels s'enlever la vie, mais aucun n'avait menti à la veille de sa mort : au contraire, ils en profitaient presque tous pour libérer leur conscience des péchés commis.

Si le véritable meurtrier était démasqué et que Turmel s'était donné la mort, la carrière de Chrétien et celle de plusieurs de ses collègues seraient terminées. Le ministère de la Justice serait poursuivi pour dommages et intérêts par la succession de Turmel. Par contre, si aucun autre meurtre ne survenait, l'affaire serait close : Turmel ne pourrait plus se défendre ni protester contre le traitement reçu.

Le téléphone cellulaire de Chrétien sonna alors qu'il songeait à un détail qui le tracassait depuis longtemps. Plus qu'une fatigue certaine, la voix d'Yves Dubois traduisait plutôt un sentiment de panique :

— Où vous trouvez-vous, actuellement ?

— Sur l'autoroute 10, à la hauteur de Granby. À la vitesse où je roule, je devrais être à l'hôpital dans moins de trente minutes.

— Venez plutôt me rejoindre sur la rue Lamontagne.

— Pourquoi ?

— Ce sera plus simple de tout vous expliquer sur place.

— De Sherbrooke, je connais à peine les trajets entre le poste de police, l'hôpital, le palais de justice et l'hôtel où je logeais. Comment croyez-vous que je pourrai trouver une rue résidentielle ?

— Très bien, poursuivit Dubois après une courte réflexion, alors prenez la sortie 140 vers l'autoroute 410 : une voiture de la sûreté municipale vous attendra pour vous guider jusqu'ici.

— C'est si grave que ça ?

— Nous n'avons pas une minute à perdre !

Adam Chrétien accéléra encore davantage, sirène et gyrophares allumés. Fortement inquiet, il redoutait les nouvelles qui l'attendaient. Après un long parcours dans les rues de la ville, Chrétien débarqua enfin devant un immeuble à logements où étaient déjà garées cinq voitures de police. Une jeune patrouilleuse le guida jusque dans un appartement du dernier étage. En guise de salutations, Dubois et Chrétien hochèrent la tête en même temps. L'enquêteur sherbrookois se jeta rapidement à l'eau :

– Raphaël Sansoucy prétend qu'Emmanuella Sanchez a disparu.

– Oh non !

Chrétien en avait assez des rebondissements spectaculaires dans cette histoire.

– D'autres indices ? bredouilla-t-il, encore confus.

– Le pompier Samuel D'Arcy se serait aussi volatilisé. Nous sommes chez lui, ici.

– Où se cache Sansoucy ? Je veux entendre l'histoire de sa bouche. Il m'a menti pendant assez longtemps pour que je me méfie maintenant de lui !

– Je l'ai vu dehors, je vais vous le chercher, lança la policière qui venait de conduire Chrétien dans l'appartement.

Sans plus attendre, Dubois amena Chrétien dans un coin du salon où ils se trouvaient à l'abri des oreilles indiscrètes :

– Faites attention à ce que vous dites et à qui vous le dites. Tous les patrouilleurs connaissent bien les acteurs dont il est question. À peu près tous les pompiers de la ville se tiennent derrière les scellés de la police, et vous verriez d'ailleurs trois camions d'incendie devant l'immeuble si les gars n'avaient pas reçu une alerte pour un incendie. En plus, les médias de la ville ont accouru. Les informations ont voyagé à une vitesse phénoménale, ce qui signifie que des gens ont parlé plus qu'ils n'auraient dû le faire. Essayons maintenant de minimiser les rumeurs et les risques d'égarement.

– Bien vu. Des nouvelles de Turmel ?

– Rien de neuf. Mais il ne va pas bien.

– Il a toujours soutenu que le responsable devait être pompier... D'Arcy... Bon sang ! À quoi ressemble la vie de ce type ?

– Casier judiciaire vierge, on n'aurait rien eu de tangible pour le soupçonner. Il travaille aussi à Urgences Santé, est passionné par le hockey et les voyages, sort avec une pompière depuis quelque temps. Il a eu une conjointe pendant plusieurs années et fréquentait alors assidûment le couple Sanchez-Sansoucy. Ce dernier semble d'ailleurs sous le choc.

– Des parents, des amis proches ? Un chalet, une maison ou un autre appartement connu ?

– On a commencé à chercher. Vous le savez aussi bien que moi, chaque minute compte si on veut retrouver Sanchez vivante...

Chrétien ne le savait que trop bien !

À la cuisine, Raphaël Sansoucy s'était assis à la table où, la veille, il soupait en compagnie de ses amis et collègues. Le visage entre les mains, il s'en voulait terriblement de ne s'être douté de rien.

– Quand avez-vous vu Sanchez pour la dernière fois ? lui demanda Chrétien d'entrée de jeu.

– Hier soir. Quatre de mes collègues l'ont quittée aux environs de vingt-trois heures. Jonathan dit qu'Emma agissait étrangement, comme si elle était excessivement fatiguée. Vers minuit, j'ai téléphoné chez elle et j'ai eu Samuel au bout du fil. Son ton était austère, je le pensais aussi fatigué... Ce matin, quand j'ai constaté que je ne pouvais pas les joindre ni chez l'un, ni chez l'autre, ni sur les téléavertisseurs, je suis revenu ici à toute vitesse.

– Vers minuit, D'Arcy était donc encore chez Sanchez...

L'enquêteur regarda sa montre. Quel plan machiavélique D'Arcy avait-il bâti autour de la pompière ? Midi. En moyenne, les victimes du tueur avaient vécu entre six et vingt-quatre heures après leur enlèvement. Ils avaient encore un peu de temps devant eux. Peut-être...

Chapitre 37

Elle a mangé avec un appétit surprenant. Elle m'étonne. Son calme et sa froideur me déstabilisent, j'ai l'impression que c'est elle qui mène la danse. Prendre une vie donne beaucoup de force, et Emma a profité de la mort de Thomas. Ce sentiment d'omnipotence conduit l'humain très loin dans la maîtrise de lui-même.

Le repas s'achève. Je me sens fatigué et j'ai besoin d'un peu de repos. Je ne la laisserai pas en liberté, elle pourrait tenter de s'échapper. Son destin, c'est moi qui l'ai entre mes mains !

— Allez, viens, Emma.

Elle n'aime pas mes ordres, je le vois dans le fond de ses prunelles. Elle se raidit, cherche une solution, une phrase magique. Elle ne trouve rien à dire et panique.

Elle accepte ma main pour l'aider à se lever. Les autres femmes me fuyaient, refusaient de me toucher. Pas Emma. Elle continue de m'impressionner, de me stupéfier, mais elle tremble. Je ne sais plus quoi faire d'elle.

— Quels sont tes plans, Samuel ?

– À quoi bon en discuter ? Tu les vivras au fur et à mesure de toute façon.

– Samuel...

Quand elle prononce mon nom, j'ai l'impression d'entendre une douce musique. Elle sème le doute chaque fois. Elle me regarde dans les yeux.

– Je ne te tuerai pas tout de suite...

– Ne me fais pas de mal. Je t'en supplie !

– Si tu meurs, lequel des deux sera le plus triste, à ton avis ?

Elle se demande à quoi rime ma question. Je la prends par les épaules et la serre contre moi. Elle se raidit encore, et je sens son envie de fuir, de me frapper. Elle cache beaucoup d'agressivité. D'ailleurs, je me rappelle avoir été surpris par ses réactions lorsqu'elle est sortie du brasier avec Raphaël. Je ne croyais pas qu'elle enguirlanderait William avec autant de véhémence. Mais elle venait de tuer, elle mentait effrontément. Je n'arrive pas encore à y croire !

– Allez, réponds-moi ! À tes funérailles, lequel donnera la meilleure prestation du « parfait petit veuf » ? Le père de ton bébé ou celui qui n'attend qu'un signal de ta part pour quitter sa fiancée ?

Elle ne dit rien, mais moi, je veux qu'elle réponde. Je relâche mon étreinte pour prendre ses avant-bras dans mes mains. J'appuie fermement. Plusieurs secondes. Elle grimace, une larme coule sur sa joue, mais elle refuse de baisser la tête ou de céder à la panique.

– Raphaël, finit-elle par répondre.

— C'est bien ce que je pensais. Tu l'aimes aussi, hein ?

Elle hésite, puis hoche la tête. Je le savais ! Je la conduis vers la chambre. Elle marche à petits pas, regarde partout, cherche à gagner du temps. Son jeu m'amuse. Peu importe ce qu'elle essaiera, je gagnerai puisque j'ai toujours gagné !

— Couche-toi sur le lit, Emma.

— Non !

— Je te donne une minute pour te décider. Sinon...

Elle me regarde, elle veut connaître mes menaces. Les autres obéissaient sans un mot, probablement terrorisées par le ton de ma voix. Mais elles avaient déjà souffert beaucoup plus qu'Emma. Avec elle, je suis beaucoup trop doux et étrangement calme.

— Si tu ne t'étends pas tout de suite, je te frapperai jusqu'à ce que tu t'écroules par terre. Une fois que tu seras roulée en boule, ensanglantée et souffrante, je te déshabillerai. Veux-tu vraiment connaître la suite ?

Elle secoue la tête, se couche enfin. Ah ! quel pouvoir de persuasion que le mien !

— Tu es étendue sur les draps que je conserve pour les grandes occasions, Emma. Avant son accouchement, ma mère dormait sur ce tissu fleuri.

— Lors de ta naissance ? Comment peux-tu connaître ce détail ?

Elle est intriguée, mais elle ne montre aucune autre émotion. Ça me met en colère.

— Ma sœur est morte dans mes bras. Elle se serait appelée Élise. Maxime connaîtra le même sort.

Tout à coup, la peur et l'horreur contractent les traits de son beau visage. Peut-être me comprend-elle mieux. Enfin ! Je m'agenouille sur lit. Je me penche vers elle et pose mes lèvres sur les siennes. Elle essaie de me repousser, mais je la cloue sur le lit en appuyant très fort sur ses épaules. Je l'embrasse. Elle se débat, mais pas avec toute la vigueur dont elle serait capable.

— Emma, tu sais comment se terminera cette histoire.

— Meurtre au premier degré impliquant la prison à vie ou l'institut psychiatrique pour le reste de tes jours. Dans le fond, ton sort est peut-être pire que le mien !

Quel culot ! Elle force mon admiration.

— J'aime le risque. Si je n'avais pas déposé une bague chez Thomas, les enquêteurs tourneraient toujours en rond, à la recherche d'un tueur bien plus intelligent qu'eux. Après tant d'années sans le moindre ennui, je voulais un peu plus de piquant.

— Tu as tout orchestré pour que les policiers soupçonnent William ?

— Bien sûr ! J'aime ce mot : orchestrer. Je me sens vraiment comme un chef d'orchestre à qui tout le monde obéit, qui possède l'autorité de tout diriger. Belle image, tu ne crois pas ?

Elle garde le silence, tourne la tête. Pendant ce temps, je couvre son cou et ses épaules de baisers.

— Pourquoi as-tu piégé Thomas en déposant des explosifs dans ce vieil immeuble ?

– J'ai aimé le voir souffrir pendant toutes ces années, alors qu'on risquait nos vies l'un à côté de l'autre, qu'on allait prendre une bière et qu'on cuisinait ensemble pendant des heures... Après la mort de Lucie, il n'a plus jamais été le même homme. Je voulais une mort spéciale pour lui, digne de celle de Lucie. Et pourquoi pas tuer Raphaël aussi ? J'aime la mort. Que serait la vie sans la mort comme issue ?

– Et moi ?

– Ah ! je n'avais pas prévu ta réaction. Je pensais que tu dévalerais l'escalier derrière moi. Tu es une femme étonnante, Emma, et on dirait bien que tu parviens encore à me surprendre !

– Raconte-moi tes plans depuis le début, depuis la mort de Lucie... J'ai tellement envie de comprendre toute cette histoire !

– Plus tard, Emma, plus tard. Pour le moment, j'ai autre chose à faire. Donne-moi ton bras.

De la poche arrière de mon jeans, je sors une paire de menottes. Emma épuise toute son énergie à me résister, mais nous savons tous deux que je suis plus fort qu'elle. Même si mes intentions ne sont pas celles qu'elle me prête, je prends tout mon temps pour la maîtriser et l'attacher aux barreaux du lit. Je ne le cherche pas, mais je ne me prive pas de lui faire mal quand cela s'avère nécessaire.

Voilà, elle ne peut plus bouger ! Pendant quelques instants, elle demeure figée, respire à peine : elle réalise à quel point elle est à ma merci. Elle est tellement belle avec son ventre tout rond !

*   *

*

– Regardez ça.

Assis derrière un petit bureau, Adam Chrétien leva la tête. Courbaturé, fatigué et démoralisé, l'enquêteur s'efforçait de cacher ses émotions. Il avalait son huitième café de la journée et se sentait porter bien plus que ses quarante ans. Assis devant lui, Raphaël Sansoucy affichait un grand calme et le regard impassible de celui qui, sous le choc, ne se rend pas vraiment compte de tout ce qui se passe autour de lui. Sa fiancée, une fort belle jeune femme, l'accompagnait et lui tenait la main. Chrétien s'en étonnait puisqu'il était persuadé, depuis le début de son enquête à Sherbrooke, que Sansoucy et Sanchez formeraient un couple à nouveau.

L'enquêteur cligna des yeux et saisit le dossier que lui tendait Dubois. Il le lut deux fois pour s'assurer de bien saisir.

– La mère de D'Arcy a fait une fausse couche à la maison, sous les yeux de son fils... C'est vraiment ça, j'ai bien lu ?

Chrétien n'arrivait pas à y croire.

– Non, pas tout à fait, répondit Dubois.

Il sembla enfin se rendre compte que Chrétien ne se trouvait pas seul et il l'interrogea du regard. Le policier de la Sûreté du Québec lui fit signe de poursuivre. Pendant le coma de Turmel, Raphaël Sansoucy représentait probablement leur meilleure source d'information sur le véritable tueur des Laurentides. Le policier souhaitait ardemment que l'ami du meurtrier se rappelle tout à coup un détail quelconque qui pourrait les mener à concentrer leurs recherches dans un secteur précis.

– À trente-deux semaines de grossesse, sa mère a été victime d'une violente hémorragie et s'est effondrée dans la salle de bain. Samuel D'Arcy n'avait que cinq ans, mais il a réussi à composer le numéro de la police. Cependant, la réceptionniste a longtemps cru que l'enfant blaguait, si bien qu'elle a mis plus de deux heures avant d'envoyer quelqu'un vérifier la validité de l'appel. À l'arrivée des secours, le bébé était décédé, et la mère était en train de mourir au bout de son sang.

– Quelle horreur !

– La fillette était posée sur le ventre de la mère. D'après les traces de sang, les enquêteurs ont conclu que le grand frère avait réussi à prendre le nouveau-né pour le glisser entre les bras de sa mère...

Ayant étudié chacune des quinze scènes de meurtre depuis neuf ans, Chrétien imaginait trop bien les images du drame. De toute évidence, D'Arcy reproduisait presque chaque fois ce qu'il avait vécu dans son enfance avec chacune de ses victimes.

– Ce n'est pas tout, poursuivit Dubois. Lors de son accouchement, la mère éprouvait déjà des problèmes de santé mentale : son médecin de famille la traitait pour une dépression majeure classée « sévère ». Toutefois, sa schizophrénie s'est officiellement déclenchée après ce traumatisme. Pendant les deux années suivantes, elle a vécu entre chez elle et le département de psychiatrie d'un hôpital de Québec avant d'être internée pour de bon. D'Arcy n'a plus jamais connu une vie familiale normale. Son père, lui, s'est suicidé quelques mois après la mort du bébé.

– Qu'est-ce que D'Arcy est devenu après la mort de son père et l'internement de sa mère ?

– Je n'ai pas eu beaucoup d'information à ce sujet, mais ça ressemble au portrait trop classique des enfants abandonnés : multiples familles d'accueil, maltraitance physique et mentale, abus de toutes sortes...

Chrétien ferma les yeux.

– Est-ce que cette femme est toujours vivante ?

– Oui, mais elle ne semble plus vraiment... consciente de la réalité. Son médecin traitant dit qu'elle accuse son fils d'être à l'origine de son accouchement prématuré : il l'aurait volontairement fait trébucher dans l'escalier...

Découragé, Raphaël enfouit son visage entre ses mains.

– Qu'en pense le médecin ? demanda Chrétien sans cesser de prendre des notes.

– Les deux années qui ont précédé son internement ont paru... très troublées pour cette dame. Par conséquent, le psychiatre ignore ce qui est vrai et ce qui ne l'est pas, mais plus les années passent, plus la dame rajoute des horreurs sur le compte de son fils.

– Par exemple ?

– Elle l'accuse d'être la cause du désespoir de son époux qui s'est pendu dans un placard de la cuisine.

– Évidemment..., commença Chrétien.

– Eh oui, c'est le petit qui a retrouvé son père mort. Sa mère dormait à l'étage.

Adam Chrétien déglutit. Il n'arrivait pas à croire tout ce qu'il entendait. Il observa Raphaël, toujours immobile. Chrétien reprit ses questions :

– Où habite cette femme, maintenant ? Il faut qu'on la voie !

– Elle vit toujours dans un institut. J'ai demandé à un enquêteur de Québec d'aller la voir pour essayer de la faire parler d'un endroit où D'Arcy serait susceptible de se terrer.

– Excellent. Rien n'est encore sorti des entretiens avec ses amis et collègues ?

– Non. D'ailleurs, aucun d'entre eux ne connaissait cette histoire... On est en train de mettre la ville sens dessus dessous !

– Est-ce que vous avez retrouvé Anne-Marie, son ancienne copine ? demanda Raphaël à Dubois.

Le policier fit une pause et vérifia dans son carnet de notes.

– Non, mais on la cherche.

– Elle est infirmière ; aux dernières nouvelles, elle travaillait en Suisse. Parlez-lui de... son avortement... d'il y a presque dix ans déjà ! Une décision irréfléchie – et non partagée – qui avait beaucoup affecté Samuel. On en était à notre première année à l'école de pompiers...

En même temps, Dubois, Chrétien et Sansoucy fermèrent les yeux, troublés par les multiples facteurs qui avaient contribué à façonner la personnalité de D'Arcy.

Chercher une aiguille dans une botte de foin : voilà exactement le défi que devaient relever les enquêteurs. Les techniciens du laboratoire de police judiciaire achevaient de fouiller l'appartement de D'Arcy sans y avoir déniché un seul indice pouvant les conduire au lieu où le tueur assassinait ses victimes. L'équipe de profileurs de la Gendarmerie royale du Canada était persuadée que le véritable tueur possédait un repaire où il pouvait commettre ses crimes en toute tranquillité. Cependant, les relevés bancaires de Samuel D'Arcy n'indiquaient aucune transaction financière importante ni aucun emprunt au cours des dernières années : avait-il hérité d'un terrain appartenant à un membre de sa famille ?

Chrétien et ses collègues gardaient toutefois en tête que le tueur pouvait aussi commettre ses crimes en pleine nature, dans une tente ou un minuscule refuge.

– Samuel ne nous a jamais rien dit de tout ce drame..., bafouilla Raphaël. Ses parents étaient prétendument morts, comme ceux de Turmel et de Devost, d'ailleurs. Je n'y comprends rien ! L'hiver dernier, nous avons répondu à un appel concernant une femme en train d'accoucher dans son appartement. Son mari n'osait pas prendre la route à cause des conditions routières vraiment exécrables. Grâce à sa formation médicale, Sam a pris les choses en main. Quand les ambulanciers sont arrivés, plusieurs minutes après nous, il a continué de les aider, et ils ont accouché la dame. Jamais je ne l'aurais soupçonné de...

Sansoucy se tut brusquement.

– Quand on connaît les faits, on peut souvent faire une lecture différente des événements, souffla l'enquêteur à voix basse. Par exemple, malgré les conditions routières, est-ce que l'ambulance aurait pu transporter cette dame à l'hôpital ? Qui a pris la décision de mettre son enfant au monde chez elle ?

Chrétien se questionnait sans répit à propos des relations entre Samuel et ses collègues. Pourquoi le pompier avait-il déposé l'alliance et la note chez Devost ? Et pourquoi avait-il cherché à supprimer son collègue d'une façon aussi spectaculaire ? Sanchez et Turmel absents, il ne restait plus que Sansoucy pour l'aider à trouver les réponses. Mais ce dernier était trop perturbé par la disparition d'Emma pour réussir à prendre suffisamment de recul.

– Au fait, j'ai su que vous aviez été blessé dès votre retour au travail, reprit le policier.

– Oui : un effondrement dans un immeuble d'habitation, expliqua Raphaël.

– Est-ce que la cause de l'incendie a été déterminée ?

– Défectuosité du système de chauffage.

– D'Arcy est tombé sur vous et vous a blessé légèrement. Mais ç'aurait pu être plus grave...

Sansoucy blêmit encore davantage.

– L'incendie peut être accidentel, mais aurait-il pu profiter d'une si belle occasion pour se débarrasser d'un témoin gênant ?

– Non ! Je ne peux pas croire qu'il ait fait exprès de se jeter sur moi !

– Je ne sais pas comment s'est déroulé l'incident, mais il y a là matière à réflexion.

Le téléphone portable de l'enquêteur vibra dans la poche de sa chemise. Il répondit une suite de « Oui ! » et de « Je vois ! », puis raccrocha. À son tour, il était devenu aussi blanc que neige. Il se leva précipitamment et montra la sortie à ses invités.

– Rentrez chez vous. Si vous avez une idée, aussi minime soit-elle, téléphonez-moi tout de suite.

Chrétien courut jusqu'à sa voiture, l'estomac en feu et les nerfs à vif. Une heure plus tôt, visiblement anxieux, Dominic Béchard, le procureur de la Couronne, était venu à sa rencontre. Chrétien s'était impatienté et ne l'avait pas invité à s'asseoir. Conscient comme lui que tout se bousculait, l'enquêteur ne voulait pas immédiatement traiter de la question « libération de Turmel et risques de poursuite ». Il avait alors expliqué l'ordre de ses priorités à l'avocat : retrouver Emmanuella Sanchez vivante et arrêter Samuel D'Arcy avant qu'il ne commette d'autres crimes. Ensuite seulement, ils pourraient tous les deux se revoir pour discuter de la suite des événements. Ils avaient tous commis une erreur, une terrible erreur : William Turmel n'était coupable d'aucun crime !

Chrétien se précipitait à l'hôpital, souhaitant ardemment avoir une petite chance de l'interroger à propos de D'Arcy. Toutefois, le pompier venait de subir une chute de pression. Au téléphone, un de ses agents lui avait signalé que Turmel risquait de ne pas s'en sortir...

*　　*
*

Elle s'est débattue. Ma mère aurait ajouté : « Comme un diable dans l'eau bénite ! » Je l'ai attachée au lit. Solidement. Sa fureur m'a excité. Après avoir fixé son premier bras, elle a réussi à me mordre. Ça m'arrive pour la seconde fois. La première, c'était juste avant la mort de Thomas. J'ai dû porter des chandails à manches longues pendant des jours, en plein été. Mauvais souvenir !

Pour la punir, j'ai failli attacher son second bras assez loin pour qu'elle souffre sans cesse pendant son immobilisation. Mais je me suis retenu. J'ai aussi attaché ses pieds l'un à côté de l'autre. Je ne l'ai pas encore déshabillée. Elle a du cran, Emma. Pour cela, elle mérite un peu de respect.

Elle est épuisée. Elle pleure. J'adore la regarder sur ce magnifique lit fleuri. Je caresse son ventre par-dessus son chandail.

— Samuel, je t'en supplie, ne...

– Tais-toi, Emma. Toutes les femmes avant toi m'ont supplié. Sois différente ! Fais preuve d'originalité !

Elle sait qu'elle n'a plus aucune chance de s'échapper, elle peut simplement tenter de m'amadouer. Malgré sa force de caractère, je sens maintenant sa faiblesse, sa soumission.

Je quitte la pièce sans écouter ses plaintes, puis je sors dehors après avoir fermé les quatre cadenas et les deux serrures qui bloquent la porte d'entrée. Mon chien manifeste sa joie de me revoir en jappant bruyamment. Je lui assène une bonne tape sur le museau pour qu'il se taise.

– Viens dans la voiture, Érickson. Je veux écouter les bulletins de nouvelles. Je dois savoir si on parle déjà de la disparition d'Emma.

La réception est mauvaise, mais comme je me sens à bout de nerfs, je commence par écouter quelques chansons country. Si je voyais encore ma mère, j'apprendrais certainement qu'elle aime Garth Brooks, comme moi.

Érickson pose sa grosse tête sur ma cuisse. Belle bête ! Mon allié, mon seul ami, le seul être vivant qui ne m'ait jamais déçu et qui m'accompagne depuis neuf ans. Hier, il a vivement réagi quand Emma est montée dans la voiture. Il la connaît bien puisque nous avons cohabité pendant un an. Il l'a reniflée, a tenté de la réveiller, puis il s'est calmé : il avait probablement compris le sort qui attendait cette femme droguée.

Emma m'attire et me répugne en même temps. Elle a tué un de nos collègues. Sans mon intervention, elle aurait été capable de tuer son bébé en choisissant l'avortement... Elle n'a pas la fraîcheur et l'innocence de mes victimes favorites. Pourtant, une chose est certaine : je ne peux pas la laisser ici. Je n'ai jamais été aussi indécis.

« Une jeune femme enceinte, Emmanuella Sanchez, est portée disparue depuis hier soir. Il s'agit de la maîtresse du lieutenant William Turmel, le pompier condamné hier à la prison à perpétuité pour le meurtre de treize femmes enceintes... »

J'éclate de rire. J'adore le mot « maîtresse », il me rappelle quelque chose d'interdit, de sexuel, de tabou.

« Le pompier Samuel D'Arcy est aussi porté disparu et les enquêteurs le soupçonnent fortement d'être à l'origine de l'enlèvement d'Emmanuella Sanchez... »

Je ne devrais pas me surprendre que la nouvelle se soit répandue aussi rapidement : j'aurais dû me douter que Raphaël s'inquiéterait de sa douce en un temps record ! Mais je vois aussi le côté positif de l'affaire... enfin, on me reconnaît ! J'aurai ma place dans l'histoire ! De plus, j'ai probablement encore le temps de me sauver avec ma fausse identité et mon apparence « arrangée » !

« Ce matin, le lieutenant William Turmel a attenté à ses jours dans sa cellule. On craint même pour sa vie. Les enquêteurs refusent de nous en dire davantage pour le moment. »

J'éteins la radio. Mon cœur bat à cent à l'heure, j'ai l'impression qu'il quittera bientôt ma poitrine. Emma a tué Thomas, j'ai tué William. Que pensera-t-elle de cette merveilleuse coïncidence ? En tout cas, quand elle et moi nous serons envolés vers des horizons fort différents, il ne restera plus beaucoup de souvenirs du groupe 2 !

Je rentre dans le chalet, Érickson me suit. Le chien, tout content, grimpe sur le lit lorsqu'il aperçoit Emma. Il lèche sa figure, et je ris pendant qu'elle proteste sans pouvoir se débattre.

– J'ai écouté les infos à la radio, Emma. J'ai appris une bonne nouvelle.

Elle me regarde. Elle essaie de cacher sa peur et de me tenir tête, mais je sens son effroi, sa terreur.

– William s'est suicidé. Il est mort.

J'attendais sa réaction : elle fond en larmes. Je m'assois sur le bord du lit. Elle a du mal à respirer tellement elle sanglote.

Chapitre 38

Le temps a filé à un rythme effréné, comme d'habitude. Tout est terminé. Ça ne s'est pas passé comme je le prévoyais, et ça m'enrage quand je m'arrête pour y penser, mais j'ai malgré tout aimé l'expérience.

Au cours des dernières années, l'esprit d'équipe du groupe 2 m'a facilité la tâche. Il m'a permis de côtoyer mes collègues, de m'immiscer dans leur vie sans paraître louche ni envahissant... Jamais Claudia n'a douté de moi, pas plus qu'Esther. J'ai toujours été le bon copain de William, de Thomas et de Raphaël, celui dont j'étais le plus proche.

Un jour, je me suis rendu chez William pour lui emprunter sa scie ronde. J'avais besoin de bricoler quelque chose pour mon antre, mais j'avais prêté mon outil à quelqu'un. Nous partageons tout, entre collègues, si bien que nous perdons parfois le sens de l'appartenance !

William se trouvait seul chez lui et il m'a expliqué que Claudia était au boulot jusque vers midi. Il travaillait dehors, dans la petite forêt derrière chez lui, coupant du bois pour l'hiver. Je lui ai offert un coup de main, qu'il a accepté volontiers. Vers treize heures, nous sommes rentrés : Claudia avait laissé un message pour aviser qu'elle arriverait vers la fin de l'après-midi. Je sentais la colère de William envers cette femme davantage intéressée par son travail que par l'après-midi qu'ils devaient passer en tête à tête. Je lui ai dit que je pouvais nous préparer un petit gueuleton en moins de quinze minutes. Il a acquiescé.

Dans ma poche, je traînais souvent un souvenir de mes victimes... Quelques cheveux, une bague, un morceau de tissu... Ça me donnait de la force et du courage et me permettait de tenir quand une femme enceinte marchait devant moi et que je devais demeurer tranquille, ne pas bouger, la regarder passer comme si elle n'affichait pas insolemment son ventre rond...

Ce jour-là, deux bagues reposaient dans le fond de mes poches, l'une dans la droite, l'autre dans la gauche. Quand William et moi sommes retournés dans son garage pour reprendre les haches, j'ai aperçu la perceuse de Thomas. Mon cœur s'est emballé. J'ai interrogé William : il la rapporterait à Thomas puisqu'il venait de s'en acheter une nouvelle.

J'ai trouvé un bloc de feuilles et un stylo rouge. J'ai écrit très vite une petite note, les premiers mots qui me sont venus à l'esprit : « Un souvenir pour toi. » Le message n'était pas exceptionnel, mais l'effet s'avéra immédiat. J'avais envie depuis si longtemps que l'enquête progresse, qu'il se passe quelque chose enfin. C'était ma chance.

Quelques jours plus tard, pendant notre quart de travail de nuit, je me suis aperçu que Thomas avait changé : son regard s'était assombri, ses gestes étaient devenus plus secs, plus durs, il ne s'intéressait plus à ses passions, il parlait moins qu'à l'habitude, il s'isolait du groupe dès qu'il en avait l'occasion. Il n'a pas téléphoné à la police après avoir découvert la bague. Pourquoi ? Je ne connaîtrai jamais la vérité parce que Raphaël et Emma se sont organisés pour conserver une partie du mystère avec eux en mentant au cours de l'enquête. D'ailleurs, après l'incendie, j'ai longtemps tourné autour de ma partenaire afin d'essayer de lui arracher des parcelles de *vérité, mais en vain. Elle a gardé le silence, tout comme Raphaël, même si sa docilité m'a permis, tout à l'heure, de mieux comprendre certains événements.*

Emma a affirmé qu'avant de mourir, Thomas a murmuré : « Lucie... C'est moi qui... C'est moi qui... » Emma n'a pas su comment interpréter ces obscurs propos. Thomas ne s'est pas accusé du meurtre de sa femme, il a simplement avoué s'être toujours senti responsable de sa mort. Tant mieux, je ne peux que m'en réjouir ! Après tout, c'est vrai que tout est sa faute... C'est lui qui a appelé Lucie pour lui dire d'acheter des filets mignons, qu'il préparerait pour le souper... C'est à sa sortie de l'épicerie que j'ai attendu Lucie...

Pourquoi m'être acharné sur Thomas ? Le destin a fait en sorte que sa femme soit enceinte au moment où je commençais à exercer mon art. J'avais besoin d'une proie facile, d'une femme qui me suivrait sans problème. Ensuite, excité de côtoyer un homme à qui j'avais arraché femme et enfant, je me suis amusé avec lui comme un chat s'amuse avec une souris. Jusqu'à sa mort. Je lui ai pris sa femme, son bébé... sa vie !

J'ai décidé de planifier une explosion dans le vieil immeuble de la rue Wellington pour deux raisons. Premièrement, j'avais envie de brouiller les pistes, de prouver encore une fois ma suprématie, ma domination. Il suffisait que quelqu'un découvre la bague chez Thomas.

J'ai réussi mon coup, non ? Je suis parvenu à faire condamner un innocent. Personne ne m'a interrogé, personne ne m'a soupçonné, Raphaël en est même venu à me confier sa belle Emma.

Dans quelques heures, la partie sera gagnée. Mais ma jambe me fait vraiment souffrir.

Emma aurait dû mourir là-bas. Tout aurait été plus simple. Est-ce que les enquêteurs auraient fait un lien entre les meurtres et cet incendie si Raphaël et Emma n'avaient pas survécu ? Probablement

*pas. Ils ont d'abord attribué l'incendie à l'état dépressif de Thomas !
Ses outils auraient probablement reposé dans leurs étuis pendant
longtemps, fort longtemps. Qui s'en serait soucié ?*

*Mais maintenant, tout est terminé. Mon billet d'avion en poche,
je suis prêt à m'envoler vers Singapour. Emma n'est plus qu'un
souvenir. William mourra bientôt, du moins, je le souhaite. Les
journalistes ne parlent plus de son état, mais j'ai le sentiment qu'il
ne s'en remettra pas. Tout va bien. Tout va très bien. Quelque part
en Asie, je pourrai continuer à tuer sans qu'on me soupçonne, sans
qu'on me retrouve, sans qu'on établisse des liens entre tous ces
meurtres. J'irai même faire un petit tour en Suisse : je lirai les
archives de journaux pour savoir où en est l'enquête par rapport au
meurtre de la petite Maggie...*

Chapitre 39

Adam Chrétien reconnut la souffrance et la détresse dans les traits tirés de Claudia Arnold. Six heures plus tôt, les médecins avaient sauvé William de justesse. Pendant ce temps, Chrétien, Dubois et leurs équipes respectives avaient mis en branle l'une des plus importantes chasses à l'homme de l'histoire canadienne. Des dizaines de policiers, de pompiers, d'ambulanciers et de militaires parcouraient les forêts des Laurentides, à la recherche d'un quelconque indice. Les enquêteurs avaient aussi invité la population à participer aux battues et à ouvrir l'œil dans toutes les forêts de la province. Chrétien craignait que cette mesure d'urgence ne s'avère aussi inutile que dérisoire, étant donné qu'aucun proche de D'Arcy n'avait pu leur indiquer de piste ! Pourtant, le pompier ne pouvait pas être aussi rusé, il avait forcément laissé des traces quelque part !

Parce que la tentative de suicide de Turmel l'avait fortement ébranlé et même s'il avait fort à faire, le policier n'avait pu s'empêcher de s'arrêter à l'hôpital en passant à proximité. Si Turmel décédait, ses collègues et lui n'étaient pas au bout de leurs peines maintenant que son innocence était prouvée hors de tout doute raisonnable.

Pleine d'une colère contenue, Claudia Arnold évaluait le policier depuis son arrivée. Elle s'adressa enfin à lui :

– Faites toutes les prières que vous connaissez pour que William survive. Sinon, croyez-moi, je vous traînerai dans la boue !

L'enquêteur garda le silence. Il n'y avait rien qu'il puisse dire pour calmer la fureur de Claudia. Un médecin sortit alors de la chambre et se présenta à eux. Chrétien, qui avait demandé à le rencontrer, tendit sa main glaciale.

– M. Turmel revient de loin, affirma le médecin d'un ton autoritaire. Je ne crois pas q'il soit en mesure d'être interrogé.

– La vie de sa fillette dépend peut-être de ses souvenirs. Laissez-moi au moins quelques minutes !

– Sa femme pourrait tenter de lui poser quelques questions, concéda le pneumologue, mais vous, je vous interdis d'entrer !

Par dépit et par lassitude, Chrétien hocha la tête et posa son regard fatigué sur l'avocate.

Claudia pénétra dans la chambre et prit la main de William entre les siennes. Peut-être pour la première fois depuis le verdict de culpabilité, elle ne cacha ni sa douleur ni son immense chagrin. Pendant plusieurs minutes, elle parla doucement à son mari, lui raconta qu'il serait bientôt libre, qu'il reviendrait à la maison et que cette longue épreuve serait enfin derrière eux.

William se mit à bouger, comme s'il faisait un cauchemar. Claudia lui toucha immédiatement l'épaule.

– William ! Allez, reviens parmi nous ! William, réveille-toi !

Il ouvrit enfin les yeux et posa un regard effaré sur sa femme. Il observa l'environnement pendant quelques secondes, plaça ses mains ouvertes sur sa figure, comme s'il était déçu d'être encore vivant. Une larme roula sur sa joue.

– William, tu seras libéré sous peu ! On a identifié le tueur des Laurentides. Le vrai !

Il la dévisagea, aussi effrayé qu'une bête devant son maître cruel. William tourna la tête. La vérité le terrorisait. Connaissait-il cette horrible bête ?

– Samuel D'Arcy est le tueur en série des Laurentides !

William ferma les yeux, mais ne dit mot. Il serra la main de Claudia un peu plus fort.

– Il a enlevé une autre femme, murmura Claudia, la gorge nouée.

Son épouse cherchait les meilleurs mots pour lui éviter un choc trop brutal, mais rien ne parvenait à le calmer. William respirait par saccades.

– Est-ce que D'Arcy t'a déjà parlé d'un chalet quelconque, d'un endroit où il allait pêcher, se reposer, chasser, couper du bois ?

– Emma... C'est ça ? Maxime... Elles sont mortes... Oh non ! Non...

Claudia caressait son visage dans une ultime tentative pour le consoler, mais William continuait de s'agiter.

— Les policiers remuent ciel et terre pour retrouver Emma et Maxime vivantes !

Le médecin fit signe à Claudia de cesser l'interrogatoire. Pour toute réponse, elle se pencha et prit son mari dans ses bras. Il s'agrippa à elle en haletant.

— Je ne veux pas qu'Emma et Maxime meurent par ma faute !

— Tu n'es responsable de rien, William. Calme-toi !

— Et Raphaël dans tout ça ?

— Il ne pouvait pas se douter qu'il confiait Emma au tueur des Laurentides. Comme toi, comme tout le monde !

William suffoquait presque.

Une heure plus tôt, Claudia avait vu Raphaël arpenter les couloirs de l'hôpital. Ses yeux vides témoignaient d'une détresse qu'il ne parvenait pas à dissimuler à sa fiancée. Il fuyait le regard de tout le monde, marchait les yeux vissés au plancher. De toute évidence, il regrettait chacune de ses décisions depuis la journée du verdict.

— Si on le retrouve, je vais le tuer, je te jure que je vais le tuer !

De sa paume ouverte, il se frappa plusieurs fois le front. Claudia l'empêcha de poursuivre son manège en le saisissant par les épaules.

— Menons un combat à la fois : on sauve Emma et Maxime, on te fait sortir de prison, puis on réglera le cas de D'Arcy.

Il prit sa tête entre ses mains et tira sur ses cheveux comme s'il voulait en arracher des poignées, convaincu que sa douleur n'était rien comparée à ce qu'Emma et sa fille avaient dû subir.

– Je cherche, je cherche ! Il achetait tous ses outils dans une petite quincaillerie, près de la maison de Thomas. Je crois que la fille du propriétaire lui plaisait... Il en parlait souvent. Peut-être qu'elle saurait...

– Merci, chéri. J'en parlerai à Chrétien.

Claudia rejoignit l'enquêteur à l'extérieur de la pièce. Les bras croisés sur la poitrine, il affichait une mine sombre. À la suite du commentaire de Claudia, il lança quelques ordres à un patrouilleur afin qu'on envoie quelqu'un interroger les employés de ce magasin. Il ne fallait négliger aucune piste.

À ce moment-là, Chrétien et Arnold aperçurent Jean Gamache marcher vers eux d'un pas pressé, jusqu'à ce qu'un policier lui bloque le passage. Le lieutenant, vêtu d'un jeans et d'un vieux t-shirt, paraissait nerveux. Les mains dans les poches, il bougeait comme s'il ne pouvait canaliser la grande énergie qui le caractérisait si bien. Chrétien s'approcha suffisamment pour entendre Gamache.

– Je me suis souvenu d'un détail. C'est sûrement inutile, mais les policiers nous ont bien avisés de tout dire, alors... J'ai décidé de venir vous voir aussitôt...

Chapitre 40

Une centaine de personnes – policiers, maîtres chiens, soldats, pompiers de la région, volontaires –, formait la brigade qui se mettait en branle pour explorer la région de Stoke, à quelques dizaines de kilomètres à peine de l'hôpital où reposait William.

Adam Chrétien et Yves Dubois s'étaient armés de téléphones cellulaires et de radioémetteurs afin qu'on puisse les joindre rapidement et en tout temps.

Trente heures après la disparition de la pompière, les policiers s'estimaient enfin sur une piste qui, bien qu'elle soit fort mince, leur donnait beaucoup d'espoir. Jean Gamache s'était souvenu que, deux ans plus tôt, il avait croisé Samuel D'Arcy dans un petit restaurant de Stoke. Vêtu de vêtements de chasse, il paraissait avoir travaillé fort dans le bois. Le jeune pompier avait alors commandé plusieurs plats pour emporter et il avait rougi en apercevant son ancien supérieur hiérarchique. D'Arcy, censé être parti en voyage en Scandinavie pendant ses vacances estivales, ne devait rentrer au boulot que dans dix jours. Samuel avait bafouillé des explications qui avaient paru crédibles au lieutenant. À l'époque, il se moquait bien de savoir si D'Arcy mentait ou non !

Quelque vingt-quatre mois plus tard, cette rencontre inopinée devenait le seul indice dont disposaient les enquêteurs pour espérer retrouver vivante une femme enceinte et mener enfin à terme une enquête infernale.

Raphaël Sansoucy piétinait d'impatience aux côtés de Chrétien.

– Je ne peux pas rester ici, l'inaction va me tuer ! s'écriait-il en se penchant dans sa voiture pour prendre son manteau d'hiver. Je vais me joindre à une équipe de recherche !

– Faites comme vous voulez. À votre place, cependant, j'attendrais sagement ici. Si on met la main sur Sanchez, ça m'étonnerait qu'elle soit en pleine forme..., ajouta Chrétien après une brève hésitation. Votre présence l'apaiserait sans doute.

Raphaël acquiesça, mais il continua de faire les cent pas sur la route de campagne où les policiers avaient choisi d'établir leur poste de commandement.

Raphaël avait passé une très mauvaise nuit. Après l'avoir accusé de lui mentir et de ne pas dévoiler ses véritables sentiments, Caroline avait claqué la porte de son appartement. Le fiancé n'avait pas eu la force de la rattraper. À quoi bon lui dire qu'il souhaitait sincèrement poursuivre avec elle... tout en aimant encore Emma ? Il se sentait ridicule, instable, incohérent. Il s'en voulait de n'avoir rien deviné à propos de Samuel et ignorait comment il poursuivrait sa vie si Emma mourait.

Vers midi, cinq heures après le début des recherches, Raphaël frappa sa voiture du poing.

– Garde courage, Ralph.

Pâle et amaigri, Brian Hannon marchait lentement vers son subalterne. Raphaël s'étonna de le voir sur place, mais il se ravisa tout de suite. Après avoir appris que son partenaire de travail, de hockey et de voyage était un tueur en série, Raphaël ne laisserait plus rien le surprendre.

– Après Elizabeth, voilà Emma... Je refuse de croire ce qui arrive ! Quelqu'un qu'on connaît si bien... Incroyable ! J'ai voulu participer aux recherches avec tous mes hommes. Si on peut au moins sauver Emma...

Raphaël approuva d'un simple hochement de tête, ne sachant que répondre à son patron. Raphaël se doutait de l'état de torpeur dans lequel devait être plongé le directeur depuis l'annonce de la disparition d'Emma, une pompière qu'il avait engagée puis soutenue à son arrivée au service. Emma avait le même âge que sa fille, une jeune directrice d'école primaire.

– Cette nouvelle histoire doit... complètement vous bouleverser ? demanda maladroitement Raphaël.

– Oh oui ! Et si tu avais vu l'état de ma femme quand elle a appris l'enlèvement d'Emma...

Raphaël hocha la tête, incapable de dire quoi que ce soit.

– Le temps ne m'a jamais paru aussi interminable, poursuivit Hannon.

– À moi non plus. Ça devient insupportable. Je ne veux tellement pas la perdre !

Lorsqu'il la reverrait, il... Non, le moment des projets n'était pas encore venu. « Une chose à la fois ! » se répétait Raphaël pour la énième fois.

— Sansoucy ! hurla tout à coup une voix derrière lui. Venez ici !

Raphaël jogga pour rejoindre Adam Chrétien. Le policier marchait frénétiquement près de son auto-patrouille, son téléphone cellulaire collé sur l'oreille. Lorsqu'il raccrocha, il fit signe à Raphaël de monter dans la voiture.

— Rien de sûr, mais des gars de la police municipale ont une piste. On va aller voir !

— Quel genre de piste ? demanda Raphaël alors que Chrétien démarrait à toute allure.

— Une cabane sans fenêtre dans le bois, une forte réaction des chiens pisteurs, des traces récentes de pneus à proximité... C'est de bon augure !

— S'il n'y a plus de voiture, Sam peut l'avoir emmenée avec lui... Ou l'avoir tuée avant de partir !

— Je prends la peine de vous emmener parce que j'espère la retrouver vivante ! éructa Chrétien.

Raphaël pria de toute son âme jusqu'à ce que la voiture freine brusquement derrière des autos-patrouilles. Escortés par un jeune policier, l'enquêteur et le pompier coururent dans le bois pendant plusieurs minutes. Essoufflés, ils s'arrêtèrent près de plusieurs agents.

Un long frisson traversa le corps de Raphaël lorsqu'il aperçut ce chalet en mauvais état, cette cage sans fenêtre où Emma, peut-être...

— Qu'est-ce que vous attendez ? Foncez ! hurla Raphaël.

– Si le gars est enfermé à l'intérieur, on met la vie de Sanchez en danger en fonçant tête baissée, se justifia Chrétien d'un ton tremblotant.

– Il est peut-être en train de la violer ou de la torturer ! Mais faites quelque chose !

Chacune des cinq minutes parut une éternité au pompier alors que la petite équipe, cachée derrière une épaisse rangée d'arbres, établissait son plan de jeu.

Inquiets, les policiers pénétrèrent d'un pas mal assuré dans la cabane, Chrétien en tête. Le cœur de Raphaël cognait dangereusement dans sa poitrine. Quelques secondes plus tard, un vieil agent ressortit :

– La fille est ici ! lança-t-il.

Éberlué, Raphaël demeura figé un moment, puis avança vers le petit chalet.

– Sansoucy !

Chrétien l'appelait d'un ton qui n'augurait rien de bon.

Raphaël traversa une cuisinette et s'arrêta brusquement dans une autre pièce, plus grande et presque entièrement vide. Il baissa les yeux vers le sol. Couchée dans une mare de sang, Emma gisait par terre, le berger allemand Érickson étendu sur elle. Mais ils vivaient tous les deux ! Le poignet droit de la pompière était menotté, et une chaîne serpentait jusqu'au mur.

– Emma !

Un policier s'était penché près d'elle et deux autres tentaient de couper la chaîne, mais aucun ne parlait, comme s'ils

427

craignaient de découvrir les horreurs qu'elle avait subies. Raphaël s'agenouilla à ses côtés. Sa voix tremblait quand il trouva la force de s'adresser à elle :

— Emma... Emma, m'entends-tu ?

Elle gémissait doucement, le bras accroché autour du gros chien de Samuel. Raphaël saisit Érickson pour l'éloigner, mais Emma, les yeux clos, se plaignit davantage en s'accrochant à lui. Raphaël s'aperçut avec horreur que le chien avait été éventré et qu'il agonisait pitoyablement, la bave coulant de sa gueule entrouverte.

— Emma, réveille-toi ! Emma, c'est moi, Raphaël, m'entends-tu ?

Des policiers parvinrent à déplacer le berger allemand. Raphaël regarda enfin son amie. Emma n'était vêtue que de ses sous-vêtements et du sang maculait tout son corps. Heureusement, une grande quantité devait appartenir au chien. Néanmoins, Raphaël voyait qu'elle avait été violemment battue : il apercevait clairement les ecchymoses qu'arborait son corps.

— Emma ! Je t'en prie, Emma, réponds-moi ! la supplia Raphaël.

Elle ouvrit enfin les yeux, le dévisagea sans sembler le reconnaître. Raphaël se pencha pour qu'elle le voie, qu'elle sente sa présence.

— Mais qu'est-ce qu'il t'a fait ?

— William ?

Raphaël reçut la question comme une gifle en pleine figure, mais il s'efforça de ne pas montrer sa tristesse.

– Il va bien. Il s'est inquiété, lui aussi. Il viendra te voir à l'hôpital.

– Il est mort ?

– Non. Il va bien !

La confusion déformait les traits de l'Espagnole.

– Oh...

Emma fondit en larmes, alors que des ambulanciers arrivaient à son chevet. En dépit de leur présence, Raphaël se pencha pour la serrer contre lui.

– Maxime... Maxime... Il l'a tuée !

L'ambulancier, qui venait de procéder à un examen sommaire, secoua la tête en réponse au regard interrogatif que lui lançait Raphaël. Son stéthoscope reposait toujours sur le ventre de la femme.

– On vous transporte à l'hôpital, madame. Vous saignez beaucoup, mais votre petite fille s'accroche. Est-ce que vous avez absorbé des médicaments ?

– Oui. Dans le lait. Chez moi.

À deux hommes, ils transférèrent doucement Emma sur une civière. Elle gémit à peine, mais elle s'agita en apercevant le chien.

– Érickson ! Soignez-le ! Il m'a sauvée ! Soignez-le !

– On s'en occupera, madame Sanchez, dit Chrétien en s'approchant de la blessée. Pensez à votre bébé, maintenant.

L'enquêteur était visiblement ému.

Raphaël monta dans l'ambulance avec Emma. Enfin, elle tourna la tête vers lui.

— Je vais accoucher, c'est ça ?

— Oui. Enfin, nous pourrons voir ta petite Maxime !

Le pompier était effrayé, mais il tentait de le cacher.

— Raphaël..., reste avec moi... J'ai besoin de ton aide. Je ne veux pas être seule !

— Bien sûr !

Raphaël retenait ses larmes avec difficulté à la pensée de tout ce que subirait Emma au cours des prochains jours, des prochaines semaines. Qu'avait-elle vécu pendant ces longues heures d'enfer ? Cela la changerait probablement à tout jamais...

Elle serra sa main, puis s'évanouit. Son visage demeurait marqué par la souffrance. Sur le sol de l'ambulance, le sang continuait de s'accumuler de façon inquiétante.

Chapitre 41

À l'hôpital, Emma fut transportée d'urgence en obstétrique. Bien qu'on lui interdît d'entrer dans la salle, Raphaël demeura tout près, anxieux de connaître le sort réservé à la petite Maxime et à sa maman. Lorsque Lucie Gallant avait été retrouvée en bordure d'une route de campagne, elle vivait toujours. Toutefois, les médecins n'avaient rien pu faire pour sauver la vie de sa fille, qui était morte quelques heures plus tard dans les bras de son père. Non ! Raphaël secoua la tête, refusant de croire que le sort pouvait s'acharner aussi cruellement sur ses amis.

Le pompier marchait de long en large dans le couloir. Il s'arrêta devant une fenêtre et fixa l'horizon. Il voyait la route qu'avait empruntée l'ambulance pour se rendre du chalet de Stoke jusqu'à l'hôpital. Samuel avait-il vraiment tué toutes ses victimes dans ce petit coin perdu, si près d'eux ? Son ami, une bête, un monstre ! Comment cela était-il possible ? Raphaël serra les poings : il aurait tellement aimé faire face à Samuel D'Arcy pour le confronter, le frapper, le blesser autant qu'il avait pu blesser Emma !

Le temps s'égrenait lentement, seconde par seconde. Raphaël avait l'impression que sa montre n'avançait plus, qu'elle s'était figée quelque part vers dix-sept heures. Il se sentait seul et coupable aussi. Il manquait à un de ses devoirs les plus importants : aviser un homme qu'il serait bientôt père.

À la course, Raphaël monta les trois étages qui le séparaient de William Turmel. Quand Raphaël lui eut fait part de la bonne nouvelle, le policier lui permit d'entrer dans la chambre.

– William ! Emma a été rescapée ! Elle est ici, elle accouchera sous peu !

Le lieutenant regarda Raphaël avec une consternation mêlée d'incompréhension. À ses côtés, Claudia pleurait à chaudes larmes, mais son mari ignorait pour quelle raison. Raphaël s'efforçait quant à lui de cacher sa tristesse, son effroi, sa peur envahissante.

– Tu es... couvert de sang..., chuchota William d'une voix presque inaudible. Est-ce qu'Emma est gravement blessée ?

– Je ne peux pas encore le dire, mais elle est bel et bien vivante !

– Dieu soit loué !

Raphaël prit une grande inspiration. Il se sentait jaloux que William lui vole ce moment qu'il aurait tant aimé partager avec Emma, mais sa place ne se trouvait pas dans la salle d'accouchement. L'enfant ne lui appartenait pas, et la belle Espagnole ne lui avait jamais signifié son intention de poursuivre sa route avec lui.

– Elle aimerait te voir, William. Pour la naissance de votre fille... Es-tu en état de te déplacer ?

William éclata d'un rire nerveux. Raphaël s'aperçut que Claudia serrait et desserrait nerveusement les mains.

– Convaincre tant de médecins et de gardiens ? Ça prendra du temps ! Vas-y, toi, et reste avec elle !

– Oui, mais c'est toi qu'elle veut près d'elle !

– Peut-être à cause du bébé... mais tu sais bien que c'est toi qu'elle aime !

– Non !

– Raphaël, allons ! Tu as toujours su qu'Emma ne t'a jamais oublié et n'a jamais cessé de t'aimer... Allez, va la rejoindre !

Il n'y avait ni rivalité ni colère dans le regard de William, seulement un calme désarmant. Raphaël supposa que, malgré l'enlèvement d'Emma, il ressentait un énorme soulagement à l'idée que le véritable tueur soit démasqué. Son calvaire prendrait fin bientôt.

Raphaël retourna à l'urgence, mais une infirmière lui interdit à nouveau d'approcher d'Emma pendant qu'on s'occupait d'elle.

– Madame ! s'impatienta-t-il. Cette femme a subi un calvaire de trente heures. Elle a besoin d'un proche pour l'accompagner pendant son accouchement !

– Lorsque nous serons rendus à cette étape, nous vous ferons signe. Elle est entre bonnes mains, mais laissez-nous la soigner correctement !

– Je veux la voir !

L'infirmière posa une main sur son bras pour l'inciter à se calmer et, après l'avoir fixé dans les yeux, elle regagna la salle où reposait Emma. Raphaël marcha de long en large pendant d'interminables minutes, à bout de nerfs. La salle d'urgence grouillait de monde, mais il se sentait abandonné, exclu. Il leva la tête vers le ciel.

— Raphaël... Comment vas-tu ?

Esther Venne le dévisageait avec une consternation mêlée d'appréhension.

— Ralph... Cette épreuve marque la fin d'une longue et pénible histoire.

— L'étape est importante, voire cruciale, mais je ne suis pas d'accord avec toi : rien n'est terminé. Pour Emma, la douleur ne fait que commencer. Elle a failli être tuée et... Maxime... On ignore encore dans quel état sera son bébé !

— Avec sa force de caractère et tout le soutien qu'elle aura, Emma s'en sortira, c'est certain.

Raphaël secoua la tête, conscient que l'avocate cherchait à le rassurer. Le calvaire de Thomas avait connu sa conclusion par sa mort atroce. Emma parviendrait-elle à mieux s'en sortir ? Tout dépendait sans doute de ce que le monstre des Laurentides lui avait fait subir. Voudrait-elle de son aide, maintenant ? Il était prêt à la soutenir aussi longtemps qu'il le faudrait.

— En plus, D'Arcy n'a pas été arrêté. Tant que ce fou ne sera pas derrière les barreaux, j'aurai peur pour Emma, avoua Raphaël.

L'avocate hocha la tête. À le voir, elle devinait que le tueur des Laurentides l'avait déjà atteint au plus profond de son cœur.

— L'arrestation de D'Arcy ne saurait tarder. Les policiers sont sur les dents, prêts à tourner le monde à l'envers pour lui mettre la main dessus. Ils ont commis d'importantes erreurs, ils veulent maintenant se reprendre.

— Et William ?

— Les trois autres avocats du cabinet travaillent pour qu'il puisse quitter sa chambre et assister à la naissance de sa fille. Même le procureur de la Couronne approuve la démarche en souhaitant que ça atténue notre colère... et en espérant que nous ne poursuivions pas le ministère de la Justice !

Raphaël éclata d'un rire désabusé avant de donner son avis sur la question :

— Même si tu obtenais dix millions de dollars, William ne récupérera jamais les mois qu'il a perdus, et ça ne le soulagera pas de la douleur qu'il a endurée, tout comme ça n'effacera pas cette tentative de suicide. Même chose pour Emma. Tous les deux seront à jamais changés. Brisés, peut-être.

— Je sais, mais ça peut néanmoins contribuer à apaiser sa colère... Celle de Claudia aussi.

Une dame en vert approcha enfin du pompier.

— Madame Sanchez vient d'être transférée à la maternité, au sixième étage. Venez, elle veut vous voir !

Esther sourit, devinant clairement la joie de Raphaël.

— J'y vais. Esther, si vous parvenez à libérer William, je sortirai immédiatement et...

– Ne t'en fais pas, l'interrompit-elle d'un ton apaisant. Concentre-toi sur Emma et Maxime !

Après avoir enfilé à la hâte des vêtements stériles, Raphaël entra dans la salle d'accouchement. Emma éclata en sanglots lorsqu'elle l'aperçut et elle s'agrippa à lui comme si elle allait se noyer. Pendant plusieurs minutes, aucun des deux ne parla. Raphaël se contentait de la serrer et de caresser son front d'une main malhabile.

– Poussez, madame, poussez !

– J'ai peur, Raphaël, murmura Emma à travers ses grimaces de souffrance. Ralph, j'ai commis plusieurs graves erreurs... Mais je ne veux pas être punie par la mort de ma petite fille ! N'importe quoi, mais pas ça !

– Emma... Emma...

Que répondre ? Raphaël ne trouvait rien à dire à la jeune femme.

– Pousse aussi fort que tu le peux, dit-il enfin pour briser le silence. J'ai si hâte de connaître ma filleule !

– Poussez ! Je vois la tête, madame, votre petite fille est châtaine !

Raphaël épongea le front de la future maman avec un linge imbibé d'eau froide. Elle écrasait sa main.

– Châtaine ? répéta Raphaël, éberlué. J'avais imaginé un bébé d'allure espagnole, comme sa maman, pas une petite Québécoise comme son père !

– William aura tout manqué..., murmura-t-elle en regardant Raphaël.

– Bien d'autres beaux moments suivront... N'oublie pas que cette enfant a une espérance de vie de quatre-vingts ans, rien de moins !

Emma sourit faiblement.

– Une chance que tu es là, Ralph... comme toujours !

Enfin un mot encourageant ! Le cœur de Raphaël s'emballa, mais il n'eut pas le temps de réfléchir davantage. Une infirmière lui glissa une paire de ciseaux dans la main.

– Voulez-vous couper le cordon ombilical ?

Désemparé, il tourna les yeux vers Emma, qui lui sourit.

– Fais-le.

– Mais...

– Après tout ce que tu as fait pour moi, tu l'as bien mérité !

Les événements se précipitèrent. Un médecin sortit le minuscule bébé, qui ne cria pas quand l'homme lui tapa dans le dos. Raphaël coupa le cordon sans la quitter des yeux. Elle avait deux jambes, deux bras, dix orteils et dix doigts, un nez, deux petites oreilles, d'épais cheveux... En apparence du moins, la petite était parfaitement normale. Par contre, son teint était bleuâtre, et elle ne pleurait pas.

Emma regardait son enfant en sanglotant et tendait les bras pour la prendre, mais les médecins enveloppèrent le nouveau-né dans une couverture et quittèrent la salle à toute vitesse.

– Qu'est-ce qu'il y a ? s'époumona Emma. Je veux voir ma fille ! Est-ce qu'elle est malade ?

– Madame, nous devons simplement nous assurer que tout va bien, qu'elle ne souffre d'aucune lésion interne... Laissez-nous une petite heure avec elle et nous vous la rendrons. Entre-temps, nous prendrons soin de vous aussi.

Des infirmières l'avaient rapidement lavée afin que le sang du chien n'infecte pas le bébé, mais Emma affichait un bien piètre état physique.

– Je veux la voir une minute ! Vous êtes inhumains de me l'arracher après ce que je viens de traverser !

Raphaël se retint de renchérir alors que le gynécologue, toujours silencieux, le regardait avec une inquiétude qu'il ne pouvait pas dissimuler.

– Laissez-nous une heure, madame.

– Raphaël !

Elle implorait son aide. Il l'embrassa sur le front.

– Fais confiance aux médecins, ma belle Espagnole. Tu sais quoi ? Maxime est la copie conforme de son père !

Contre toute attente, Emma émit un rire saccadé, puis fondit en larmes la seconde d'après.

– Maintenant que le bébé ne risque plus d'être affecté par la médication, nous vous donnerons un anti-douleur, madame Sanchez, lui dit le médecin sans la regarder dans les yeux.

– Amenez-moi voir Maxime deux petites minutes ! Juste deux petites minutes ! Je vous en prie !

– Non. Vous avez besoin de repos.

Sans plus attendre, il injecta le contenu d'une seringue dans le soluté planté dans sa main.

– Raphaël... Raphaël... Veille sur mon bébé ! Je t'en supplie !

– C'est promis. Emma, je dois te demander une dernière chose... Est-ce que tu sais où est passé Samuel ? Les policiers doivent à tout prix le retrouver !

Elle réfléchit un très court moment avant de murmurer, sa voix de plus en plus faible :

– Il a parlé d'une nouvelle identité... De partir loin... Un faux passeport... Une nouvelle apparence... Un billet d'avion déjà acheté... Tu vas le dire aux enquêteurs ?

– Bien sûr, affirma Raphaël, impressionné malgré lui par l'importante présence policière à l'hôpital. Emma, je suis si fier de toi ! Dans quelques heures, Maxime et toi serez réunies. J'ai hâte de vous voir ensemble, de vous embrasser toutes les deux et... Je t'aime, Emma... J'ai eu si peur pour toi !

Elle passa la main dans ses cheveux, comme si elle devait le rassurer ! Elle secoua doucement la tête, cherchant à effacer quelques affreux souvenirs de sa mémoire.

– Samuel avait décidé de me tuer comme il a supprimé toutes ses autres victimes : il me rouait de coups de pieds alors que j'étais enchaînée sur le sol de son affreux chalet.

– Pourquoi a-t-il arrêté avant... que tu sois morte ?

– Érickson s'est jeté sur lui et l'a mordu plusieurs fois. Ça l'a tellement déstabilisé qu'il a perdu l'envie de s'amuser avec moi... Je ne sais pas ce qu'il a fait à son pauvre chien...

Vous allez le soigner, hein ? Sam pensait quand même que je mourrais avant qu'on me découvre. Et il me prédisait la mort de Maxime sans que je puisse faire quoi que ce soit pour elle. Oh ! c'est tellement affreux !

Elle sanglotait sans pouvoir s'arrêter, accrochée à Raphaël. Elle se calma rapidement sous l'effet des médicaments, puis s'endormit enfin, agitée de soubresauts et de spasmes. Un médecin posa sa main sur l'épaule de Raphaël.

– Suivez-moi, je dois vous parler.

Raphaël acquiesça en se relevant. Quel sort attendait la petite Maxime Sanchez-Turmel ?

Chapitre 42

Un privilégié : Raphaël ne pouvait se considérer autrement en contemplant ce minuscule être humain qui reposait paisiblement dans un incubateur. Six heures après sa naissance, sa maman dormait toujours d'un profond sommeil artificiel, sans l'avoir vue, alors que les médecins procédaient toujours à des tests dans le but de découvrir l'étendue des blessures de la jeune femme.

Le parrain avait été le premier membre de la « famille » à pouvoir regarder et toucher ce bébé. Maxime Sanchez-Turmel pesait tout juste deux kilos. Toutefois, son pédiatre se montrait assez satisfait des résultats et croyait bonnes les chances qu'elle ne garde que peu ou pas de séquelles de sa périlleuse naissance.

– Alors ? Comment se portent la mère et la fille ?

Raphaël se retourna pour faire face à William Turmel, dont le poignet était relié à celui d'une jeune gardienne de prison. Le nouveau père n'osait pas s'approcher du bébé, comme s'il craignait une mauvaise surprise.

– Malgré les inquiétudes de départ, la petite ne devrait garder aucune séquelle à long terme de cette grossesse compliquée. Viens voir ta fille !

William sonda le regard de Raphaël, cherchant à se rassurer sur les véritables intentions de son collègue. Usé par les derniers mois, il n'avait plus confiance en rien ni en personne.

– Et Emma ?

– Physiquement, elle s'en remettra. Elle souffre d'une fracture au pied gauche et à l'avant-bras gauche. Elle a perdu tellement de sang qu'elle a dû être transfusée et elle a des ecchymoses et des coupures partout, énuméra Raphaël d'une voix monocorde.

– Est-ce qu'il l'a...

William avala péniblement sa salive, incapable de poursuivre.

– Il semble qu'elle n'ait pas été violée, mais elle seule pourra nous le confirmer.

William s'approcha à petits pas, à la fois effrayé et anxieux. Il sourit en apercevant l'enfant et une évidente fierté anima aussitôt le nouveau père.

– Je ne peux pas croire qu'elle est... sa fille ! Cette enfant est trop pâle pour être le bébé d'Emma !

– Elle te ressemble, hein ? C'est un magnifique bébé ! J'ai hâte qu'Emma puisse enfin la prendre, elle le mérite tellement après tout ce qu'elle a vécu !

– Pauvre Emma...

Raphaël préféra éviter de raconter la scène déchirante qu'avait vécue Emma quand le bébé lui avait été arraché dès l'instant de sa naissance.

— Et moi, est-ce que tu crois que je pourrais la prendre ?

— L'infirmière te le dira.

Aussitôt, Raphaël fit signe à l'infirmière qui prenait soin du nourrisson. William et elle discutèrent quelques instants. À la grande surprise du papa, la gardienne de prison lui proposa de l'accompagner. Elle libéra William afin qu'il revête des vêtements de protection, puis elle pénétra avec lui dans la pouponnière.

L'infirmière invita William à s'asseoir et déposa Maxime dans ses bras. Pour lui faciliter la tâche, la gardienne libéra sa main pour « quelques instants ». William ressentit un profond pincement au cœur quand l'enfant fut bien blottie contre lui. Instinctivement, il chuchota à son oreille, comme s'il cherchait à la rassurer sur ses intentions, sur son affection pour elle. Il lui susurrait des mots doux et apaisants, bien que des pensées tristes traversassent son esprit.

Malheureusement, Maxime ne connaîtrait jamais le bonheur de vivre dans une véritable famille et serait toujours partagée entre deux cultures et deux parents très différents. Qu'avait-il à lui offrir ? Est-ce que Claudia aurait envie de devenir la belle-maman d'un enfant que son mari avait conçu illégitimement ? Peut-être le bonheur de Maxime passait-il par l'entremise de Raphaël. Même si l'idée lui déplaisait, William savait qu'il ne devait pas s'y fermer.

De l'autre côté de la vitre, Raphaël regardait le père et la fille avec envie.

– Continuez de parler à votre fille, recommanda l'infirmière à William. Elle apprendra bien vite à reconnaître votre voix. Voilà une belle occasion de tisser le lien père-fille !

Elle lui sourit avant de s'éloigner.

William leva les yeux vers la fenêtre. Dans le couloir, la seconde gardienne de prison et Raphaël discutaient tout en le regardant attentivement. Depuis des mois, le prisonnier se sentait surveillé, épié. Son intimité lui avait été arrachée en même temps que sa liberté.

Après quarante-cinq minutes à serrer sa fille contre lui, le pompier dut se résoudre à la rendre à l'infirmière. Il se sentait très faible, et la gardienne s'inquiéta d'ailleurs en le voyant marcher à ses côtés, blême et chancelant.

– Ralph, dis à Emma que... je suis fier d'elle. Et que notre fille est vraiment magnifique !

Pour toute réponse, Raphaël sourit chaleureusement.

– J'ai hâte de la voir. Je ne peux pas faire grand-chose pour elle et pour Maxime, en ce moment, mais je me reprendrai quand je serai enfin libéré... Dis-le lui.

– Promis. Prends soin de toi, William.

Il hocha la tête alors que Raphaël lui assénait une tape sur l'épaule et, pour une des premières fois depuis plusieurs mois, il fixa Raphaël droit dans les yeux.

– Je me suis écroulé, mais je remonterai la pente, maintenant.

– Tant mieux. Je recommence à travailler dans une dizaine de jours. Le groupe 2 ne se ressemblera plus du tout, mais nous t'attendrons. Je suis impatient de te voir revenir.

– Je ne sais pas encore très bien ce que l'avenir me réserve. Est-ce que je continuerai ma vie comme avant ? Ces dernières semaines, j'ai eu le temps d'imaginer plusieurs projets...

– Et Claudia ?

Le ton de Raphaël était presque alarmé, ce qui n'échappa guère à Turmel. Il le connaissait depuis tant d'années qu'il pouvait facilement deviner le fond de ses pensées.

– Le jour de mon mariage, je voyais ma vie comme un livre déjà écrit à l'avance : ma carrière s'annonçait intéressante, je pensais avoir des enfants, une femme extraordinaire, une belle maison... Une vie classique, quoi ! Quand j'ai commencé à fréquenter Emma, je ne me suis pas rendu compte tout de suite que je réécrivais l'histoire... Maintenant, le vide est total. J'ai un passé derrière moi, mais je dois réinventer la suite. Tout est possible et impossible à la fois.

Sur ces mots, le prisonnier quitta la pouponnière après un dernier regard pour sa minuscule fillette. Il avait maintenant une certitude : s'il changeait le cours de son existence, il refuserait néanmoins de s'éloigner de Maxime.

Chapitre 43

Voilà quatre jours déjà qu'Emmanuella Sanchez avait été retrouvée vivante à quelques dizaines de kilomètres du centre hospitalier où elle et son bébé reposaient dans un état de santé satisfaisant. Adam Chrétien s'était rendu au chevet de la jeune femme afin de l'interroger sur son agresseur, et elle avait réussi à lui répondre avec son aplomb et son assurance habituels. Toutefois, l'enquêteur l'avait sentie très affaiblie. Elle sursautait dès qu'un bruit inattendu se faisait entendre, s'accrochait à la présence de Raphaël comme à une bouée de sauvetage. Elle avait toutefois refusé qu'il demeure dans la pièce quand elle lui avait raconté, ainsi qu'à deux de ses collègues, les atrocités subies. La jeune mère veillait attentivement sur son bébé, mais elle paraissait également s'épuiser très vite. L'enquêteur ressentait beaucoup de tristesse pour elle, même si, d'un autre côté, il était vraiment soulagé de rencontrer une première survivante du tueur en série des Laurentides.

Sanchez avait agi très intelligemment avec ce monstre dont elle connaissait très bien la facette de « bon citoyen ». Chrétien possédait maintenant de nombreuses informations sur le tueur, des renseignements dont il aurait bien eu besoin tout au long de cette infernale enquête : ses motivations, ses besoins, ses stratégies pour dissimuler ses absences prolongées... D'Arcy aurait sans doute été moins bavard s'il avait su qu'Emmanuella survivrait.

Sanchez et sa fille vivantes, tant mieux ! Chrétien souriait quand il songeait au travail colossal accompli par ses hommes et il secouait la tête quand il se remémorait la provenance de l'information qui avait mis en branle toutes les recherches : au début de son enquête à Sherbrooke, il avait éprouvé une aversion aussi inexplicable que spontanée envers Jean Gamache.

Dès que Sanchez avait été découverte, Chrétien avait fait surveiller les aéroports et les postes douaniers, mais peut-être D'Arcy était-il parvenu à passer les frontières américaines très rapidement sous un déguisement habile. L'homme était aussi rusé que dangereux.

Que faire, maintenant ? Les corps policiers et douaniers de tout le pays étaient aux aguets, mais aucun indice n'avait été retrouvé. À bout de nerfs, Chrétien et ses collègues savaient qu'ils ne pourraient pas dormir tranquilles tant que le tueur ne serait pas enfin arrêté. Chrétien jouait sa carrière, mais, à ce stade, il ne s'en préoccupait même plus. Il pensait seulement à ces femmes qui risquaient encore leur vie, à Sanchez que le tueur guettait peut-être dans l'ombre pour achever son travail s'il venait à apprendre qu'elle avait survécu... Pour l'heure, Chrétien pouvait facilement faire protéger la mère et la fille... Cependant, un garde du corps ne pourrait pas toujours les suivre à la trace ! S'il n'était pas arrêté, Samuel D'Arcy commettrait d'autres crimes. Mais pourquoi le jeune homme s'était-il acharné sur ses amis ?

Pour l'heure, les médias du monde entier avaient l'œil rivé sur les développements de l'affaire. Encore une fois, les femmes craignaient pour leur sécurité.

Chrétien se leva, s'étira un peu. Courbaturé par des nuits d'insomnie et de très longues journées de travail, il sentait qu'il ne tiendrait pas le coup encore longtemps. Il se tourna vers la fenêtre. À quelques semaines de Noël, la première neige tombait enfin.

Chapitre 44

Après une heure, la petite Maxime Sanchez-Turmel, âgée de trois jours à peine, terminait son biberon. Repue, elle pouvait enfin se rendormir. Sa mère la déposa dans les bras de son parrain, qui la réclamait depuis un bon moment.

– Une fois à la maison, ce sera difficile..., murmura Emma, les larmes aux yeux. Maxime boit si lentement et se réveille tellement souvent ! J'ai de la difficulté à bouger, à la soulever et j'ai mal partout...

– Emma...

Presque malgré lui, Raphaël se pencha pour l'embrasser sur le front. Emma fronça les sourcils.

– Est-ce que tu veux me raconter ce qui s'est passé avec Samuel ?

Ressentant le stress de son parrain, Maxime se mit à pleurer doucement. Raphaël trouva immédiatement les bons gestes pour la consoler, et elle se rendormit bientôt.

– J'ai besoin d'un peu de temps, répondit Emma alors qu'une larme glissait le long de sa joue. C'est... comme bloqué dans ma poitrine, une grosse boule de mots, d'émotions et de souvenirs que je ne peux pas arracher sans tout détruire en même temps...

– Tu sembles avoir tellement souffert..., souffla tout doucement Raphaël.

– J'ai dû parler d'événements que je n'avais jamais confiés à personne, convaincre Sam de...

Elle étouffait, la douleur bloquait sa gorge. Raphaël ignorait quoi dire, mais la curiosité le piquait comme un dard. Qu'avait-elle pu raconter d'aussi intime, d'aussi secret ? Il reprit après un long silence :

– Pour un certain temps, j'emménagerai chez toi... J'ai ressassé le problème dans tous les sens, et je crois que c'est la meilleure solution puisque je suis le seul de tes amis qui n'ait pas d'enfants.

Emma ferma les yeux, secoua la tête.

– Non, Ralph. Je ne nie pas que j'aurai besoin d'aide avant de partir pour l'Espagne, mais je t'en ai assez demandé. N'oublie pas Caroline...

– Elle retourne au Japon dans trois jours. Demain, nous passerons la soirée ensemble. J'ai l'intention d'être enfin honnête avec elle. C'est ce qu'elle attend de moi et... toi aussi !

– Je pars dans quelques semaines.

Emma décida de jouer la carte de la franchise brutale, même si elle risquait de le blesser.

– Rien ne me fera changer d'avis, Raphaël, tiens-le toi pour dit. J'ai besoin d'être chez moi avec mon père, mes amis d'enfance, la mer, le temps doux...

– Je comprends que tu prennes des vacances, mais de là à ne plus revenir vivre ici..., murmura-t-il en se crispant malgré lui.

– Le choix m'appartient. Je t'accueillerai aussi souvent que tu le souhaites, mais il est hors de question qu'il y ait quoi que ce soit de plus entre nous ! Est-ce que c'est clair ?

Raphaël avala le coup sans broncher, mais il se disait que rien n'était vraiment terminé et que ses chances existaient encore. Il commença à faire les cent pas dans la pièce. À tout prix, il souhaitait retenir Emma auprès de lui, au Québec.

– Et William ? Tu n'as pas envie de lui laisser quelques mois auprès de sa fille ?

– Lorsque nous avons discuté, hier après-midi, il a semblé très bien comprendre ma décision de retourner chez moi. Il a évoqué la possibilité de prendre un ou deux mois de congé pour changer d'air et en profiter pour voir Maxime.

Il l'avait quittée des années plus tôt, pourquoi se mêlait-il d'être jaloux ? Emma avait droit à sa vie. De toute façon, ce petit bébé qu'il tenait dans ses bras n'était pas de lui, ne le serait jamais !

Emma secouait la tête. Elle voulait parler d'autre chose.

– Il y a quelques mois encore, tu t'efforçais de me cacher les événements les plus importants de ta vie !

Ses fiançailles... Raphaël regrettait d'avoir menti à Emma tout autant que d'avoir succombé aux souhaits de sa belle violoniste.

– J'aurais compris que tu ne te précipites pas chez moi pour m'annoncer tes fiançailles, mais de là à mettre tous nos collègues dans le coup...

– Emma, je voulais simplement te protéger et... me protéger aussi.

Raphaël marqua une pause.

– Au cours des dernières années, j'ai souvent eu l'impression d'avoir besoin de ton regard pour soutenir ou désapprouver mes actions. Grâce à notre emploi, j'ai continué de le sentir. À ce moment-là, toutefois, je savais que je ne recevrais pas la réponse que j'espérais et j'étais effrayé !

Les mots d'Emma dansaient inlassablement dans la tête du pompier. Disait-elle la vérité sur ses sentiments envers lui ?

Emma poursuivait sa réflexion. Un long travail l'attendait : se pardonner ses erreurs et ses actes manqués, retrouver confiance en elle, en son entourage, se remettre de ses blessures, apprendre à vivre avec sa fille... Pour parvenir à faire le point, Emma refusait de s'attacher à qui que ce soit ou de se sentir responsable, de nouveau, d'avoir brisé un couple. Elle aimait profondément Raphaël, mais elle ne s'unirait pas à lui tant qu'il n'aurait pas fait un bon ménage dans sa vie. S'il quittait Caroline même en croyant qu'elle ne voulait pas de lui, il prouverait que son amour et ses intentions étaient sincères. Sans cette condition, elle ne se rapprocherait pas de lui. Jamais. William n'avait jamais osé faire cela, lui. Et s'il avait quitté sa femme sans attendre l'approbation d'Emma ? Les événements auraient sans doute été très différents.

Emma essuya les larmes qui roulaient sur ses joues. Elle prenait conscience qu'elle devrait bientôt évacuer un trop-plein d'émotions, raconter ce qu'elle avait subi pendant son séjour avec D'Arcy. Si elle gardait la vérité en elle pendant des jours encore, elle exploserait. Ses deux secrets la hantaient depuis longtemps, mais ils ne la quittaient plus d'une semelle depuis qu'elle les avait utilisés pour amadouer Samuel. Sur ses épaules, le poids devenait insupportable. Sa confiance ayant été fortement ébranlée par cette longue aventure, elle refusait même de se confier au psychologue que l'hôpital avait envoyé à son chevet.

Raphaël se rendait bien compte qu'Emma devenait confuse et stressée, mais il ignorait comment l'aider.

– Est-ce que tu acceptes mon aide jusqu'à ton départ en Espagne, Emma ?

– Oui. À la condition que tu le fasses sans arrière-pensées.

En guise de promesse, il hocha la tête, le cœur serré.

Soudainement inconsolable dans les bras de son parrain, Maxime se tortillait avec une énergie surprenante pour un aussi petit bout de fille. À la grande surprise de Raphaël, l'enfant se calma aussitôt que sa maman l'eut reprise contre elle. Pour une rare fois depuis son hospitalisation, Emma souriait. Mère et fille, déjà complices, feraient certainement un beau bout de chemin ensemble ! Raphaël comprit tout à coup que sa place se trouvait ailleurs...

Chapitre 45

À quelques jours de Noël et une dizaine de jours après l'agression subie par Emma, William allait être remis en liberté. Même si le tueur n'avait pas été épinglé, le témoignage d'Emma avait été suffisamment éloquent pour convaincre le juge de casser le verdict imposé par le jury. Après un bref passage au box des accusés, on lui enlèverait les menottes, et il quitterait le palais de justice accompagné de ses avocats. Il pourrait rentrer chez lui, enfin.

Pendant toute la durée de l'audience, William garda les yeux baissés vers le sol, comme s'il était trop las pour relever la tête. L'impatience le tenaillait pourtant.

Le moment tant attendu vint vers onze heures, alors que le juge s'adressa directement à lui :

— Monsieur Turmel...

William releva la tête. Ses yeux brillaient et il déposa ses mains moites contre ses cuisses.

— Vous êtes libre !

Un gardien s'approcha aussitôt et défit les liens de l'ex-détenu.

Après un instant de réflexion, William se retourna et prit sa femme entre ses bras pour la serrer de toutes ses forces.

— Tout est terminé, maintenant, William, lui dit Claudia d'une voix grave et assurée. Viens, tu rentres chez toi !

À l'extérieur de la salle, il affronta les médias sans baisser la tête. Après des mois de torpeur, d'humiliation et de gêne, il refusait de se cacher davantage ; il était temps de relever les épaules, d'affronter tous ces gens qui l'avaient condamné. Il refusa toutefois de s'adresser aux médias. Esther l'avait avisé que, tant que Samuel D'Arcy ne serait pas emprisonné à son tour, il serait plus prudent de se tenir à distance et de ne pas risquer d'attiser la colère du tueur.

À sa demande, William rentra seul à la maison avec Claudia. Il ressentait le besoin impétueux d'être chez lui, de profiter d'une tranquillité et d'une paix qu'il avait longuement attendues.

— Tiens, ça t'appartient !

Claudia et lui avaient gardé le silence pendant le trajet et, une fois la voiture garée dans leur allée, William observait sa maison avec une sorte de stupéfaction : il n'arrivait pas à croire qu'il s'y trouvait enfin et pour de bon !

Il tendit une main dans laquelle Claudia déposa son trousseau.

— Au début, tu m'avais juré que je ne rentrerais pas à la maison, que je paierais cher pour ce que je t'ai fait...

– Nous prendrons le temps de régler nos problèmes de couple un peu plus tard. Pour le moment, je nous considère comme séparés, et nous verrons dans quelque temps si...

– ... si c'est possible de poursuivre notre mariage ?

Après lui avoir coupé la parole, il s'était retourné vers elle et l'observait avec des yeux pétillants.

– Ne me regarde pas comme ça ! Il s'est passé beaucoup de choses depuis... que j'ai appris ton infidélité, mais ça ne veut pas dire que je t'ai pardonné. Pour le moment, profite simplement de ta liberté.

– J'ignore combien m'a coûté ma défense, mais est-ce que nous pouvons nous permettre des vacances ?

– Peut-être. À quoi penses-tu ?

– À l'Espagne. J'aimerais bien visiter Maxime et profiter du dépaysement pour essayer de te reconquérir.

Claudia égrena un rire sardonique.

– À deux pas d'Emma ? Beau programme !

William réfléchit. Même si Claudia semblait tout à fait d'accord avec le fait qu'il devait prendre soin de sa fille, il ne devait pas exagérer : il l'avait conçue en dehors du lit conjugal, et la petite représentait le symbole absolu de ses infidélités.

– Tu as raison, je n'ai pas pensé plus loin que le bout de mon nez. Allons ailleurs, alors. Une croisière dans les Caraïbes te plairait ?

– Doucement, William ! Je ne t'imaginais pas aussi entreprenant dès ta sortie de prison !

– Je viens de perdre plusieurs mois de ma vie, je refuse de continuer à m'apitoyer sur mon sort !

Il secouait la tête, cherchant à éloigner de lui tous ces mauvais souvenirs.

– Justement, William. Prenons les événements un à la fois puisque tout est loin d'être réglé. D'Arcy n'a pas encore été arrêté. On doit poursuivre ton employeur, qui t'a illégalement mis à pied. Et je te garantis que le ministère de la Justice passera à la caisse !

– Si D'Arcy est arrêté et si je peux retrouver mon emploi, le reste m'est bien égal.

– Plus tard, plus tard, lança Claudia avec un geste de la main. Sortons de la voiture, j'ai froid ! Au fait, as-tu faim ? J'ai cuisiné toute la soirée, hier...

William sourit tandis qu'ils entraient. Quelle femme merveilleuse ! Même si elle avait aussi beaucoup de caractère, Claudia était beaucoup plus douce, calme et conciliante qu'Emma. Il aurait tellement aimé que son premier enfant soit aussi celui de sa femme ! Était-il trop tard ? Claudia fêterait bientôt ses trente-cinq ans... Et en aurait-elle envie ? Peut-être Maxime toucherait-elle la fibre maternelle chez elle...

– À quoi penses-tu ? demanda Claudia comme il pénétrait dans la cuisine.

– À la famille qu'on pourrait avoir.

– William, je t'en prie ! s'exclama Claudia, qui n'en croyait pas ses oreilles. Nos relations sont déjà assez compliquées comme ça !

Après avoir subi un aussi long cauchemar, William ne percevait plus ses problèmes conjugaux comme étant compliqués ! Il se plaisait à imaginer qu'ils représentaient plutôt un beau défi.

– Je vais sortir un peu, je suis enfermé depuis des mois ! s'exclama-t-il après un moment de silence.

– Tes vêtements sont rangés dans ta chambre. Tu pourras la décorer à ton goût si le cœur t'en dit. Je pourrais même te donner un coup de main !

Il sourit en hochant doucement la tête, puis il s'étendit sur le lit qui sentait la lessive fraîche. Comment un si petit détail pouvait-il l'émouvoir à ce point ? Claudia le rejoignit peu de temps après sans remarquer le trouble de son mari. Elle lui tendait le téléphone sans fil.

– Emma aimerait te parler.

Il hésita avant de prendre l'appareil : il n'avait pas envie de discuter tout de suite. Même s'il avait hâte de connaître sa fille, de pouvoir la prendre dans ses bras sans se sentir épié par un gardien de prison, il voulait avant tout profiter de sa remise en liberté chez lui, avec sa femme, dans ses affaires bien à lui. Maxime devrait attendre un jour ou deux avant qu'il n'ait envie de s'occuper d'elle.

Finalement, il porta la combiné à son oreille. Emma se mit à pleurer en l'entendant.

– Je suis désolée, William, mais je suis tellement secouée par la bonne nouvelle ! Je n'arrive pas à croire que tu sois enfin rentré chez toi !

– Merci.

William savait que son arrestation avait été précipitée par la découverte d'Emma. Ironiquement, il serait toujours emprisonné si elle n'avait pas été en état de raconter aux enquêteurs son long calvaire aux mains de D'Arcy.

– Et toi, comment vas-tu ?

– Maxime est magnifique. Nos collègues m'ont offert un appareil photo numérique, et je la photographie sans cesse pour que tu puisses voir l'évolution depuis sa naissance. Elle change tous les jours !

La maman avait séché ses larmes pour s'émerveiller des changements de sa petite, mais William ressentait encore toute la fragilité de son ancienne amante.

– Est-ce que tu viendras la voir bientôt ?

Il lui expliqua qu'il avait besoin de temps. Emma semblait parfaitement comprendre.

– Comment se passe ton retour à la maison avec le bébé ?

– Oh, c'est... difficile.

Emma éclata de nouveau en sanglots. William aurait aimé lui serrer la main ou avoir les mots pour l'apaiser, mais que pouvait-il vraiment faire ? Comme elle, il se sentait enfermé dans un corps et dans une âme remplis de souffrances et de non-dits.

– Sans Julie et Raphaël, je n'y arriverais pas.

– Je pourrai apporter ma contribution dès que j'aurai repris du mieux.

William l'offrait du fond du cœur, mais, à l'autre bout du fil, Emma ne ressentit qu'un grand froid.

— Je ne te demande rien, j'ai simplement très hâte que Maxime te voie. Je tiens vraiment à ce que la petite puisse te connaître et t'apprécier.

— Merci, Emma. Je te rappelle d'ici deux ou trois jours. Salue Raphaël de ma part.

William se releva, fouilla dans sa penderie et dénicha ses vêtements d'hiver. Il rejoignit sa femme dans la cuisine. Assise à la table, elle semblait plongée dans la lecture d'un volumineux livre de droit.

— Viens ici, Claudia. Une minute.

— Pourquoi ?

Les sourcils froncés, elle le regarda tout en hésitant. Par sa main tendue et son regard invitant, il la convainquit de se lever. Aussitôt, William l'attira dans ses bras et la serra fort contre lui.

— Mille fois merci pour tout ce que tu as fait pour moi. J'ai tellement eu de chance de t'avoir à mes côtés tout au long de cette épreuve !

— J'ai fait mon boulot, se défendit-elle en reculant d'un pas.

— Combien de fois as-tu apporté des desserts et des petits plats à tes clients ? Combien de fois leur as-tu pris la main pour leur remonter le moral ? En plus de l'avocate, la femme a été extraordinaire ! Malgré tout ce que tu as appris sur moi au début de cette folle histoire, je n'ai jamais eu à m'inquiéter pendant que j'étais emprisonné : je savais que tu t'occupais de mes affaires, que tu veillais à mes intérêts, bref, j'avais l'esprit tranquille.

— Je devais le faire, je ne me suis même pas posé la question. Je n'allais pas laisser s'accumuler tout ça !

Elle pointa la pile de factures et de lettres qu'elle avait soigneusement classées.

— La plupart des femmes se seraient posé la question, justement. Tu aurais pu tenir ta position de départ, qui était de me mettre à la porte de la maison et de ne pas t'impliquer dans ma défense. Maintenant, Claudia, j'ai deux défis à relever. Premièrement, je dois me remettre de ces mois infernaux, apprendre à relever la tête et à faire face au regard des gens. Ce ne sera pas une tâche facile. Deuxièmement, je dois regagner ton cœur et tenter par tous les moyens de me faire pardonner mes erreurs.

Sous le choc de cette déclaration, Claudia leva enfin les yeux vers son mari.

— Pourquoi me dis-tu ça maintenant ?

— Je ne t'ai rien avoué pendant que j'étais derrière les barreaux parce que je ne voulais pas t'enchaîner à moi contre ton gré en éveillant ta pitié, avoua-t-il, une certaine gêne dans la voix. J'ai eu tout le temps nécessaire pour réfléchir et faire des bilans pendant ces longues nuits à regarder le plafond ! J'ai trouvé mes réponses.

Claudia balançait doucement la tête de droite à gauche, cherchant à nier ces paroles qu'elle n'attendait pas, qu'elle ne s'était pas préparée à entendre. Enfin, pas maintenant...

– Est-ce que je peux encore te prendre dans mes bras ? demanda William en avançant d'un pas vers elle.

Pour toute réponse, elle s'approcha et ouvrit grand les bras. Ils demeurèrent l'un contre l'autre pendant plusieurs minutes.

– J'accepte ton invitation pour l'Espagne. Des vacances nous feront du bien.

– Eh bien... pour une surprise...

– Je n'ai pas envie de passer autant de temps près d'Emma, mais... la petite Maxime a besoin de toi et ça, je ne peux pas le nier.

– Je tiens à ce que ces vacances te rendent heureuse, Claudia. Et si nous allions quelque part, seuls, pendant deux ou trois semaines, avant de passer une semaine près de la petite ?

– Peut-être... Allez, file !

Avant de se détacher d'elle, il l'embrassa sur le front. Claudia soupira profondément dès qu'il fut éloigné.

William marcha longuement dans le jardin, ivre de sa nouvelle liberté. Il avait envie de tout faire en même temps : bûcher du bois, pelleter l'allée de sa cour, s'asseoir tranquillement dans la balançoire pour simplement respirer le grand air... Il ne pouvait se résoudre à cesser de bouger, comme s'il craignait qu'on ne vienne l'enfermer une nouvelle fois.

William s'assit enfin sur la balançoire, tourné vers sa maison. Par la porte coulissante, il apercevait son épouse, qui lisait encore. Il s'ennuyait de Claudia, mais pas de cette femme distante et occupée qu'il avait côtoyée pendant les dernières années de leur mariage. Il avait envie de retrouver la femme pétillante de bonne humeur et de santé, celle qui organisait des projets à la vitesse de l'éclair et qui n'avait peur d'aucune frontière. Lui aussi s'efforcerait de retrouver les traits de caractère qui avaient déjà charmé sa femme. Pouvait-il espérer tout rebâtir sur les anciennes fondations avec elle ? À la suite de leur courte conversation, il se permettait d'espérer.

Rattraper le temps perdu. Un sentiment d'urgence envahissait tout à coup l'homme de trente-cinq ans. Pendant tous ces mois, la terre avait continué de tourner tandis que lui, reclus entre des murs froids et tristes, avait complètement cessé de s'y intéresser. Il avait à peine jeté un coup d'œil aux journaux pendant tout ce temps. Il s'impatientait de reprendre le contrôle de son existence, de mieux comprendre ce qu'il y avait à l'extérieur de son petit monde.

William s'étonna quand Claudia sortit pour le rejoindre. Elle vint s'asseoir face à lui, toute grelottante de froid. Pendant plusieurs minutes, aucun des deux ne dit mot, se regardant à peine.

– J'ai tellement besoin de comprendre certaines choses ! Par exemple, pourquoi m'avoir piégé, moi, plutôt qu'un autre ? Et pourquoi D'Arcy a-t-il épargné Emma ? Ça me dépasse. Sans son témoignage, je serais peut-être encore emprisonné !

– Il ne croyait pas qu'elle serait retrouvée aussi rapidement. Souviens-toi que, si Gamache ne s'était pas manifesté, Emma serait probablement morte de faim et de froid dans ce taudis !

William se leva brusquement.

– Je dois lui rendre visite et voir si elle a besoin d'un coup de main.

– Il y a à peine une heure, tu lui demandais quelques jours !

Claudia n'arrivait plus à suivre les pensées de son mari. Malgré elle, ce revirement lui déplaisait fortement.

– Viens avec moi, Claudia. Emma a dû vivre des moments vraiment... pénibles. On doit lui offrir du soutien.

Claudia ne bougea pas et refusa de saisir la main gantée que lui offrait son époux. Elle ne se sentait pas très incluse dans ce « on » qu'il venait d'utiliser.

– Pendant que j'étais emprisonné, ma vie n'était pas directement menacée et j'ai toujours pu me reposer sur tes épaules et sur celles d'Esther : je savais que vous vous battiez pour moi. Quand j'ai fait des bêtises, j'ai été soigné. Quand j'ai perdu espoir, Esther et toi m'avez relevé d'une façon ou d'une autre. Pendant son séjour avec le tueur des Laurentides, Emma était seule au monde pour sauver sa vie et celle de sa fille. Allons la voir !

William se précipita dans la maison, suivi de sa femme.

– J'ai fui certaines de mes responsabilités pendant des mois, des années. Voilà peut-être l'occasion de racheter quelques-unes de mes erreurs : Emma m'a sorti du pétrin, je ne la laisserai pas s'engouffrer dans le sien. Je t'en prie, Claudia, viens avec moi.

– Ce n'est pas ma place !

William s'arrêta pendant un moment et fixa sa femme dans les yeux.

– Est-ce que tu crois comme moi que Raphaël et Emma sortent ensemble sans trop oser nous l'avouer ?

– Oui.

– Alors, c'est ta place autant que la sienne. Accompagne-moi.

Pour toute réponse, l'avocate hocha la tête. Elle souhaitait assister à cette première rencontre libre entre le père, la fille... et une maman dont elle était fort jalouse.

Chapitre 46

J'ouvre les yeux et suis surprise de voir le visage de Raphaël à quelques centimètres du mien. Sa main repose sur mon front.

— Tu as de la visite.

Je ne veux voir personne, sauf quelques-uns de mes amis proches, ceux devant qui j'ose sortir dans mon piètre état, vêtue d'une vieille robe de chambre ou de mes jeans presque troués.

— William et Claudia aimeraient te voir.

— Claudia ?

Désagréablement surprise par cette nouvelle, j'estime qu'elle ne fait pas partie du cercle d'intimes devant qui j'oserais sortir dans cet état. Je fronce les sourcils et mon corps se raidit. Raphaël devine ma déception.

— Maxime s'est tout de suite endormie dans les bras de son père !

— Et Claudia ?

— Du bout des doigts, elle a caressé le front de la petite. Elle est très mal à l'aise.

— Tant mieux !

— Emma...

Je fonds en larmes et suis immédiatement entourée par les bras chauds de Raphaël. Il me transmets sa force avec une générosité incontestable, en plus de s'occuper de ma fille avec une habileté et une patience surprenantes. Il dort sur mon futon, est réveillé dix fois par nuit par ma fille et s'efforce de me soutenir malgré toutes mes sautes d'humeur. Combien de temps tiendra-t-il le coup ? Je sens sa fatigue s'accroître sans cesse.

— Emma... La seule personne qui devrait éprouver de la honte, à l'heure actuelle, c'est Samuel D'Arcy. Pas toi.

— Tu voudrais vraiment que je sorte comme ça devant Claudia Arnold ?

— Qu'est-ce que tu as à lui prouver ?

Il ne comprend pas grand-chose aux femmes s'il pense qu'une épouse légitime et une maîtresse peuvent se côtoyer sans se juger et se comparer ! Au même moment, on frappe à la porte. Sans attendre, William demande s'il peut entrer avec Maxime. Raphaël approuve à ma place et se relève après un dernier regard pour moi.

Il ouvre la porte sur l'image touchante d'un père qui tient sa fille au creux de ses bras. Je les vois ensemble pour la première fois et je suis chavirée. Sans la moindre hésitation, William s'assoit au pied du lit et me regarde avec une sérénité que la prison, à ma grande surprise, ne lui a pas volée. Raphaël quitte la pièce pendant que j'essuie mes yeux.

Le silence s'installe entre nous. Raphaël m'a habituée aux longs moments de silence, mais je ne ressens pas la même quiétude auprès de William. Finalement, je prends la parole :

– Où en es-tu avec Claudia ?

Que cache ma question ? À son regard étonné, je m'aperçois que William se le demande encore plus que moi.

– Je ne sais pas, il est beaucoup trop tôt pour tirer des conclusions. Raphaël et toi, est-ce que vous...

– Non ! rétorquai-je promptement.

– Je vois...

Il ne me croit pas du tout, alors qu'il se concentre sur Maxime. Je les observe avec tendresse. La petite ressemble vraiment à son père : elle a son nez, ses yeux, ses cheveux, ses oreilles. J'ai hâte qu'elle grandisse pour constater les qualités – et les défauts ! – qu'elle aura héritées de ses parents.

– Emma, je refuse que mes responsabilités se limitent à un chèque mensuel. Qu'est-ce que je peux faire pour t'aider ?

Derrière son offre, je sens que sa fibre paternelle a été réveillée par ce petit bout de fille qui dort entre ses bras.

– Bonne question. Je suis tellement fatiguée, William ! J'ai besoin de dormir, mais je me sens coupable que la petite ne puisse pas sentir ma présence : elle devrait toujours pouvoir compter sur sa mère !

– Si son père dormait ici, une nuit de temps en temps, est-ce que ça soulagerait un peu ta conscience ? J'aimerais bien qu'elle s'habitue à moi aussi, tu sais.

Il sourit. J'ai encore du mal à y croire, mais il en a vraiment envie !

— Je ne veux pas t'imposer ça. Si tu retournes avec Claudia, tu dois la ménager en m'évitant le plus possible !

— Je peux ménager Claudia tout en m'occupant de la petite.

Il devient plus grave et avale péniblement sa salive.

— Je sais que tu refuses de parler de D'Arcy... Cependant, j'ai vraiment besoin que tu me rassures sur un point... Est-ce que ce salaud...

Je baisse la tête, ferme les yeux. Je sais ce qu'il veut savoir. Tous mes proches ont eu la même réaction.

— Non, il ne m'a pas violée. Mais il m'a raconté le supplice des autres femmes avec tant de détails que...

Je réprime un haut-le-cœur.

— J'ai mal quand j'y repense. Une souffrance qui ne se décrit pas avec des mots.

Il me fixe intensément. Maxime se réveille au même moment et William, mal à l'aise et heureux à la fois, cherche à la rassurer par des chuchotements à l'oreille.

— Elle doit avoir soif. Veux-tu la faire boire ?

— Je veux bien, mais j'ai besoin de ton aide !

— Retourne au salon. Raphaël est rapidement passé maître dans l'art de lui donner le biberon. Il t'aidera.

– Emma... Je veux prendre deux minutes pour parler d'une dernière chose.

Je le regarde et comprends ce qu'il veut aborder. Je suis heureuse qu'il fasse les premiers pas : nous avons une histoire à conclure.

– Comme on s'est quittés sans vraiment en discuter..., je voulais quand même te dire que j'ai passé de beaux moments avec toi. Tu auras été une étape importante dans ma vie, d'autant plus que cette petite risque de prendre de plus en plus de place dans mon existence !

– Même chose pour moi, William... Même si nous n'avons jamais été vraiment amoureux l'un de l'autre, je suis tout de même heureuse que ma fille t'ait comme père !

Une ombre traverse le regard de mon ancien amant, tandis que des dizaines de souvenirs affluent dans ma tête. William a souvent dormi dans ce lit où, maintenant, nous sommes comme des étrangers qui partagent la responsabilité d'un minuscule bébé. Est-ce qu'il pense à la même chose ? Oui. Il a rougi, je sens son malaise. William m'a si souvent proposé de quitter sa femme... A-t-il été plus amoureux de moi que moi de lui ? Je ne lui poserai pas la question, la réponse lui appartient.

Je tourne la tête. Je n'arrive pas à croire que Claudia ait accepté de venir chez moi et qu'elle soit en ce moment même assise dans mon salon ! Pour arriver à affronter la maîtresse de son mari, elle aime sans doute William très profondément.

Le papa replace la sucette dans la bouche de Maxime, mais elle ne cesse de pleurer. William quitte enfin ma chambre, et je me lève du lit où j'ai passé une bonne partie de la journée. Je me fige devant la glace pendant un moment. Un court bilan s'impose à moi : j'ai survécu à un tueur fou. Je devrais m'estimer chanceuse d'avoir toujours la vie, mais... je n'éprouve qu'une profonde honte. Je dois parler ! Je me décide enfin : aussitôt que William aura quitté l'appartement, j'avouerai tout à Raphaël...

* *

*

Pendant leur court séjour chez moi, Maxime a conquis le cœur de son père et probablement celui de sa belle-mère aussi ! Nous avons tous été surpris lorsque le téléavertisseur de Raphaël a vibré : un incendie nécessitait une troisième alarme et donc l'appel d'une dizaine de pompiers en renfort. Raphaël, d'apparence calme, avait les mains moites quand il est venu me serrer contre lui avant de partir. William, de toute évidence, l'enviait.

Raphaël est revenu vers minuit, beaucoup moins fatigué que je ne l'avais craint. Il m'a raconté son intervention en détail, puis m'a interrogée sur ma soirée avec Maxime, qui a été particulièrement sage.

– Tu n'avais pas sommeil ?

Il vient s'asseoir à la table où je suis déjà installée. Avec un appétit que je ne lui ai pas vu depuis longtemps, il dévore le sandwich au poulet que je lui ai préparé.

– J'avais trop envie de te parler pour aller me coucher sans te voir...

Au ton de ma voix, il sait que quelque chose ne va pas. Écrasée sur ma chaise, je suis devenue rouge comme une pivoine. Comment lui avouer la vérité ? Je me lance à l'eau sans autre préambule.

– Quand Thomas et toi étiez coincés et que William a refusé d'envoyer de l'aide..., j'ai posé un acte grave. Très grave.

Il me dévisage.

– Thomas hurlait. Ses jambes brûlaient. Tu étais presque inconscient, tu ne pouvais plus bouger par toi-même... Nous n'aurions pas d'aide. Le toit risquait de s'écrouler... Je pouvais essayer de te sauver et me sauver moi-même, sinon... nous mourrions tous les trois.

Nous avons déjà parlé cent fois de ces détails. Il soupire de lassitude. Il n'a sans doute pas envie de se remémorer ces pénibles souvenirs au retour d'une intervention où tout s'est bien déroulé.

– Je sais tout ça, Emma !

Il est intrigué, mais il n'imagine pas encore l'ampleur de ce que je lui raconterai.

– Thomas me regardait et serrait ma main... Je ne pouvais pas me résoudre à me lever, à te libérer et à nous sortir de là sans lui...

Raphaël avale sa salive. Il a compris. Je le sens.

– Tu as tiré sur son respirateur. Je m'en doutais, Emma, avoue-t-il sans me quitter des yeux.

Je lève le ton pour assurer ma défense :

– Mais comment as-tu pu penser ça de moi ?

Je pleure à chaudes larmes, j'ai du mal à reprendre mon souffle.

— J'ai beaucoup réfléchi pour en arriver à une conclusion presque certaine : tu n'aurais jamais pu abandonner Thomas vivant ! Tu savais comme moi qu'il n'y avait plus rien à faire et qu'il était inutile de le laisser souffrir une ou deux minutes supplémentaires. Sa bonbonne était pratiquement vide.

— Raphaël, je...

Même si le mot me hante depuis des mois, je n'ose pas prononcer « meurtre » devant lui.

— Tu t'es culpabilisée avec ça pendant tous ces longs mois ?

— Oui ! Mais il y a pire encore...

Je lui raconte l'histoire que j'ai dû déformer pour amadouer Samuel. Subjugué, Raphaël ne rate pas un mot de ce que je lui raconte. Le dégoût déforme ses traits.

— Le salaud ! Tu as très bien réagi, Emma. Pourquoi t'en vouloir ? demande-t-il en serrant ma main. Si Thomas savait que sa mort a contribué à sauver ta vie et celle de ton enfant, je suis persuadé qu'il aurait l'impression de ne pas être mort en vain !

— Mais j'ai vraiment tué Thomas !

Je pleure un long moment, le visage caché entre mes mains. Je suis à la fois soulagée d'avoir avoué mon geste et surprise que Raphaël puisse se montrer aussi compréhensif.

— Compassion : imprime ce mot dans ta mémoire, ma belle.

Je ferme les yeux. Il ne m'a pas appelée « ma belle » depuis longtemps ! Il se racle la gorge. Il veut m'écouter, mais ces souvenirs le troublent encore beaucoup. Hier, il a murmuré : « Ça fait sept mois aujourd'hui que Thomas est mort. »

Tout dire. Pour la première fois de mon existence, une autre personne connaîtra mes douleurs les plus secrètes, les plus enfouies.

– Tu me connais bien, Ralph. Tu sais depuis toujours que je n'ai pas fui l'Espagne sans raison.

Il hoche la tête, déconcerté, sans prononcer un mot.

– Mon oncle Carlos a longtemps été le directeur du service des incendies de Barcelone...

Raphaël a même rencontré mon oncle à deux ou trois reprises. En fait, il connaît tous les gens dont il sera question, tous les lieux dont je lui parlerai.

– Vers l'âge de dix ans, j'ai fait toute une série de mauvais coups : grimper sur le toit de la maison, m'asseoir derrière le volant de la voiture et la démarrer, jouer avec des allumettes...

Silence.

– Un peu plus tard, j'ai passé deux semaines de vacances chez ma marraine, Gabriela, à Barcelone. Elle habitait au rez-de-chaussée d'un immeuble de six appartements. Une nuit, je me suis réveillée avec l'impression d'avoir très faim, de mourir de faim ! J'ai décidé de me faire réchauffer un petit plat sur la cuisinière...

Raphaël devine où je veux en venir. Son regard se teinte d'incompréhension, de stupéfaction.

– Ma petite expérience a mis le feu aux rideaux, puis le feu s'est propagé très rapidement dans les conduites d'aération. Il y a eu plusieurs milliers de dollars de dommage et... deux morts. Les personnes âgées qui habitaient l'appartement au-dessus sont mortes asphyxiées. L'incendie a été classé accidentel et personne, hormis trois responsables au service des incendies – dont mon oncle –, ma marraine et mes parents ont été mis au courant de la vérité. Mon oncle a tout caché pour me protéger.

Raphaël secoue la tête pendant que je cherche à reprendre mon souffle. Je poursuis sans hésiter. Une partie de ce venin doit enfin quitter mon corps !

– Je n'ai plus jamais été capable de regarder ma marraine et mon oncle dans les yeux, avouai-je, la gorge serrée. Mon père m'en a voulu, mais ça n'a pas duré trop longtemps. Ma mère, elle, m'a protégée de son mieux, mais nous n'en avons pratiquement jamais reparlé. J'étais encore une gamine quand tout ça est arrivé, mais je savais déjà que je quitterais l'Espagne aussitôt que j'aurais les moyens de subvenir à mes besoins.

Pourquoi Raphaël a-t-il pris ma main dans la sienne pour la serrer aussi fort ? Il devrait me rejeter, me repousser, pas chercher à me soutenir !

– La culpabilité, la honte, la colère ne m'ont jamais quittée.

– Et personne n'a rien su ? Même William ?

– Bien sûr que non.

Je suis habitée d'une énergie étrange, à la fois vivifiante et douloureuse. Me confier m'a soulagée d'un poids qui compressait mon cœur depuis trop longtemps, mais le plus difficile reste à venir : les réactions.

– Tu n'étais qu'une gamine... Pourquoi avoir passé ta vie à t'en vouloir ? Au lieu de t'offrir un silence qui t'a enfermée dans une prison intérieure, pourquoi ton père ne t'a pas plutôt offert une épaule sur laquelle t'appuyer ? Comment peut-on isoler un enfant avec un secret aussi lourd ?

De la sympathie, de la compréhension ? À mon tour, je dévisage Raphaël.

– Certains de tes comportements deviennent tellement plus clairs ! Pourquoi tu ne m'en as jamais parlé avant ?

– Je n'ai même pas osé y penser dans mes prières ! Par contre, j'ai dû raconter cet événement à D'Arcy : j'ai tout déformé, pour parvenir à l'impressionner... Il a sûrement senti que j'en rajoutais, mais ça a marché ! Sam a estimé que j'avais du cran, du culot, et il avait probablement raison. Moi, je crois plutôt être une... une... meurtrière !

J'ai péniblement craché ce mot. Les yeux remplis de larmes, je baisse la tête. Troublé, Raphaël essaie de reprendre ses esprits. Dès les premiers pleurs de ma fille, nous nous levons tous les deux comme des ressorts. Le tendre parrain me retient par un bras.

– J'y vais. Reste assise, tu es si blême !

Je me sens mal, mais je poursuis ma route et reviens quelques minutes plus tard. Maxime s'est calmée, puis rendormie. J'ai l'impression qu'elle avait simplement besoin de sentir la chaleur de sa maman.

– Merci de m'avoir enfin raconté tout ça.

Raphaël n'hésite pas et me prend dans ses bras.

– Tu ne me méprises pas ? Comment peux-tu accepter mes crimes aussi calmement ?

Je n'arrive pas à croire qu'il soit aussi calme et serein face à de telles informations ! Un grand soulagement coule en moi, même si un sentiment diffus de peur et de honte étreint encore mon cœur.

– Ce qui est arrivé en Espagne n'était qu'un accident, Emma. Les conséquences ont été terribles, mais tu n'es certainement pas une criminelle à cause d'un geste comme celui-là ! Tu n'avais pas le jugement nécessaire pour évaluer les risques. J'ai moi aussi fait de graves bêtises, Emma, murmure-t-il à mon oreille.

De quoi parle-t-il exactement ? Il me fixe. Il suffirait d'un geste, d'un regard ou d'une parole pour qu'il s'ouvre à son tour. Mais je ne veux pas. Je pars pour l'Espagne. Il passera ses vacances au Japon. Ça vaut mieux comme ça. Une étrange boule se forme dans mon estomac et éclate dans mon ventre. Ma respiration s'accélère et je m'éloigne enfin de lui.

Maintenant que j'ai confié tous mes secrets, je pourrai peut-être enfin trouver un endroit où je serai bien, où je pourrai mener ma vie sans toujours me battre contre mes démons intérieurs. Mes confidences m'ont épuisée... Je me sens vidée...

Ralph desserre son étreinte et m'observe avec une profonde et sincère tristesse qui, je le sens, n'a rien à voir avec mes secrets. Il voulait un signe, et je n'ai pas répondu. Cette fois, le message est clair. Entre nous, rien n'est plus possible hormis l'amitié...

Chapitre 47

Tout était allé très vite. Un beau matin, Brian Hannon s'était présenté à la porte de William Turmel pour lui offrir ses excuses et la possibilité de reprendre ses fonctions le plus rapidement possible. Comme tous les pompiers, et malgré la mort tragique de sa fille, Hannon souhaitait que la vie reprenne un cours un peu plus normal. Turmel avait posé quelques conditions, mais il avait hâte de regagner son poste. Même si sa tentative de suicide et son long emprisonnement lui avaient laissé des séquelles, il avait hâte de retrouver une vie plus active.

Claudia et lui avaient déjà acheté leurs billets d'avion : ils séjourneraient deux semaines sur la Côte d'Azur, puis deux semaines en Espagne. À quelques kilomètres de Monaco, Claudia avait réservé un bel appartement avec vue sur la Méditerranée. Il y avait une seule chambre, mais elle était meublée de deux lits à deux places. William souhaitait ardemment que ce voyage leur permette de se rapprocher encore davantage. Ils avaient beaucoup cheminé depuis sa sortie de prison, mais Claudia refusait toujours, du moins officiellement, qu'ils parlent d'avenir à long terme. Une fois de temps en temps, pourtant, elle parlait de projets de rénovations ou de vacances qui mettaient à contribution son mari... Par exemple, elle avait suggéré l'acquisition d'un chalet plus accessible, plus proche de chez eux. « On achèterait un chalet ou seulement un terrain ? Te sens-tu le courage de bricoler pendant tout un été ? » Elle avait immédiatement rougi, alors que William, fort souriant, avait rétorqué que ça lui importait peu. Quand l'impatience le gagnait, il se répétait inlassablement que chaque chose viendrait en son temps.

Maxime grandissait : elle avait déjà un mois ! Elle prenait des forces peu à peu. Son père passait la voir presque tous les jours. Emma, quant à elle, s'était débarrassée de son plâtre et avait pratiquement retrouvé son énergie d'antan. Elle conservait cependant des séquelles psychologiques évidentes de son enlèvement. Lorsqu'elle et sa petite fille se trouvaient seules chez elles, Emma actionnait les deux verrous de sa porte d'entrée et tirait les rideaux, effrayée à l'idée que Samuel puisse à nouveau l'attaquer malgré la présence d'un policier devant son immeuble – Yves Dubois avait promis de la faire protéger aussi longtemps qu'il le pourrait.

William voyait régulièrement Raphaël, même s'il n'habitait maintenant plus chez Emma, qui avait beaucoup moins besoin d'aide pour accomplir les tâches quotidiennes. Turmel était frappé par la gravité et la fatigue qui marquaient les traits de son collègue. Comme Emma et lui, Raphaël avait sans doute traversé une période très pénible, mais personne n'avait été présent pour veiller sur lui. William avait tenté d'ouvrir le dialogue, mais son confrère était demeuré de glace.

Encouragé par un hiver qui avait laissé peu de neige jusque-là, William avait décidé d'aller passer quelques heures à son chalet – mais de dormir à l'hôtel ensuite –, comme s'il souhaitait conjurer le sort et retrouver le contrôle de sa vie. Le grand air le soulagerait sans doute de quelques tensions. Claudia avait hésité à l'accompagner, pour finalement décliner l'offre, jugeant que son mari devait affronter ses fantômes seul.

Perdu dans ses pensées, William roulait depuis deux heures ; fatigué, il trouvait le trajet bien plus long qu'à l'habitude. Il soupira en engageant enfin sa voiture dans le chemin privé qui menait à son chalet. Il avança de quelques mètres et aperçut des traces de pas dans la neige. William freina brusquement et les observa. Les traces sortaient de la forêt et se dirigeaient vers le chalet. De toute évidence, des pieds avaient avancé à petits pas, alors que d'autres pieds... avaient traînés par terre, comme si la première personne avait soutenu la seconde.

La sueur coulait le long des tempes du pompier, alors que ses mains moites agrippaient le volant. Il cherchait les causes possibles de cette surprenante intrusion sur cette route isolée.

Des policiers ? William secoua la tête. Même si son chalet devait être surveillé par les équipes de Chrétien, aucun patrouilleur ne se serait aventuré dans une telle promenade sans sa voiture ! En plein hiver, la présence de chasseurs s'avérait également improbable.

Tétanisé par le stress, William verrouilla ses portières et observa les environs, aux aguets. Une idée folle lui taraudait les tripes : D'Arcy !

Devait-il prévenir la police ? Non ! Même s'il savait avoir affaire à un monstre, un sentiment diffus, mélange de haine et d'effroi, lui disait qu'il devait lui-même affronter D'Arcy pour enfin clore cette histoire. L'heure de la vengeance avait-elle sonné ? Il risquait sa vie lors de cet affrontement, mais une partie de lui refusait de le reconnaître.

Pour se donner le courage nécessaire, William décida d'arrêter sa marche près du chalet afin d'observer la situation. S'il croyait son intervention trop risquée, il retournerait à sa voiture au pas de course et aviserait les policiers. Son plan comportait de sérieuses failles, mais il se sentait prêt à affronter les risques.

William marcha d'un pas alerte jusqu'à son chalet. Malgré le froid intense, il transpirait abondamment sous son manteau. Comme il l'avait soupçonné, les traces s'arrêtaient devant sa porte. À l'abri derrière un arbre, il analysa la situation. Depuis la veille, la température avoisinait les moins vingt degrés, et elle avait descendu sous les moins trente au cours de la nuit. Le chauffage ne semblait pas fonctionner – William se rappela n'avoir pas pu couper de bois pour l'hiver. S'il était terré là, D'Arcy pouvait-il survivre longtemps dans un froid aussi intense ? Certainement. « Les bêtes ne se laissent pas mourir aussi aisément ! » pensa Turmel. La colère grondait en lui.

Il devait y aller ! William sortit de sa cachette, courut jusqu'au chalet et, avec une certaine difficulté tant ses mains tremblaient, il ouvrit la porte.

Une femme nue gisait sur le sol, son bébé serré dans ses bras. L'enfant n'était pas un nouveau-né, mais un petit garçon âgé d'au moins trois mois...

Chapitre 48

Transi, Adam Chrétien ajusta son chapeau sur ses oreilles. Dehors depuis l'aube par une température avoisinant les moins vingt-cinq degrés Celsius, il ne sentait plus ses orteils ni ses doigts.

Suivant à la loupe les traces de pas laissées dans la neige par le tueur, la brigade policière s'était rendue à quelque trois kilomètres du chalet de William Turmel. La piste s'arrêtait au bord du lac, tout près d'une route aménagée par les voisins du pompier afin qu'ils puissent mettre leur bateau à l'eau.

Les enquêteurs avaient été renversés en découvrant les effets de D'Arcy : il avait abandonné un pantalon taché de sang, la plaque d'immatriculation de sa voiture, son porte-feuille avec toutes ses cartes... Encore une fois, le tueur narguait les policiers avec une insolence troublante.

De prime abord, personne n'avait remarqué les traces de pneus, qui suivaient la petite route du lac jusqu'à la route principale, un demi-kilomètre plus haut. Grâce à son sens de l'observation aiguisé, le technicien en scènes de crimes les avait découvertes et les analysait depuis maintenant quatre heures.

– Alors ? demanda Chrétien.

Le technicien haussa les épaules avant d'étayer son constat :

– Il s'agit d'une petite voiture. En considérant les dates de gel au sol, j'estime que les traces remontent à environ deux semaines.

– D'Arcy possédait une petite Mazda..., murmura aussitôt Alain Labrie, un des autres enquêteurs au dossier, comme s'il se parlait à lui-même. S'il a réussi à quitter cet endroit après son meurtre...

– Appelons les aéroports ! lança instantanément Chrétien.

Pendant que Chrétien s'éloignait pour faire l'appel, Alain Labrie tournait en rond en réfléchissant à toute vitesse. Après un instant, il conduisit à l'écart Adam Chrétien et Daniel Thibault, le psychiatre expert de la GRC.

– Récapitulons, les gars, dit Labrie en regardant ses confrères réunis. À l'œil nu, nous avons suivi des empreintes de pas du chalet de Turmel jusqu'au bord du lac. Une fois ici, les traces indiquaient un certain piétinement. On suppose que D'Arcy a alors changé son pantalon ensanglanté – son chien l'a sans doute blessé assez sérieusement lorsqu'il l'a mordu pour défendre Sanchez. Ensuite, on voit clairement que les empreintes se poursuivent jusqu'au bord du lac. Six pas : oui, six pas qui se dirigent vers le lac, sans aucun signe de retour vers l'arrière. À ce stade-ci, les gars..., à quoi pensez-vous ?

Adam Chrétien et Daniel Thibault jetèrent un regard nébuleux à leur confrère.

– Daniel, un psychopathe peut-il s'enlever la vie ? demanda Chrétien en se raclant la gorge.

– S'il croit son œuvre achevée et s'il se croit sur le point d'être arrêté, oui, son suicide est plausible, affirma le médecin. D'Arcy veut la gloire... et la gloire est toujours plus grande dans le mystère de la mort !

Chrétien hocha la tête, mais ses idées étaient encore fortement embrouillées. Il n'osait pas espérer que D'Arcy se soit enlevé la vie. Sa voix tremblait lorsqu'il reprit la parole :

– Ces empreintes, qui s'arrêtent au bord de l'eau, me troublent. D'Arcy a plus d'un tour dans son sac, mais je ne vois pas comment il aurait pu retourner jusqu'à la voiture sans faire au moins un pas dans l'autre direction... On pourrait rechercher son corps dans le lac... Juste au cas où !

Dans un même mouvement, Thibault et Labrie hochèrent la tête. Comme s'il cherchait à s'en convaincre, l'enquêteur cracha :

– Vous avez raison. D'Arcy s'est probablement suicidé...

Les policiers retournèrent à leurs tâches respectives, tandis que le soleil, tranquillement, se couchait sur la région de Mont-Laurier. Soulagé par cette perspective réconfortante qui permettrait à Emmanuella Sanchez et à la population – surtout les femmes enceintes – de retrouver une paix bien méritée, Chrétien se sentait maintenant moins incommodé par le froid. Après toutes ces années, cette enquête infernale trouvait enfin sa conclusion dans la mort du tueur en série...

Chapitre 49

Assise à une table ronde, Emmanuella observait sa fille qui, cajolée par son parrain, roucoulait de bien-être.

Dans cinq minutes, mère et fille quitteraient Raphaël pour s'envoler vers un pays beaucoup plus chaud où, d'ici quelques heures, Maxime découvrirait enfin les beautés de la mer.

Sous la table, Emma serrait et desserrait les poings. Elle s'efforçait de respirer profondément, mais en vain : l'air se bloquait quelque part dans et l'empêchait de se sentir bien.

— Maxime sera heureuse en Espagne, près de ta famille, des racines de sa mère. Finalement, tu as fait le bon choix, Emma.

Elle hocha la tête, mais elle ne le croyait plus.

— Quand je serai enfin décidée, tu t'occuperas de la location de mon appartement et de la vente de mes meubles ?

— Je te l'ai promis !

— Et Érickson ?

Le berger allemand de Samuel avait dû passer trois semaines à l'hôpital vétérinaire de Saint-Hyacinthe pour recouvrer la santé. Bernard Fournier, un pompier à la retraite, avait généreusement offert d'héberger la bête chez lui, à la campagne.

– J'irai le visiter et je te donnerai de ses nouvelles. Bernard s'en occupera très bien !

Emma hocha la tête, soulagée que le chien – qui lui avait sauvé la vie ! – puisse maintenant vivre en toute quiétude.

– Pourquoi trembles-tu autant ? lui demanda doucement Raphaël. Tout va bien, maintenant. Le calme est revenu dans nos vies...

– Crois-tu vraiment à la mort de Samuel ? Tant que son corps ne sera pas repêché...

Un bon matin, Adam Chrétien était venu la voir pour l'aviser que D'Arcy était présumé mort : on croyait qu'il s'était noyé, tout près du chalet de William. Les recherches pour retrouver son corps n'avaient encore rien donné, mais elles reprendraient vers la fin du printemps.

– Je suis persuadé qu'il s'est suicidé pour éviter d'être pris.

Raphaël était sincèrement persuadé de la mort de D'Arcy.

– Tu devrais te réjouir de rentrer chez toi après un aussi long séjour à l'étranger ! Tu te sens maintenant en paix avec ton passé, n'est-ce pas ?

– Oui...

Pour la première fois, on appelait les passagers du vol vers Barcelone. Les yeux d'Emma s'embuèrent aussitôt. Raphaël, au contraire, souriait.

– Viens. Tu vas vers ta nouvelle vie, Emma.

Elle hocha la tête en se levant. Maxime dans le creux de son bras, il prit le siège du bébé et le sac de voyage d'Emma.

– Une nouvelle vie sans toi...

Emma se battait depuis des mois pour cacher ses sentiments. Pendant un certain temps, elle était même parvenue à les nier. Elle s'était promis de toujours cacher la vérité à Raphaël. Maintenant, secouée par la tristesse de l'éloignement, elle ne pouvait plus se taire et mentir encore.

Les yeux de Raphaël brillaient ; il s'arrêta pour la regarder. Enfin ! Il attendait ces mots depuis tellement longtemps !

– Emma, j'ai compris que tu souhaitais que je fasse le ménage dans ma vie sans que j'aie l'assurance de notre avenir commun. Ma décision est prise depuis ton enlèvement : j'irai au Japon pour tout régler dans les règles de l'art avec Caroline, puis je reviendrai ici. Ma vie normale recommencera : mon boulot, mes sports, mon entraînement, mes amis, mes neveux, ma musique... Un jour, si tu m'invites, j'irai vous rejoindre toutes les deux en Espagne. Si, au contraire, c'est toi qui acceptes mon invitation..., il y aura beaucoup de place pour vous deux chez moi... Je pense me mettre bientôt à la recherche d'une petite maison, dans un quartier familial... Et tu me connais... je sais me montrer très patient !

Emma pleurait. Raphaël avait follement envie d'embrasser la jeune femme, mais il se retint, car il souhaitait faire les choses dans l'ordre... De toute façon, tout était maintenant clair pour Emma et lui...

Chapitre 50

Toute petite. Seize ans, dix-sept ans ? Mais si jeune ! Cheveux noirs, raides, peau basanée... Philippine ? Ou Coréenne ? Un ventre énorme, proéminent. Quelle beauté !

Le marché est bondé. Partout où je regarde, des femmes magnifiques. Depuis mon arrivée ici, j'explore. Ébahi par tous ces ventres ronds qui se dandinent devant moi. J'ai du plaisir. Je suis libre !

Emma a survécu. J'aurais dû l'achever avant de m'enfuir. Mais la réaction d'Érickson m'a choqué. Et j'étais sûr qu'elle mourrait au bout de son sang... Pour une rare fois, j'ai manqué de vigilance. Tant pis !

Je ne retournerai pas au Québec. Trop risqué ! Il y a tellement de jolies femmes, partout dans le monde... Non, non, je n'y retournerai pas. Jamais.

La future maman poursuit sa marche, puis s'arrête devant moi. Elle regarde les fruits. Je lui touche l'épaule. Elle se retourne, surprise. Mais elle me sourit. Magnifique, magnifique femme ! Je dis quelques mots, elle comprend bien l'anglais. Je lui explique que je suis un touriste. Je lui demande de me photographier. Elle acquiesce. Je lui tends mon appareil photo. Nos mains se frôlent...

Pour joindre l'auteure

Vous pouvez écrire à l'auteure à l'adresse suivante :

mariechristinevincent@yahoo.fr

Vous pouvez visiter le site Internet de l'auteure à l'adresse suivante :

http://www.triomedias.com/mcvincent/